KEY·可以文化

酒国

莫言作品

The
Republic
of
Wine

浙江文艺出版社
Zhejiang Literature & Art Publishing House

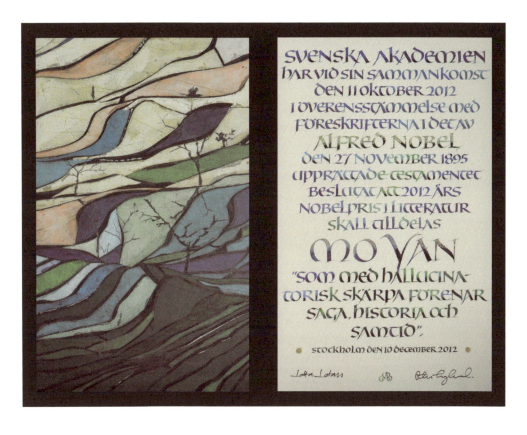

2012 年诺贝尔文学奖获奖者证书

诺贝尔奖晚宴致辞（原稿）

尊敬的国王陛下、王后陛下，女士们，先生们：

我，一个来自遥远的中国山东高密东北乡的农民的儿子，站在这个举世瞩目的殿堂上，领取了诺贝尔文学奖，这很像一个童话，但却是不容置疑的现实。

获奖后一个多月的经历，使我认识到了诺贝尔文学奖巨大的影响和不可撼动的尊严。我一直在冷眼旁观着这段时间里发生的一切，这是千载难逢的认识人世的机会，更是一个认清自我的机会。

我深知世界上有许多作家有资格甚至比我更有资格获得这个奖项；我相信，只要他们坚持写下去，只要他们相信文学是人的光荣也是上帝赋予人的权利，那么，"他必将华冠加在你头上，把荣冕交给你。"（《圣经·箴言·第四章》）

我深知，文学对世界上的政治纷争、经济危机影响甚微，但文学对人的影响却是源远流长。有文学时也许我们认识不到它的重要，但如果没有文学，人的生活便会粗鄙野蛮。因此，我为自己的职业感到光荣也感到沉重。

借此机会，我要向坚定地坚持自己信念的瑞典学院院士们表示崇高的敬意，我相信，除了文学，没有任何能够打动你们的理由。

2012年诺贝尔奖晚宴致辞（原稿片段）

「酒國」起筆在魯院，與余弟同房間，心中似有恨矣限因患小恙跪拂，也衆人誇模範，治鹽馱棗下江南讀稿師，長曾為難我今思之猶羞慚。無意犯禁坊，謂噢人亦十八更飞幻。仿青玉案曲牌一述「酒國」寫作情境。甲申重陽莫言

作者题词

题《酒国》

《酒国》起笔在鲁院，与余华，同房间。心中似有恨无限。因患小恙，踑床上书，众人夸模范。海盐驮稿下《江南》，读稿师长曾为难。我今思之犹羞惭。无意犯禁，所谓吃人，亦真更是幻。

仿青玉案曲牌，述《酒国》写作情境。

丙申重阳 莫言

"在混乱和腐败的年代里，弟兄们，不要审判自己的亲兄弟。"

——丁钩儿墓志铭

目　录

第一章

一

省人民检察院的特级侦查员丁钩儿搭乘一辆拉煤的解放牌卡车到市郊的罗山煤矿进行一项特别调查。沿途，由于激烈思索，脑袋膨胀，那顶本来晃晃荡荡的五十八号咖啡色鸭舌帽竟紧紧地箍住了头颅。他很不舒服，把帽子揪下来，看到帽圈上沾着透亮的汗珠，嗅到帽子里散出来的热烘烘的油腻气味里混合着另外一种生冷气味。这气味很陌生，使他轻微恶心。他抬起手，捏住了喉头。

临近煤矿时，黑色的路面坑坑洼洼，疾驰的卡车不得不把速度放慢。车底的弹簧板嘎嘎吱吱地怪叫着；头不断地碰到驾驶楼的顶棚。听到司机骂道路，骂人；粗俗的语言出自一个比较秀丽的少妇之口，产生黑色的幽默。禁不住看了一下她。她穿着一套蓝帆布工作服，粉红衬衣的领子高高地钻出来，护着一段白脖子；双眼黑里透绿，头发很短，很粗，很黑，很亮。戴着白手套的手攥着方向盘，夸张地打着方向，躲避着陷坑。往左打方向时她的嘴角往左歪；向右打方向时她向右歪嘴角。她的嘴左右扭动着，鼻子上有汗，还有皱纹。他从短促的额头、坚硬的下巴、丰厚的嘴唇上判断她是一个性欲旺盛的女人。在激烈的摇摆中他们的身体不经意地接触着，虽然隔着衣服但他饥饿的皮肤依然亲切地感觉到了她的温暖柔软的身体。他感到自己很想亲近这个女人,手发痒,想摸她。对于一个四十八岁的老牌侦查员来说,这感觉有些荒唐,但似乎又很正常。他摇了摇硕大的头颅,把目光从女人脸上移开。

路越来越糟,卡车从一个陷坑跌入另一个陷坑,颠颠簸簸,咯咯吱吱,像一头即将散架的巨兽一样爬行着,终于接在了一大队车辆的尾巴上。她松了脚,熄了火,摘下手套,抽打着方向盘,很不友好地看着他,说:

"妈的,幸亏肚里没孩子!"

他怔了怔,讨好地说:

"要是有孩子就颠出来了!"

"我可舍不得把他颠出来,"她严肃地说,"一个孩子两千块呢。"

说完这句话,她盯住他的脸,眼睛里流溢出似乎是挑衅的神情,但她的全部姿态,又好像在期待着他的回答。丁钩儿惊喜而好奇,几句粗俗对话后,他感到自己的精神像一只生满蓝色幼芽的土豆一样,滴溜溜滚到她的筐里去。性的神秘和森严在朦朦胧胧中被迅速解除,两个人的距离突然变得很近。女司机的话里透漏出一些与他的此次行动有关的内容,他的心里生出一些疑虑和恐惧。他警觉地看着她。她的嘴又往边一咧。这一咧嘴令他极不舒服,刚开始他还感到这个女人大胆泼辣,不落俗套,但她的随便咧嘴引起了他的不快,他马上就感到这个女人无聊而浅薄,根本不值得自己费神思。于是他问:

"你怀孕了吗?"

所有的过渡性语言都被抛弃,好像有些夹生,但她吞下去夹生,用近乎无耻的口吻说:

"我有毛病,盐碱地。"

"尽管肩负重任,但一个够腕的侦查员是不会把女人与重任对立起来的。"他突然想起了同行们嘲弄自己的一句名言:"丁钩儿用鸡巴破案。"想放纵一下的念头像虫子一样咬着他的心。他从口袋里摸出小酒壶,拔掉软木塞子,喝了一大口,然后他把酒壶递给女司机,挑逗地说:

"我是农艺师,善于改良土壤。"

女司机用手掌敲打着电喇叭的按钮,汽车发出低沉柔和的鸣叫,前边,黄河牌载重卡车的驾驶员从驾驶室里跳下来,站在路边,恼怒地看着她,嘴里嘟哝着:

"按你妈个球!"

她抓过丁钩儿的酒壶,先用鼻子嗅嗅,仿佛在鉴定酒的质量,然后仰起脖子,咕嘟嘟,喝了个底朝天。丁钩儿本想夸奖一下她的酒量,转念一想,在酒国市夸人酒量近乎无聊,便把话咽下去。他擦擦自己的嘴唇,紧盯着她厚厚的、被酒浸得湿漉漉的、紫红色的嘴唇,毫不客气地说:

"我想吻吻你。"

女司机突然涨红了脸,用吵架一样的高嗓门吼道:

"我他妈的吻吻你!"

丁钩儿大吃一惊,眼睛搜索着车外,黄河车驾驶员已经爬进驾驶室,无人注意他们的对话。他看到,在解放卡车的前面,是长龙一般的车队;在解放卡车的后边,又接上了一辆毛驴车和一辆挂斗卡车。毛驴的平坦额头上缀着一朵崭新的红缨,宛如暗夜中的一束火苗。路两边是几株遍体畸瘤的矮树和生满野草杂花的路沟,树叶和草茎上,都沾着黑色的粉末。路沟两边,是深秋的枯燥的田野,黄色和灰色的庄稼秸秆在似有似无的秋风中肃立着,没有欢乐也没有悲伤。
时间已是半上午。高大的矸石山耸立在矿区中,山上冒着焦黄的烟
雾。矿井口的卷扬机无声无息地转动着,有几分神秘,有几分古怪。
他只能看到卷扬机轮的一半,余下的一半被黄河车挡住了。

她连续喊着"我他妈的吻吻你",身体却凝固般不动。丁钩儿起
初被她吓得够呛,但很快便忍不住地笑起来。他用食指轻轻地戳了一
下她的胸脯,就像戳了机器的启动电钮一样,她的身体压过来,冰凉的
小手捧住他的头,嘴唇凑到了他嘴上。她的唇凉飕飕的,软绵绵的,没
有一点弹性,异常怪诞,如同一块败絮。他感到乏味、无趣,便把她推
开。她却像一只凶猛的小豹子一样,不断地扑上来,嘴里嘟哝着:

"我操你二哥,我日你大爷……"

丁钩儿手忙脚乱,招架不迭,最后不得不采用了对付罪犯的手
段,才使她老实下来。

两个人都气喘吁吁地坐着。丁钩儿紧紧地攥住她的手腕,不断
地把她的反抗压制下去。她憋着劲反抗时,身体扭曲,时而如弹簧,
时而如钢板,嘴里还发出哞哞的叫声,宛若一头顶架的小母牛。丁钩
儿忍不住笑起来。

她突然问:

"你笑什么?"

丁钩儿松开她的手,从口袋里掏出一张名片,说:

"姑娘,我要走了,想我了就按名片上的地址去找我!"

女司机打量着他,又低头看看名片,然后重新打量他的脸,好像
一个目光锐利的边防检查员在检查一位过境旅客的护照。

丁钩儿伸出一根指头,弹了一下女司机的鼻子,然后挟起皮包,
一只手转动了开车门的把手。他说:

"小妞,再见了,我有上等的肥田粉,专门改良盐碱地。"

他半个身子挤出车门时,女司机一伸手扯住了他的衣角。

他发现了她眼里流露出来一种可怜巴巴的神情,忽然觉得她年龄好像很小,没结婚也没被男人动过,很可爱又很可怜。他摸了一下她的手背,非常认真地说:"姑娘,我是你叔叔。"

她恼怒地说:

"你骗人。搭车时你说是车辆监理站的。"

他笑道:

"不是差不多吗?"

她说:

"你是特务!"

他说:

"可以算特务。"

她说:

"早知你是特务我才不拉你呢!"

丁钩儿摸出一盒烟,扔到她怀里,说:

"好了,别生气啦。"

她把他的小酒瓶扔到路沟里,说:

"用这样的小瓶喝酒,算什么男人。"

丁钩儿跳下车,用力摔上车门,沿着路边向前走。他听到女司机喊道:

"哎,特务,知道煤矿的道路为什么这样糟糕吗?"

丁钩儿回头看了一下她探出车窗的脑袋,微微一笑,没有回答。

女司机啤酒花一样的脸庞在丁钩儿的脑海里停留了一分钟,便像透明玻璃杯里的啤酒泡沫一样,哔哔啵啵地响着,缓缓地消逝了。通往矿区的道路肮脏狭窄,像一条弯弯曲曲的肠子。卡车、拖拉机、马车、牛车……形形色色的车辆,像一长串咬着尾巴的怪兽。有的车熄了火,有的没熄火。拖拉机头上竖起的铁皮烟筒里和汽车藏在屁股下边的铁皮烟筒里,喷吐着一圈圈浅蓝色的烟雾。燃烧未尽的汽油、柴油味儿,与拉车的牲畜口腔里散出的气味混合在一起,汇成一股屁屎狼烟般的潮流,漫散流淌。为了向矿区前进,他有时不得不紧贴着车皮,有时必须用肩背蹭着矮树干上的疤节。驾驶棚里的司机和靠在车辕杆上的车夫几乎都在喝酒,可见那条不准酒后驾车的规定在这里已经不起作用。不知往前挤了多久,猛一抬头他便看到了矗立在矿区中央的卷扬机高大铁架子的三分之二。

卷扬机绞着银灰色的钢丝绳,咻溜咻溜转动着,因为生锈,也许是油漆,铁架子在阳光下呈现出暗红的颜色,很脏。那巨大的定滑轮是黑色的,很严肃。川流不息的钢丝绳放射着虽不耀眼但十分吓人的银亮,让他联想到盘结在一起的毒蛇。眼睛感受色彩和光芒的同时,听到定滑轮嗯隆隆的转动声、钢丝绳嘎嘎唧唧的抽动声以及从地下发出的沉闷的爆炸声。

靠近矿区,有一个椭圆形的广场。广场的边缘上,栽种着一些宝塔状的松树,松树上落满煤灰。广场上同样挤满车辆,有一匹遍体污秽的毛驴把嘴放在松树的针叶上,不知是想吃松针还是想蹭痒,突然那匹毛驴打了一个响亮的喷嚏。有几位头扎毛巾、腰捆麻绳、破衣褴褛、满脸乌黑的人,挤在一辆马车上。马在吃笸箩里的草料;他们在喝酒。一个酱紫色的大瓶子,轮着嘬,你一口,他一口,喝得十分得趣。一个白色的大萝卜放在车辕杆上,你拿过来咬一口,咔嚓,他夺过去啃一口,咔嚓,然后便咯咯吱吱地嚼,吃得十分生猛。丁钩儿酒量不大,但喜欢喝,对酒的优劣基本能够鉴别。他嗅到一股很毒辣的味道,知道那酱紫色大瓶子里装的不是佳品。他还嗅到一股比屁还难闻的气味,那是萝卜和酒混合后发出的独特气息。从喝酒者的衣着打扮和吃喝的气派上,他知道这些人是酒国市郊区的农民。他的身体越过马头时,听到农民兄弟哑着嗓子叫:

"同志,您手脖子上的表几点啦?"

他抬了抬腕子,回答了问题。那个发问的年轻农民双眼发红,满腮黄须,嗓音沙哑,神色狰狞。他的心脏紧了一下,匆匆地往前走去。

年轻农民在背后骂道:"叫他们快开门,这群吃白米的猪。"

虽然年轻农民恶毒的詈骂里包涵着一种让丁钩儿感到不太舒服的东西,但他也只得承认骂得很有道理。已经十点一刻,煤矿的铁栅栏门依然紧锁着。那只挂在门鼻子上的乌黑大铁锁,宛若一只黑盖的大鳖。"安全生产庆祝五一",八个色彩消褪的红漆大字拘禁在圆形的铁片里,电焊条在很早的时候把它们焊在了铁栅栏上。秋天的明媚阳光使许多东西放出新光辉,蔚蓝的天因为煤矿的黑显得更加蔚蓝。灰色的砖墙一人多高,沿着起伏的地形起伏,蜿蜒如一条长龙,把煤矿的区域包围起来。大门一侧的小门虚掩着,一条狼黄色的大狗倦怠地卧在那里,一只半死不活的蝴蝶在它头上像一片枯叶飞舞。

丁钩儿推开小门时,那条狗猛扑上来。狗的布满汗珠的湿鼻子几乎碰到他的手背。准确地说触到了他的手背,他感到了它的鼻子上的温度。狗鼻子凉森森的,使他想到了紫色的乌贼鱼和荔枝的皮肤。但那条狂妄的狗马上转变了态度,惊恐地跳开,躲在门房的阴影里,和一蓬枯萎的马莲草紧紧相依,摇晃着长方形的头颅嗥叫。

他拔开小门上的插销,推开小门,站一站,走进去,背贴着凉凉的铁板,莫名其妙地看着那条惊惶不安的狗。低头看看自己的手背,瘦骨棱棱,黑色的血管,血液循环,已经有些酒分子在运行,没有电,没有特异功能,你为什么一触即跑呢?他很想问问那条狗。

一盆热咕嘟的洗脸水在空中展开。五彩缤纷的瀑布。宛若一道弧度不够的彩虹。泡沫和太阳。希望。水流进他的脖子一分钟后,风吹过来,才感觉到凉意。两分钟多一点,眼睛生涩,口腔里澶开了碱和劣质香料的味道,还有人脸积垢的味道,皱纹的精神实体。这时候特级侦查员把驾驶楼里的姑娘彻底忘掉了。嘴唇宛若败絮忘记了。像电钮一样敏感的乳房也忘记了。后来一个手持丁钩儿名片的女人出现,他着实紧张,如同在迷雾里看远山上的风景。狗娘养的!

"狗娘养的,活够了吗?"提着脸盆的看门人愤怒地用单脚踹着地球骂人。

丁钩儿马上明白了他骂的是谁。他抖抖头发上的水珠,用一块脏手绢揩揩脖子,啐啐唾沫,眨眨眼,把狼狈不堪赶走,恢复正常姿态,目光如炬,直逼着看门人的脸。他看到两只大小不一、乌黑如煤、暧昧、呆滞的眼睛,以及通红如山楂果的圆鼻子,以及青色嘴唇里的顽固牙齿。一股热流在身体里串流,蛇行,蚯蚓的隧道。怒火乍起,如火柴的头颅,訇然引燃,脑髓白热,宛若炉中炭,宛若雷电,奋勇的感情在胸中澎湃。

看门人狗毛一样粗硬的黑发直竖起来,他毫无疑问被丁钩儿的形象给吓坏了。丁钩儿看到看门人鼻孔里的毛,燕尾般剪动。一只邪恶的黑燕子潜伏在他的头腔里,筑巢,产卵,孵化。他对准燕子,勾动了扳机。勾动扳机。勾扳机。

乒——乒——乒!

三声清脆枪响,打破了罗山煤矿大门口的寂静,镇压了黄毛大狗的吠叫,吸引了农民兄弟的注意。醉醺醺的司机们跳出驾驶楼。坚硬的松针刺破了柔软的驴唇。拉车的牛抬起沉重的头,暂时忘记了回嚼。人们愣愣,然后向这里蜂拥。十点三十五分,罗山煤矿的看门人应声倒地,双手抱住脑袋,口吐白沫,身体抽搐。

丁钩儿提着一支雪白的手枪,微笑着,笔挺立着,宛如一株塔松。枪口喷出的青色烟雾在他身体周围袅袅飘散。

一群人把住铁栅栏,呆呆地望着。好像度过一段漫长的时间,一个尖尖嗓门的人叫道:

"打死人喽——看门的老吕头被打死喽!"

丁钩儿,塔松,青黑色,带刺的微笑。

"这条老狗,作恶到了头。"

"卖到烹调学院特餐部吧。"

"老狗煮不烂。"

"特餐部要的是白嫩男婴儿,才不要这老货哩!"

"送到动物园里喂狼吧。"

"狼也不喜得吃。"

"那就送到特种植物试验场去熬肥料吧。"

丁钩儿把手中枪抛起来,枪面在空中闪烁,好像一面银镜子。他接住枪,摊在手掌里,给铁栅门外的人看。枪身小巧玲珑,线条优美,有些左轮形象。他笑着说:

"朋友们!不要大惊小怪,这是个儿童玩具!"

他推住按钮,掰开枪身,剔出一个暗红色的硬塑料小齿盘,让众人观赏。每个齿间安着一粒黄豆大的纸炮,他说,勾一下扳机,齿轮转动一下响一声,这是玩具,当然也可以在舞台上使用,在演员手中它就是件小道具,当然也可以用于体育比赛,充当发令枪,各大百货商店均有出售。他边说边把火药盘安在轮槽里,复原枪身,勾了一下枪机。

乒——!

就是这样,他像一个推销员一样讲解着。如若不信,请看——他把枪口抵到自己的衣袖上,勾动扳机。

乒——!

"王连举!"有一位看过样板戏《红灯记》的司机喊。

不是真枪,丁钩儿把胳膊举起来说,你们看呀,要是真枪我的胳膊早就崩穿了是不? 他的衣袖上有一团焦黄,一股扑鼻的火药香味弥漫在阳光里。

丁钩儿扔枪进衣袋,走上去踢了倒地的看门人一脚,说:

"老伙计,起来,别装死了。"

看门人爬起来,双手依然捂着头,脸色焦黄,像优质的年糕一样。

丁钩儿说:

"我舍不得打死你。吓唬你。不要人仗狗势。十点多了,早该开大门!"

看门人把手拿下来,放在面前看。又不相信似的用手摸头,再看手上,果然没血,像捡了一条命似的长舒了一口气,惊魂甫定地问:

"你,你是干什么的?"

丁钩儿狡狯地笑笑,说:

"我是市里派来的新矿长!"

看门人急匆匆跑回门房,拿出一柄黄澄澄的大钥匙,拧开夸张的大锁,哗啷啷打开了铁栅门。门外的人们欢呼着,飞跑回车上去,几分钟后,发动机的轰鸣声把路都震动了。

汹涌的车流缓慢地、但冲劲十足地挤进大门,车辆互相碰撞,发出空咚空咚的声响。丁钩儿闪到一侧,看着这条肢节众多的丑陋大虫,心里突然产生了一股莫名其妙的愤怒。随着愤怒的产生,肛肠一阵痉挛,几根血管在那里边暴躁地跳动着,痛疼产生,他知道痔疮非发作不可了。这次侦查将伴随着痛疼与便血进行,与从前一样。想到此他心里的愤怒反倒减轻了许多。一切都不可避免。混乱不可避免痔疮不可避免,只有神圣的谜底永存。这次的谜底是什么呢?

看门人脸上堆着极不自然的笑容,点头哈腰。请领导到传达室里去坐。他按照自己的信马由缰式的侦查习惯,跟着看门人进了屋。

一间宽敞的大房子。一张床。一条黑被子。两把铁皮暖水瓶。一个硕大的铁炉子。一堆大如狗头的黑亮煤块。一个举着寿桃的粉红色裸体男娃咧着小嘴巴哈哈笑,在墙上,在年画上,他的美丽的小鸡儿像一粒粉红的蚕蛹,蠢蠢欲动,栩栩如生。丁钩儿的心紧了一下,肛肠又是一阵痉挛。

屋子里酷热难当。铁炉子里响着熊熊的火声。半截烟筒和整个炉体被恶毒的火焰烧得通红。热流团团旋转,墙角上的灰挂柔软飘动。他顿时感到周身发痒,鼻腔痛苦。

看门人讨好地望着他的脸,说:

"冷吗,矿厂?"

"太冷了!"他恼怒地说。

"不要紧不要紧,我加点好煤……"看门人连声说着,弯腰从床底下拖出一柄枣红色把儿的锋利小斧头。侦查员条件反射地将手按在腰际,那里暗藏着一把真正的手枪。他看到守门人驼着背走到火炉边,蹲下身,扒过一块枕头般大的煤块,一手按煤,一手抢斧,啪,煤块断裂,裂面整齐,闪闪发光,像镀了水银,啪啪啪啪啪……煤块变小,一堆,他揭开炉盖,白炽的火苗子蹿出尺把高,带着波波的风响。侦查员遍体汗水,看门人把煤块填进炉膛,抱歉地说:

"一会儿就旺,咱这儿煤软,不耐烧,要勤填。"

丁钩儿解开脖子下的扣子,用鸭舌帽擦着额头上的汗水,问:

"为什么九月份就生火炉?"

"冷哇,矿厂,冷……"看门人哆嗦着说,"冷……煤多,靠着煤山……"

守门人脸上干巴巴的,好像烤焦的馒头。丁钩儿不想继续吓唬他,说我不是什么矿长,放开胆子烤吧。我是来办事的。墙上的男婴哈哈笑着,栩栩如生。他眯着眼端详着这个可爱的孩子。看门人马上翻了脸,提着斧子说,你冒充矿长,开枪伤人,走,跟我到保卫科里去。丁钩儿微笑着说,我要真是新来的矿长你怎么办?看门人怔了一下,干笑了几声,将斧头放回床底,顺手从床下拖出一个酒瓶子,用残缺不全的牙齿咬开瓶塞,喝了一大口,然后讨好地将酒瓶子递给丁钩儿。酒液里泡着一棵浅黄色的人参,七只张牙舞爪的黑蝎子。请领导喝酒,守门人谄媚地说,这酒大补呢!丁钩儿接过酒瓶子,晃晃,蝎子在参须间游泳,怪味道从瓶口冲出来。他用嘴唇沾沾瓶口,将酒瓶子还给看门人。

看门人满脸狐疑地打量着丁钩儿,问道:

"您不喝?"

丁钩儿说:

"不会。"

看门人问:

"您是外地人?"

丁钩儿指指墙上的年画,说:

"老头,这个娃娃又白又嫩啊!"

他仔细地观察着看门人的神色。看门人神色沮丧,大口喝着酒,低声咕噜着:

"烧点煤算什么？一千斤才几个钱？……"

丁钩儿实在热得难以忍受,恋恋不舍地看了那孩子一眼,拉开门,大步走进阳光里。阳光凉爽爽的,十分舒适。

丁钩儿生于一九四一年。一九六五年结婚,婚后生活平淡,夫妻关系不好不坏,有一个儿子,比较可爱。他有一个情妇。她有时非常可爱有时非常可怕。有时像太阳,有时像月亮。有时像妩媚的猫,有时像疯狂的狗。有时像美酒,有时像毒药。他想和妻子离婚又不想离婚。他想和情妇好下去又不想好下去。他每次犯病都幻想癌症又惧怕癌症。他对生活既热爱又厌烦。他摇摆不定。他经常把手枪口按在太阳穴上又拿下来,胸口、心脏部位,也经常承担着这种游戏。他乐之不倦的唯一一件事是侦查破案。他是检察院技压群芳的侦查员。几位高级干部熟悉他。他身高一米七五,体瘦,皮肤黑,眼睛有点抠。嗜烟。好饮酒量不大。牙齿不整齐。会一点擒拿术。枪法不稳定:情绪好时弹无虚发,情绪坏时百发不中。他有点迷信,相信运气。好运气经常光顾他。

不久前的一个正午,检察长扔给他一支中华牌香烟,自己也抽出一支。丁钩儿打着火机先点燃了检察长的烟又把自己的烟点燃。烟雾进口,好像酥糖溶化,又香又甜。他看到检察长吸烟的动作有点笨拙,心里想这老头儿其实不会吸烟,但他抽屉里好烟不断。检察长拉开抽屉,把一封信拿出来,先瞄了两眼,才递给丁钩儿。

丁钩儿匆匆阅读着那个人稀奇古怪的字迹构成的检举信,显然是用左手写的。署名:民声,显然是假名。信的内容先使他惊惧后使他怀疑。他又从头把信浏览了一遍。尤其反复看了信的空白处那位熟悉他的首长龙飞凤舞的批示。

他望着检察长的眼睛。检察长望着窗台上的茉莉花。白花点点,散发着淡雅的香气。他自言自语地说:

"这可能吗? 他们有这么大的胆量,敢把婴儿红烧了吃?"

检察长暧昧地笑笑,说:

"汪书记点名要你去调查。"

他心里很兴奋,嘴里却说:

"这事该不着我们检察院去干! 公安部门睡觉去啦?"

检察长说:

"谁让我这里有一位大名鼎鼎的丁钩儿呢?"

丁钩儿有些发窘,问:

"我什么时候可以动身呢?"

检察长说:

"你随时可以动身。离婚了没有? 不离婚同样需要勇气。当然我们希望这是一封望风捕影的诬告信。绝对要保密。你可以采用任何方式,在法律允许的范围内。"

"我可以走了吗?"丁钩儿站起来。

检察长也站起来,拿出一条没启封的中华香烟,往桌子上一推。

丁钩儿夹着烟走出检察长的办公室。他跑进电梯。他走出大楼。他想去小学校看看儿子。著名的胜利大街横在面前,成群结队的轿车双向奔跑,不给他一点空隙。他等待着。一群幼儿园的孩子正在他左前方横穿马路,阳光照着他们的脸,好像朵朵葵花。他不由自主地沿着马路的边缘向那群孩子们靠拢,自行车贴着他的身体滑行,宛若一条条鳗鱼。骑车人的脸在强光照耀下变成一些模模糊糊的白影子。孩子们打扮得花枝招展,白白胖胖的脸,笑眯眯的眼睛。他们仿佛被拴在一根粗大的红绳子上,好像一串鱼,好像一根枝条上缀着的肥硕果实。汽车的烟雾喷到他们身上。光焰白亮如炭,孩子们宛若一大串烤熟的小鸟,撒了一层红红绿绿的调料,香气扑鼻。儿童是祖国的未来,是花朵,是最宝贵的,谁敢碾死他们? 汽车们无可奈何地停下来,吭吭哧哧喘息着,让孩子们过马路。孩子队伍的两头是两位穿白大褂儿的妇女,她们脸盘如满月,嘴唇似朱砂,牙齿锋利洁白,好像一对孪生姐妹。她们各攥着绳子的一头,毫不客气地大声吆喝着:

"抓紧绳子! 不准松手!"

丁钩儿立在一株黄了叶子的路边树下时,孩子的队伍已经安全过路。汽车流一浪一浪涌过去。孩子的队伍在他面前弯曲起来,喊喊喳喳叫唤着,好像一团麻雀。他们的手腕上拴着红布条,红布条拴在红绳子上。虽然队伍变得乱糟糟,但他们都在绳子上。两位阿姨只要把绳子抻紧,马上就是一条整齐的队伍。他想起了阿姨刚才发出的"抓紧绳子! 不准松手!"的命令,心中恼怒无比。废话! 他想,拴住了怎么松?

他扶着树,冷冷地问绳子前头那位阿姨:

"为什么要拴住他们?"

阿姨冷酷地看了他一眼,问:

"你是干什么的?""你甭管我是干什么的,"他说,"请回答我的问题,为什么把孩子们用红绳拴起来?"

阿姨鄙夷地说:

"神经病!"

孩子们看着他,齐声说:

"神——经——病——!"

他们把每个字都拖得很长,不知是必然的现象还是训练的结果。童音清脆稚嫩,十分好听,是世界上最美好的声音,在马路上扩散,好像一群活泼的小鸟齐飞。孩子的队伍从他的面前走过去,他愚蠢地笑起来,对着绳子后头那位阿姨。她却别着脸不看他。他一直看着孩子队伍消逝在一条胡同里;胡同两边是两堵刷了红漆的高墙。

他很困难地走到马路对面去,烤羊肉串的新疆人怪腔怪调地招呼他吃。他不吃。他看到一位脖子很长的姑娘走过来买了十串。她嘴上的口红像辣椒一样。她把滋滋冒油的肉串放到盛辣椒的盒子里滚动着。她吃肉串时嘴形奇怪是因为要保护嘴唇上的颜色。他感到喉咙火辣辣的,扭头就走了。

后来他站在育红小学校的门口抽着烟等待儿子。儿子背着书包跑出校门时没有看到他。儿子的脸上有一些墨水污渍。小学生的鲜明标志。他喊儿子的名字。儿子不亲热地跟他走。他告诉儿子自己要去一趟酒国市办公务,儿子说无所谓。丁钩儿说什么叫无所谓呢,儿子说无所谓就是无所谓嘛,有什么所谓吗?

无所谓,对,无所谓,他重复着儿子的话。

丁钩儿走进煤矿党委保卫部,受到了一个剃平头的小伙子的接待。平头小伙子拉开一个与墙壁同高的大柜子,倒了一杯酒递给他。这间办公室里也生着大炉子,火势虽不如门房里盛,但屋里温度仍然很高。丁钩儿想吃冰,小伙子劝他喝酒:

“喝吧,喝口暖暖身子。”

丁钩儿看着小伙子诚挚的脸,不忍心拂了他的好意,便接了酒杯,慢慢地喝着。

门窗严丝合缝,密封很好。丁钩儿周身发痒,汗在脸上爬。他听到平头友善地说:

“您不要着急,心静自然凉。”

丁钩儿耳朵里有嗡嗡的响声,他想到蜜蜂。蜂蜜。蜜饯婴儿。此行任务重大,不敢马虎。窗玻璃似乎在微微颤抖。几架巨大的机械,在窗户外的天地间缓慢地、无声无息地移动着。他感到自己在一个水柜里,像一条鱼。那些矿山机械是黄色的。黄色令人昏昏欲醉。他努力谛听着矿山机械的声音,但任何努力都是徒劳。

丁钩儿听到自己在说:

"我要见你们的矿长、党委书记。"

平头说:

"喝酒喝酒。"

平头的热情使丁钩儿感动,便端起酒杯一饮而尽。

他的杯子刚放下,平头又给斟满了。

"我不喝了,带我去见矿长、党委书记。"

"首长莫急,喝酒,喝一杯就走,等于让我失职。好事成双,来,再喝一杯。"

丁钩儿看看那拳头大的杯子,心里有些发怵,但为了工作,只好端杯喝尽。

他刚放下杯子平头又给斟满了。

平头说:

"首长,不是我逼您喝,这是我们矿上的规矩:敬酒不成三,坐立都不安!"

丁钩儿说:

"我酒量有限,一滴也不能喝了。"

平头双手把杯子举起来,送到丁钩儿嘴边,含着眼泪说:

"求求您,首长,喝了吧,不要让我坐立不安。"

丁钩儿一看平头这样真诚,心顿时软了,接过杯子一仰脖灌了。

平头感动地说：

"多谢多谢，您再来三杯？"

丁钩儿手捂住杯子口，说：

"不行了不行了，快带我去见你们领导吧。"

平头抬腕看看表，说：

"现在去见他们，还稍微早了点。"

丁钩儿亮出身份证，严肃地说：

"我有要紧公务，你不要拦挡。"

平头犹豫了一会，说：

"走吧。"

他尾随着平头，走出了保卫部的办公室，进入一条深邃的走廊。走廊两侧有很多房间，房门的一侧都挂着标名的木牌。他问党委书记和矿长不在这栋楼里办公吗？平头说跟我走吧，您喝了我三杯酒我不忍心让您跑冤枉路，要是您不喝我三杯酒，我把您转交给党委办公室的秘书就行了。

出大楼时他在晦暗的玻璃上看到了自己的脸，不由地吃了一惊，因为这张脸上的灰色的疲倦表情使他感到陌生。走出大门时，弹簧嘎嘎吱吱地响着，门板反弹回来，拍击着他的屁股，使他跟跄前仆，幸亏平头小伙子伸手拉住了他。美丽耀眼的阳光让他头晕眼花，腿软，耳朵里嗡嗡响。他问平头：

"我是不是有点醉了？"

平头说：

"首长，您没醉，像您这般出色的人物怎么会醉呢？我们这里醉酒的都是些没有知识、没有教养的下里巴人，阳春白雪从来不醉，您是阳春白雪，所以您没有醉。"

　　小伙子这一番顺理成章、逻辑严密的话把丁钩儿说服了。他跟着他穿过一片堆放着大批圆木的空地。圆木粗细不一,粗者直径两米,细者直径两寸。有松木、桦木、柞木、橡木、榆木。还有一些他叫不出名字来。植物学知识不丰富,认出这些也不错。圆木皮裂骨杓,漾出一股强烈的酒精气味。开始枯萎的黄草从圆木的缝隙里钻出来。一只白色的蛾子懒洋洋地飞着。几只黑燕子在木垛间飘,醉态朦胧。他站在一株大橡木前,伸出双手,够不着上沿。他握紧拳头,轻轻地敲打着橡木的暗红色年轮,橡木流出的汁液粘在拳头上。他叹息一声,说:

　　"好魁梧的一棵大树!"

　　平头接过话茬,说:

　　"去年一个酿葡萄酒的个体户拿着三千元来买它,我们没卖。"

　　"他买这干什么?"

　　"做酒桶呀!"平头说,"葡萄酒不进橡木桶永远不上等。"

　　"你们应该卖给他才是,根本不值三千元嘛!"

　　"我们讨厌个体经济!"平头说,"我们宁愿让它烂了也不支持个体经济。"

　　丁钩儿暗自钦佩罗山煤矿的公有制觉悟,两条狗在圆木后追逐,步态滑稽,如痴如醉。那条大公狗似乎是门房的看门狗,仔细看又不太像。他尾随着平头小伙子绕过一垛垛圆木,好像进入了原始森林里的伐木场并渐渐地深入了原始森林。橡树的巨大浓阴下,生出许多鲜艳的蘑菇,一层层腐败的橡叶与橡实,放出迷人的酒气。有一棵色彩斑斓的大树上,结着几百个婴儿形状的果实。都颜色粉红,鼻眼分明,肌肤纹理细密。竟然全是男童身。可爱的小鸡鸡恰似一粒粒红彤彤的花生米。丁钩儿摇晃脑袋,安定精神,神秘而惊人的大案鬼影憧憧,沉重地在他脑海里展开。他批评自己在不必要耽误时间的地方耽误了很多时间,但转念一想,从接受任务到现在仅仅二十多个小时,而我已在案件的迷宫里寻找路径,已经是绝对的高效率。于是他耐心跟着保卫部的平头青年走,看看他到底要把自己带到什么地方去。

又绕过一垛清一色的白桦圆木,便看到前方有一片向日葵森林。葵花朵朵向太阳,一片金黄浮在毛茸茸的深绿里。他嗅着桦木特有的、甜丝丝的醉人气息,心里荡漾着丘陵上的秋色。雪白的桦树皮还没有完全丧失生命,皮肤光洁滋润。破绽处露出更新更嫩的肌肤,好像说明着圆木依然在生长。有一只紫红色的蟋蟀伏在白桦皮上,肥硕健壮,诱人捕捉。平头青年按捺不住兴奋心情,说:

"葵花林中那一排红瓦房里,有我们的党委书记和矿长。"

那排红瓦房大概有十几间的样子,掩映在肥水充足所以茎粗叶大的葵花林里。在充足的光线照耀下,黄色显得格外辉煌。丁钩儿注目美丽景色,有些类似陶醉的意思周身流淌,平缓、凝滞、厚重。从陶醉中挣扎出来时,带路的平头青年已经无影无踪。他跳到桦木堆上去寻找,感觉到江水澎湃,桦木堆宛若一艘大船随波逐流。远处,高大的矸石山上依然冒烟,只不过那烟比凌晨时干燥了许多。露天的煤堆上,蠕动着若干黑色人。煤堆下车辆拥挤。人声、牲畜声微弱得很。他怀疑自己的耳朵发生了故障,现实世界与他之间出现了一道透明的屏障。那几架杏黄色的矿山机械在井口周围伸展着长臂,动作缓慢,但异常准确。他头晕,身体弯曲,趴在一根圆木上。圆木在汹涌的波涛上旋转着。那位平头青年确实无影无踪了。他滑下桦木堆,向葵花林走去。

他不由地想到自己适才的行为。一个受到高级领导人器重的侦查员竟像只怯水的小狗一样趴在桦木堆上看风景,而这行为竟成了这件如果属实必将震动世界的特大案件的侦查过程中的一个有机组成部分。如果拍成影片,必将被人嗤笑。他猜想自己有些醉了。无论怎样想那平头青年都有些鬼鬼祟祟,不正常很不正常。侦查员的想象力在一瞬间展翅飞翔,风鼓舞着他的羽毛和翅膀。平头青年很可能是那伙吃婴儿者的同犯。他在圆木间穿行时就想好了逃跑的机会。他指给我的道路布满陷阱。他低估了我丁钩儿的智慧。

丁钩儿夹住公文包。包里沉甸甸硬邦邦的是一支"六九"式连发手枪。手里有枪,气粗胆壮。他有些留恋地看了一眼桦木们、橡木们、各类圆木同志们。那些粗大圆木的剖面花纹颇似一张张胸环靶。他幻想着枪打圆木核心,双腿却把他带到了葵花林的边缘。

沸腾的煤矿里出现了这样一个幽静地方,可见事在人为。他迎着葵花走上前,葵花盘儿像一张张笑脸逼过来。但它们翠绿色或者淡黄的笑脸显得虚伪而阴险。他听到冷冷的低笑。那些硕大的叶片随风起舞,嚓嚓作响。他摸摸公文包里的铁家伙,昂首挺胸向红房子走去。他的眼睛盯着红房子,身体感受着包围着他的向日葵送给他的威胁。向日葵的威胁凉森森的,生着白色的毛刺。

丁钩儿推门入室,过程复杂,感受万端,终于见到党委书记和矿长。这二位干部都是五十岁左右,脸庞圆乎乎,好像小面包;脸色红扑扑,好像红皮蛋;略有将军肚。他们身穿灰色中山装,衣缝笔挺。他们脸上挂着慈祥、宽厚的微笑,具有长者风度。他们俩很可能是孪生兄弟。他们每人抓住丁钩儿一只手,亲热地握着。他们很会握手,不松不紧,不软不硬。丁钩儿感到两股热流传遍身体,手里像握着两只刚刚烤熟的红瓤儿小红薯。丁钩儿的皮包落在地上。一声枪响从皮包里穿出。

乒——!

皮包冒青烟,墙上一片瓷砖破碎。丁钩儿吃惊得肌肉痉挛。他看到子弹射中了墙上一幅玻璃马赛克拼镶成的壁画,画的内容是哪吒闹大海。美术家把哪吒搞成了一个白白胖胖的小男孩,侦查员的手枪走火打烂了哪吒的小鸡巴。

"果然是个神枪手!"

"枪打出头鸟!"

丁钩儿臊得够呛,慌忙捡起公文包,拿出枪,扣上保险。他对两位干部说:

"我绝对扣上了保险!"

"良马也有失蹄时。"

"走火的事是经常发生的。"

矿长和党委书记的宽容、劝解使丁钩儿更加不好意思,冲进门时的勃然豪气烟消云散,他甚至卑恭地点头,点头毕,刚要拿证件、介绍信之类,党委书记和矿长就摆手制止了他。

"欢迎丁钩儿同志!"

"我们欢迎您来矿上指导工作!"

丁钩儿不好意思询问他们从哪里得到了自己来煤矿的消息,搓着鼻子说:

"矿长同志,党委书记同志,我是奉＊＊同志的命令,前来贵矿调查红烧婴儿事件的,此案事关重大,绝密。"

矿长和党委书记相视十秒钟左右,突然拍着巴掌哈哈大笑起来。

丁钩儿板着脸说:

"请你们严肃点! 现任酒国市委宣传部副部长金刚钻是此案的重要嫌疑人,他是从贵矿出去的。"

也许是矿长也许是党委书记说:

　　"是的,金部长原是我矿子弟小学教师,那可是一个有能力、有原则、百里挑一的好同志。"

　　"请你们向我介绍他的情况!"

　　"我们边吃边喝边谈。"

　　丁钩儿不及争辩,就被推进了宴席。

二

尊敬的莫言老师:

　　您好!

　　请允许我自我介绍一下:我是酒国市酿造学院勾兑专业的博士研究生,姓李,名一斗——这是我的笔名,原谅我就不告诉您我的真名了——您是当今文坛的著名作家(不是吹捧)自然能知道我起这个笔名的用意。我身在酒国,心在文学,整个人在文学之海里扎猛子打扑腾。为此,我的导师,也是我老婆的爹爹我岳母的丈夫我的岳父岳父者泰山也俗称老丈人也的袁双鱼教授经常批评我不务正业,甚至挑唆他的女儿跟我闹离婚。我不怕,我为了文学真个是刀山敢上,火海也敢闯,"为伊消得人憔悴,衣带渐宽终不悔"。我反驳他说:什么叫不务正业呢? 托尔斯泰是军人,高尔基是面包匠是洗碗小工,郭沫若是医学院学生,王蒙是新民主主义青年团北京支部副书记,他们不都改行搞了文学了吗? 我的老丈人还想与我争论,我学阮籍的样子,给了他一个白眼,只是我技术欠火,不能把青眼珠全部掩盖住,鲁迅也不能,是不是,这些您都知道,我对您扯这些干什么? 这简直是孔夫子门前念《三字经》,关云长面前耍大刀,金刚钻面前谈喝酒——言归正传——

尊敬的莫言老师,我拜读了您的所有大作,对您佩服得五体投地,一魂出世,二魂涅槃。《凤凰涅槃》郭沫若,《我的大学》高尔基。我尤其佩服您那种千杯不醉的"酒神"精神,我看过您一篇文章,说"酒就是文学""不懂酒的人不能谈文学",您这些话犹如醍醐灌顶,使我顿开茅塞。正是:打开两扇顶门骨,一桶茅台浇下来。这世界上,比我更懂酒的人不超过一百个,当然,您是例外。从酒的历史到酒的酿造、酒的分类、酒的化学结构、酒的物理状态我了如指掌,因此,我迷上了文学、我自认为能搞文学。您的论断等于给我喝了一杯定心酒,就像李玉和被鸠山逮捕前喝了李奶奶那杯酒一样。所以,莫言老师,您现在该明白我为什么要给您写这封信了吧?请受弟子一拜!

最近,我看了根据老师原著改编、并由您参加了编剧的电影《红高粱》,看完后我激动得彻夜难眠,一杯接一杯地喝酒,老师,我真为您高兴,我为您感到自豪。莫言老师,您真是咱酒国的骄傲!我准备呼吁各界向市委领导进言,把您从高密东北乡挖过来,到咱酒国落户安家,老师,请等我的消息。

尊敬的莫言老师,初次给您写信,小的不敢啰嗦。随信寄上小说一篇,请老师批评指正。这是我看完电影《红高粱》之夜,辗转反侧,难以成睡,一边喝酒,一边运笔如风写出来的。老师读罢,如觉得尚可,恳切希望能帮助推荐发表。弟子这厢有礼了!

敬祝吾师

文思泉涌!

您的学生:李一斗

另：老师如需好酒，请示，学生将立即去办。

三

酒博士：

来信及大作《酒精》均收到，勿念。

我是个没正儿八经上过学的人，所以我对在大学里念书的人都十分佩服和尊敬，何况对你这位博士研究生。

现在的时代搞文学似乎不是聪明之举，我们行里的人都自叹别无他能，才不得不搞文学。有一位叫李七的人写了一篇《千万别把我当狗》的小说，那里边写了几个地痞流氓，在坑蒙拐骗偷什么勾当都干不了的情况下，才说：咱他妈的当作家去吧！言外之意我不想多说，你不妨找这部小说看看。

你是研究酒的博士，这的确让我羡慕得要命，如果我是酒博士，我想我不会改行写什么狗屁小说。在酒气熏天的中国，难道还有什么别的比研究酒更有出息、更有前途、更实惠的专业吗？过去说"书中自有黄金屋，书中自有千钟粟，书中自有颜如玉"，过去的黄历不灵了，应该把"书"改成"酒"。你看人家金刚钻金副部长，不就是仗着大海一样的酒量，成了酒国市人人敬仰的大明星吗？你说，什么样的作家能比得上你们的金副部长呢？所以，老弟，我劝你听你老丈人的话，踏踏实实地做你的酒学问，免得误入歧途，耽误了青春年华。

你在信上说，是看了我的文章才决定改行搞文学的，这可是大罪过，什么"酒就是文学"、"不懂酒不能谈文学"啦，都是我醉后胡言乱语,万万不可相信,否则可真是要了我的小命啦。

大作认真地拜读了,我这人没有理论根基,鉴赏力很低,不敢指手画脚。我已将大作寄给《国民文学》编辑部,那里云集着中国当代最优秀的文学编辑,如果您是千里马,相信会有伯乐来发现。

我这里不缺酒喝,谢谢你一番美意。

即祝
安康!

莫　言

四

酒　精

亲爱的朋友们,亲爱的同学们,当得知我被聘为酿造大学的客座教授时,无比的荣耀像寒冬腊月里一股温暖的春风,吹过了我的赤胆忠心,绿肠青肺,还有我的紫色的、任劳任怨的肝脏。我能站在这个被松柏和塑料花朵装饰得五彩缤纷的神圣讲坛上为你们授课,多半是因为它的特殊才能。你们知道,摄入体内的酒精,大部分通过肝脏分解……

金刚钻站在酒国市酿造大学公共课大教室的高高讲台上,神色肃穆地履行他的职责。他讲授的第一课起了个广大而宽泛的题目——《酒与社会》——正像一个卓越的高级领导人从不就具体事件发表演讲——他像上帝一样居高临下——他谈古道今、谈天说地、广征博引——一样,一个优秀的客座教授,也绝不把自己的讲授内容局限在他的题目之内。他尽管可以天马行空,但必须时时回到地球。他似乎信口开河,但每一句话都与他的题目有着直接或间接的联系。

酒国大学九百名头颅膨大、心驰神往的男女大学生们,与他们的教授、讲师、助教、校领导共聚一堂,犹如一群小星星,仰望着一颗大星星。这是一个阳光明媚的春天的上午,金刚钻在讲坛上放射着钻石般的璀璨光芒。听众中,年过花甲的袁双鱼教授高昂着他的顽固不化的头颅,白发飘飘,风度翩翩,头发根根清楚如银丝,面色红润,神清气爽,如得道高士,一身仙风道骨,闲云也,野鹤也。他秀出众头的银头颅形成一种超拔的气象,宛若羊群里的一匹骆驼。这个老人是我的导师,我不但认识他而且认识他的老婆,后来我恋爱上了他们的女儿,进一步发展结了婚,他和他老婆自然成了我的岳父和岳母。那天我也在大教室里听课,我是酿造大学勾兑专业的博士研究生,我的导师是我的岳父。酒精是我的精神我的灵魂,也是我这篇小说的题目。写小说是我的业余爱好,因此我没有多少负担,我可以信马由缰,我可以边喝边写。好酒!是的,是真正的好酒!好酒好酒,好酒出在俺的手。喝了俺的酒,上下通气不咳嗽;喝了咱的酒,吃个老母猪不抬头!我把盛酒的玻璃杯清脆地放到漆盘上,眼前及时地浮现出大教室里的情景。实验室里,葡萄酒勾兑实验室里,鲜明的酒浆在透明的玻璃瓶里泛滥着层次不同的红色,光在灯里鸣叫,酒在血里运行,思想在时间的河流中逆行,金刚钻狭小的、弹性丰富的脸蛋儿放射着诱人的魅力,他是酒国市的光荣和骄傲,是大学生们崇拜的对象。生子当如金刚钻。嫁夫当嫁金刚钻。没有酒就没有宴会,没有金刚钻就没有酒国市。他喝干了一大杯酒,用文质彬彬的丝绸手帕沾沾丝绸一样光滑的嘴唇。勾兑系的系花万国香穿着世界上最美丽的花裙子用最标准的动作为我们的客座教授斟满了酒杯。他亲切地看了她一眼,她羞得满脸通红甚至或者是幸福得红云爬上了她的双颊。我知道台下的女生中吃醋者有,嫉妒者有,咬牙磨齿者有。他嗓音洪亮,喉管通畅无阻,根本无须清理。他的咳嗽纯粹是杰出人物的一点小毛病,是一种无伤大雅的习惯。他说:

亲爱的同志们亲爱的同学们不要迷信天才天才就是勤奋。当然,唯物主义者并不一般地否定某些个别的人身上个别器官的优越性。但这毕竟不是决定性的因素。我承认我的分解酒精的能力先天就较强,但如果没有后天的艰苦训练,我的技艺、我的艺术也未必能达到这种千杯不醉的辉煌程度。

他很谦虚,真正有本领的人都谦虚,吹牛的人往往没本事或没有大本事。你又优美地喝干了杯中酒。勾兑小姐优美地为你斟满酒。我用疲倦的手为我自己的杯子倒满酒。大家用会心的微笑相互问候。李白斗酒诗百篇。李白不如我,李白喝酒要掏钱包,我不用,我可以喝实验用酒,李白是大文豪我是业余文学爱好者,我市的作家协会副主席劝我写点熟悉的生活,我经常把实验室的酒偷了送到他家里去。他不会骗我。他的课讲到什么地方了?让我们竖起挺拔的耳朵,精力集中,九百名大学生们宛若九百匹精神抖擞的小毛驴儿。

小毛驴儿,客座教授金刚钻副部长的神情、姿态与小毛驴儿一般无异。他在讲台上摇头摆尾,显得异常可爱。他说,我的喝酒历史要追溯到四十年以前,四十年前那个万民欢庆的月份里我在母亲的子宫里扎了根,那之前据调查我的父母与众人一样,兴奋得如痴如狂,接踵而来的欢爱陷入一种天花乱坠的迷狂状态,所以我是狂欢的产物,副产品。同学们,我们都知道狂欢与酒的关系,狂欢节是不是酒神节无关紧要,尼采是不是酒神节那天降生的也无关紧要,要紧的是我是我父亲狂欢的精子和我母亲狂欢的卵子结合而成的产物,这就决定了我与酒的缘分。他展开一张递上去的纸条,读毕,宽容大度地说,我是党的政治思想工作者,怎么能宣传唯心论呢?我是彻头彻尾的唯物主义者,"物质第一,精神第二",是我永远高举着的战旗上用金丝线绣着的字迹。精子尽管狂欢着也是物质,同理,狂欢着的卵子难道就不是物质了吗?再譬如:狂欢的人们难道能抛弃了骨头和皮肉,变成一个纯精神四处飘飞不成?! 好了亲爱的同学们,时间宝贵,时间就是金钱,时间就是生命,我们不要在这些简单的问题上兜圈子,中午我还要宴请出资赞助第一届猿酒节的朋友们,他们当中有美籍华人、港澳同胞,不敢有一丝一毫的怠慢。

金刚钻提到"猿酒"时,我在教室后头看到我岳母的丈夫的两根颈三角肌紧张起来,它们发了红。老头子被这传说中的琼浆玉液也难比的东西搅得半生不得安宁。酿造"猿酒",让神奇传说变成容器里的液体,是酒国市二百万人民梦里也想的好事,是重点攻关项目,市里投了巨资,老头子是攻关小组的组长,他的三角肌不紧张谁的三角肌紧张?我看不到他的脸。我基本上等于看到了他的脸。

同学们,让我们的眼前出现这样一幅神圣的图像,一群狂喜的精虫,摇动着柔软的尾巴,像一群勇敢的士兵冲向地堡,不,它们虽然狂喜但它们的行动是活泼温柔的。当年,法西斯总头目希特勒希望德国的青年人应该"像猎犬一样灵活,像皮革一样柔韧,像克虏伯钢铁一样坚硬",尽管希特勒理想中的青年人有点像现在在我们眼前游动的成群精虫——其中一只是我的内核——但再好的比喻也不能用第二次,何况创造这比喻的是世人皆恨的混世魔王。我们宁愿用烂俗的国货,也不用精良的洋品,这是个原则问题,不允许有一丝一毫马虎。各级领导同志,务必充分注意,万万不可粗心大意。医书上把精虫形容成蝌蚪,我们就蝌蚪一次:成群的精虫——其中包括小我一部分——在我母亲温暖的溪流里游泳。它们在比赛,优胜者奖给一粒,奖给一粒浆汁丰富的白葡萄。当然,有时候会出现两名游泳选手同时到达终点的情况,在这种情况下,如果有两粒白葡萄,奖给他们每人一粒,如果有一粒白葡萄,这甜美的汁液只好由他们共享。如果有三位、四位、甚至更多的选手同时到达终点呢?这种情况太特殊,这种现象极其罕见,而科学原理总是在一般的条件下抽象出来,特殊情况另当别论。好歹在这次竞赛中,只有我一个最先抵达,白葡萄一粒吞没了我,我成了白葡萄的一部分,白葡萄成了我的一部分。是的,无论多么形象的比喻也是蹩脚的,这是列宁语录;没有比喻就没有文学,这是托尔斯泰的话。我们把酒喻为美人,人家把美人喻为酒,这说明酒与美人具有某种同一性,同一性中的特殊性把酒与美人区别开来而特殊性中的同一性又把美人与酒混同起来。但真正从饮酒中体会到美女柔情的人很少,可谓凤毛麟角。

那天,他这一番话把我们给震了,我们是浅薄的大学生和比较浅薄的研究生,我们喝过的水还不如他喝过的酒多。实践出真知,亲爱的同学们。神枪手是用子弹喂出来的;酒星是酒精泡出来的。成功的道路没有捷径只有那些在崎岖小路上不畏艰险奋勇攀登的人们才有希望到达光辉的顶点!

真理的光辉照耀着我们,大教室里响起了热烈的掌声。

同学们,我有一个苦难的童年。伟大人物都在苦难的海洋里挣扎过,他也不例外。尽管我渴望着酒,但没有酒喝。金副部长为我们讲述他在艰苦的条件下以工业酒精代替烧酒锻炼器官的经历,我想用纯粹的文学语言描绘他这段不平凡的经历。我喝了一口酒,把酒杯清脆地放到漆盘上。黑暗降临,金刚钻站在副部长与欢乐精子之间的一个位置上。他对我招手,他穿着一件破棉袄引导我走进他的故乡。

寒冷的冬夜,一钩残月和满天星斗照耀着金刚钻村庄的街道和房屋,枝叶干枯的柳树和梅花。因为不久前一场大雪,大雪过后出了两次太阳,太阳融化了雪水,所以家家草屋的檐下,挂着一串串晶莹的冰凌。冰凌在星光照耀下闪烁微弱的光芒,房顶和树枝上的积雪也在闪光。根据金副部长的描绘,那应该是一个没有风的冬夜,河里的冰层遭受奇寒折磨坼裂,响亮的裂冰声在深夜里更响亮。夜愈深愈安静。村庄在沉沉大睡,这村庄是我们酒国市远郊的村庄。很可能有一天我们会乘上金副部长的桑塔纳轿车去瞻仰圣地、参观圣迹,那里的一山一水一草一木都将唤起我们对金副部长的敬仰,一种多么亲切的感情啊。想想吧,就是从这穷困破败的村庄里,冉冉升起了一颗照耀酒国的酒星,他的光芒刺着我们的眼睛,使我们热泪盈眶,心潮澎湃,摇篮破旧也是摇篮,任何东西也不能代替。根据目前态势估计,金副部长的发展前途不可限量,成为高级领导人的金刚钻携带着我们在他的钻石村尘土陷脚的大街小巷上徜徉时,在他的流水潺潺的溪流前流连时,在高高的远望着无边的绿色植物的河堤上漫步时,在他的牛栏与马厩前徘徊时……童年时期的痛苦与欢乐、爱情与梦想……连篇累牍行云流水般地涌上他的心头时,他是一种什么样的精神状态?他的步态如何?表情如何?走动时先迈左脚还是先迈右脚?迈右脚时左手在什么位置上?迈左脚时右手在哪里?嘴里有什么味道,血压多少?心率快慢?笑的时候露出牙齿还是不露出牙齿?哭的时候鼻子上有没皱纹?可描可画的太多太多,腹中文辞太少太少。我不得不端起酒杯。树上挂着冰雪的枯枝在院子里嘎叭嘎叭断裂,遥远的池塘里,冰冻三尺,枯干的冰上芦苇丛里,夜宿的野鹅和家鹅惊梦,发出嘹亮的鸣叫。这鸣叫由清冽新鲜的空气传送到金刚钻七叔家的东间房里。他说他每天晚上都到七叔家里去,在那里一直待到深夜。四壁黑油油,一盏煤油灯放在一张古老的三屉桌上,三屉桌靠着东山墙安放。七婶七叔坐在炕上。炕沿上坐着小炉匠、大个子刘、方九、张保管,他们与我一样,在这里消磨漫长的冬夜,每夜都来,风雪无阻拦。他们报告着每天各自的经历和听到的七村八疃的新闻趣事,丰富多彩,妙趣横生,展开了一幅广阔的农村风俗画卷。这是富有文学情趣的生活。寒冷像野猫,从门缝里爬进来,咬着我的脚。那时候他还是一个穷孩子,穿不上袜子,两只生着黑皱皮的脚蜷缩在蒲草鞋里,脚心里、脚丫子中间,全是冰凉的汗水。煤油灯光在黑屋子里显得格外亮,白色的窗纸亮晶晶的,寒冷的空气从窗纸的破洞里奔涌进来,灯火冒出的一缕黑油烟袅袅上升,并不断变换形状。七婶和七叔的两个孩子在炕角上睡着了,那个女孩打着均匀的呼噜,那个小男孩的呼噜不均匀、高一阵低一阵,还夹杂着嘟嘟哝哝的梦话,他好像在梦里同一群野孩子打架。七婶是一个有文化的女人,眼睛很亮。她患有胃神经官能症,呃呃地噫着气。七叔是个迷迷糊糊的男人,一张脸没有固定的形状,没有棱角,像一块平平的粘糕,他的朦朦胧胧的双眼老盯着灯火出神。其实七叔是个相当精明的男人,当年他巧施计谋,骗娶了比他小十岁有文化的七婶,那过程曲折复杂,一言半语难说清。七叔是位业余的兽医,能在猪的耳朵上静脉穿刺,注射葡萄糖青霉素,还能劁猪阉狗骟驴。他与村里的男人一样好饮酒,但是没有酒。各种能够酿酒的原料都用光了,人的吃食成了头等大事。他说:我们饥肠辘辘地熬漫漫冬夜,那时候,谁也想不到我能有今天。我不否认我的鼻子对酒精特别敏感,尤其在空气没遭污染的农村、农村的寒夜,种种味儿脉络清楚,方圆数百米内,谁家在喝酒我能够准确地嗅出来。

　　夜愈深了,我嗅到东北方向的酒味,虽然隔着一道道墙壁,但它的亲切诱人的味道,飞越一道道白雪覆盖着的房顶,穿过披挂着冰雪铠甲的树林,沿途陶醉着鸡鸭鹅狗。狗叫声圆如酒瓶,醉意盎然;陶醉着天上的星辰,它们幸福地眨眼睛,摇摇晃晃,像秋千架上的顽童;还醉了河中的鱼儿,它们伏在柔软的水草里,吐着一个个黏滞的醇厚气泡。当然,一切耐寒的夜游鸟儿也吸食着酒的气味,包括那两只羽毛丰厚的猫头鹰,包括在地道里嚼草根的田鼠。在这片广大的、虽然寒冷但生机勃勃的土地上,多少生灵都在享受着人类的贡献,神圣感由此而生,"酒之所兴,肇自上皇,或云仪狄,或曰杜康",酒能通神。为什么我们用酒来祭祀先人、超度亡灵呢?在这个夜晚我明白了。这是我被启蒙的日子。就在那天晚上,潜伏在我身上的精灵觉醒了,我感觉到了宇宙的奥秘,一种无法用文字表述的奥秘,它美丽而温柔,多情又善感,缠绵又悱恻,滋润又芳香……你们明白吗?他张开两只手,伸向抻长了脖颈的听众,我们瞪圆眼睛张大嘴巴,好像要去看去吃他手里的灵丹妙药,他手里什么也没有。

　　你的眼睛里放射着感人至深的色彩,只有能与上帝对话的人眼里才有这种色彩。你看到的景象我们看不到,你听到的声音我们听不到,你嗅到的气味我们嗅不到,我们多悲哀!语言从你的被称为嘴的器官里源源流出,好像一段音乐,一条扁圆的河,一根飞扬的从蜘蛛精屁眼里喷出来的丝,像鸡蛋那般粗细,那般圆滑,那般质感良好。我们在音乐里陶醉在河里漂流在蜘蛛丝上跳舞,我们见到了上帝。见到上帝之前我们先看到我们的尸体随着河水漂游而去……

　　猫头鹰的叫声今夜为什么如此温柔像恋人絮语,因为空气里有了酒。野鹅和家鹅为什么在寒冷的深夜里在非交尾的季节里交尾,

也是因为空气里有了酒。我使劲抽搐鼻子,方九瓮声瓮气地问我:

"你嘻嗡鼻子干什么?想打喷嚏吗?"

我说:

"酒,酒的味道!"

他们也一齐抽搐起鼻子来。七叔的鼻子上布满了皱纹。他问:

"哪里有酒味?酒味在哪里?"

我心驰神往地说:

"你们嗅,你们嗅。"

他们的眼睛四处张望着,遍布房间的每一个角落,七叔掀起了炕席,七婶恼怒地说:

"掀什么?炕里难道有酒?莫名其妙!"

七婶是知识分子,我说过的,所以她说"莫名其妙"。她初嫁过来时,批评我母亲淘米太狠破坏了"维生素","维生素"让我母亲目瞪口呆。

酒味里含着蛋白质、脂类、酸类、酚类,还含有钙、磷、镁、钠、钾、氯、硫、铁铜、锰、锌、碘、钴,还含有维生素A、B、C、D、E、F,以及其他物质——我在这里班门弄斧啦,酒里到底含有什么,你们的袁双鱼教授最清楚——岳父的颈三角肌发了红,因为受到了金刚钻副部长的夸奖,我看不到他激动的脸,我差不多基本上看到了他的脸——但酒味里有一种超物质在运行,它是一种精神,一种信仰,神圣的信仰,只可意会不可言传——语言是笨拙的——比喻是蹩脚的——它流进我的心,令我周身战栗——同志们,同学们,难道还要论证酒是害虫还是益虫吗?不必要太不必要了,酒是燕子是青蛙是赤眼蜂是七星瓢虫,是活着的"灭害灵"!他情绪高涨,慷慨激昂地挥舞着双臂,处于忘我状态,演讲处在白热化,他有希特勒的风度。他说:

"七叔,你们看,那酒味正从窗户上、从房顶上、从一切有缝隙的地方钻进来……"

"这孩子,大概得了神经病,"方九曩着鼻子说,"味有颜色? 能看到? 疯了……"

他们用疑虑重重的眼光打量着我,好像我果然就是一个精神病孩。我顾不上他们啦! 沿着酒的味道铺成的彩桥,我飞跑着,飞跑着……奇迹出现了,亲爱的同学们,奇迹出现了! 他被沉甸甸的感情压低的头颅,在酿造大学公用大教室的讲台上,他用喑哑但富有异常感染力表现力的嗓音说——

一幅辉煌的雪夜宴筵图出现在我脑子里的眼睛里:一盏白亮的汽灯。一张八仙桌。桌上放着一只盆,盆里热气腾腾。围着桌子坐着四个人,每人端着一碗酒,像端着一碗彩霞。他们的脸有些模糊……啊咦! 清楚了,我认出他们来了……支部书记、大队会计、民兵连长、妇女主任……他们手拿着煮烂的羊腿,蘸着加了酱油和香油的蒜泥……我指指点点地向七叔他们说,好像一个解说员,我脸上眼蒙蒙眬眬,看不清楚七叔他们的脸,心不敢旁骛,生怕图像被破坏……七叔握着我的手乱晃:

"小鱼儿! 小鱼儿! 你得了什么病?"

七叔左手握着我的手乱晃,右手拍打我的后脑勺。好像破砖乱瓦丢进了平静的光可鉴人的池塘,我的脑子里一阵嘈杂,水花四溅,涟漪碰撞,图像被破坏,脑子里一片空白。我懊恼地嚷叫:

"干什么? 你们要干什么?"

他们都忧心忡忡地看着我。七叔说:

"孩子,你做梦了吧?"

"我没有做梦。我看到支书、会计、妇女主任、民兵连长在喝酒。

每人一条羊腿,蘸着蒜泥,点着汽灯,围着一张八仙桌。"

七婶打了一个长长的哈欠,说:

"幻觉。"

"我看得清清楚楚吆!"

大个子刘说:"下午我去河里挑水,真看到妇女主任带着两个老婆在冰窟里洗羊肉。"

"你也跟着幻觉吧!"七婶说。

"真的吆!"

"真个屁! 我看你们是馋疯了!"七婶说。

小炉匠蔫蔫地说:

"别吵了,我去看看,侦查侦查。"

"别疯了!"七婶说,"你们信幻觉?"

小炉匠说:

"你们等着,我跑着去跑着回。"

"当心被他们抓住揍你。"七叔担心地说。

小炉匠已经出了门,一阵寒风进来,差点把灯扇灭。

小炉匠气喘吁吁地推门进来。一阵寒风,差点把灯扇灭。他痴呆呆地看着我,好像见了鬼。七婶冷笑着问:

"看到了什么?"

小炉匠把头转过去,说:

"神了,神了,小鱼儿成了仙了,有了千里眼啦!"

小炉匠说,他看到的情景与我描绘的一模一样。酒宴摆在支书家里。支书家墙头矮,他是翻墙进去的。

七婶说:

"我不信!"

小炉匠出去,提着一只冻得硬邦邦的羊头进来,举着让七婶看。七婶瞪大眼,忘记了呃呃噫气。

那天夜里,我们七手八脚地洗净了羊头,放到锅里煮。煮羊头的过程中,我们想酒。最后还是七婶想出了招儿:喝酒精。

七叔是兽医,珍藏着一瓶子消毒用的酒精。当然,我们用水把它稀释了。

一个艰苦的锻炼过程开始了。

喝兽用酒精长大的人,什么样的酒也不怕!

可惜! 小炉匠和七叔瞎了眼睛。

他抬腕看看表,说:亲爱的同学们,今天的课就讲到这里。

第二章

一

　　矿长和党委书记对面而立,都是左臂弯到胸前,右臂前伸,手掌笔直,在一条线上,好像两名受过严格训练的交通警察。由于两人面孔的惊人相似,使他们各自成了对方的镜子。在他们中间,闪开一条一米宽的、铺着猩红地毯的道路,通向一条灯光华丽的走廊。丁钩儿的豪气在真诚的礼让面前消散干净,他畏畏缩缩地在两位领导身旁站着,不知该不该迈步前进。他们满脸的热诚表情像肥腻黏滞的油脂,愈积愈厚,绝不因丁钩儿的犹豫徘徊而溶化淡薄。是的呀,神灵从不说话,他们不说话,但他们的姿势比甜言蜜语更生动更有力量,使你无法抗拒。丁钩儿半是无奈半是感激地从他们的面前走过去,矿长和党委书记立即尾随在他的身后,三人摆成了一个标准的等腰三角形。走廊好像永无尽头,令丁钩儿心生疑惑。他分明记得:四面葵花包围着的不过十几间房屋,如何容得下这般漫长的走廊?两边贴着乳白色壁纸的墙壁上,间隔三步便对称地生出两盏火炬形状的红灯。握着红色火炬的金属手臂色彩光明形象逼真,好像从墙外伸进来的一样。他惊恐地感到那每盏灯外都站着一位古铜色的大汉,走在铺着红地毯的廊道里,宛如走在森严的枪林里。我变成罪犯,党委书记和矿长变成押解犯人的士兵。丁钩儿心上肉悸,头脑裂缝,几丝清凉的理智之风灌进去。他想起了肩负的重要使命,神圣的职责。和女孩子鬼混不妨碍履行神圣职责,喝酒却会妨碍;因为与女孩子鬼混会使头脑清醒,而喝酒却会麻痹神经。他停住脚,回过头去说:

"我是来调查情况的,不是来喝酒的。"

他的话透出了不客气的味道。矿长和党委书记交换了一下完全一样的眼神,没有丝毫恼怒,依然和蔼可亲地说:

"知道知道,不会让您喝酒的。"

丁钩儿实在分辨不清这哥俩谁是党委书记谁是矿长,欲要问又怕他们不高兴,只好糊涂下去,反正这哥俩模样差不多,党委书记和矿长这两个官衔也差不多。

"请吧请吧,不喝酒总要吃饭吆。"

丁钩儿只好继续向前走,他心里实在讨厌这种一前两后的三角队形,好像这走廊不是通向酒宴而是通向法庭。他放慢步子,希望能与他们并肩前进。但这是幻想:他放慢步子,后边的两人也随着放慢步子,三角形稳定不变,他始终处在被押解的位置上。

走廊突然拐了一个弯,红地毯一漫坡倾斜下去,壁灯更加明亮,握火炬的手臂也更加生猛,仿佛具有鲜活的生命。无数惊险的念头金蝇子一般在他脑海里飞翔,他不由地把腋下的公事包挟得更紧了些,那块坚硬的铁硬邦邦地硌着肋骨,使他获得了精神安慰。只要两秒钟我就可以用黑洞洞的枪口对准这两个人的胸脯,哪怕下地狱,哪怕进坟墓,狗杂种,老子不怕你们。

现在他知道走廊已经深入了地下,尽管壁灯、地毯照旧明亮鲜艳,但他却感到了一种侵人的凉气,当然不是冷的感觉。

一位明眸皓齿、身穿猩红制服、头顶船形小帽的女服务员在走廊尽头迎接着他们。姑娘脸上久经训练的微笑和她头发上的浓香松弛了丁钩儿的神经。他克制着自己想摸摸她的头发的欲望,他进行着深刻的自我批评和自我开脱。女郎为他们拉开了镶着锃亮的不锈钢把手的门,说首长请进,三角形终于瓦解。丁钩儿松了一口气。

这是一间豪华的餐厅,无论色彩还是光线,都柔和得让人想到爱情和幸福,唯一破坏爱情和幸福的,是一缕缕隐隐约约的、十分古怪的味道。丁钩儿眼睛里闪着贼光,迅速地打量着餐厅里的一切:从橘红色的真皮沙发到浅黄的真丝窗纱,从洁白的雕花天花板到餐桌上洁白的台布。一盏枝型大吊灯悬挂在天花板正中,玻璃水晶,玲珑剔透,流光溢彩,宛若串串珠玑。地板光洁如镜,一定刚刚上蜡。墙角上的大屏幕彩电里放映着卡拉OK伴唱带,音乐甜蜜缠绵,一个泳装女郎在里边搔首弄姿。他打量房间时党委书记和矿长打量他,当然他们猜不到他在寻找那股古怪味道的来源。

"穷乡僻壤,欢迎光临!"

"条件简陋,不好意思。"

丁钩儿继续观察:圆形大餐桌分成三层,第一层摆着矮墩墩的玻璃啤酒杯,高脚玻璃葡萄酒杯,更高脚白酒杯,青瓷有盖茶杯,装在套里的仿象牙筷子,形形色色的碟子,大大小小的碗,不锈钢刀叉,中华牌香烟,极品云烟,美国产万宝路,英国产555,菲律宾大雪茄,特制彩盒大红头火柴,镀金气体打火机,孔雀开屏形状假水晶烟灰缸。第二层已摆上八个凉盘:一个粉丝蛋丝拌海米,一个麻辣牛肉片,一个咖喱菜花,一个黄瓜条,一个鸭掌冻,一个白糖拌藕,一个芹心,一个油炸蝎子。丁钩儿是见过世面的人,觉得这八个凉盘平平常常,并无什么惊人之处。圆盘的第三层上,摆着一盆生满硬刺的仙人掌。这只仙人掌让丁钩儿刺痒痒地不愉快,他想为什么不摆上一盆鲜花呢?

入座时发生了一些推让,丁钩儿认为圆桌无所谓上位下位,但党委书记和矿长却坚持说靠窗的位置是上位。丁钩儿只好靠窗坐下,党委书记和矿长一边一位紧挨着他入了座。

几位像红旗一样鲜艳的服务员在餐厅里飘来飘去,扇起一些凉飕飕的微风,把那股奇怪的味道搅在整个餐厅里,她们脸上的脂粉味、腋下的汗酸味和别的部位的味道自然也混合在餐厅里。味道混浊了,失去了扎人的尖锐。丁钩儿的注意力被转移。

一块杏黄色的窜着蒸气的小毛巾由一只不锈钢宽夹子夹着送到了他的面前。他怔了一下,接了毛巾,没擦手,先沿着夹子往上看,看到一只很白的小手,一个圆脸,两只被睫毛掩护着的黑眼睛。这姑娘眼皮层次错综复杂,给人一些类似疤瘌眼的不佳印象,其实她不是疤瘌眼。看完了,他用热毛巾擦脸,擦手,毛巾上有一股像霉烂苹果一样的香水味儿,透过这股劣质的香气,他还嗅到一股隔夜精液的腥味。他刚擦完手脸那只钢夹子就伸过来把毛巾捏走了。

党委书记和矿长一个向他敬烟一个为他点火。

白酒杯里斟上了茅台,葡萄酒杯里斟上了王朝干红,啤酒杯里斟上了青岛啤。也许是党委书记也许是矿长说:

"我们是爱国主义者,抵制洋酒。"

丁钩儿说:

"我说了不喝酒。"

"老丁同志,您大老远来了,不喝酒我们不过意。咱们一切从简,家常便饭,不喝酒怎能显示出上下级亲密关系?酒是国家的重要税源,喝酒实际上就是为国家做贡献。喝点,喝点,别让我们脸皮没处放。"

说着话两个人就把白酒杯端起来,高举着,送到丁钩儿面前。纯

洁透明的酒液微微颤抖着,香气洋溢,产生巨大的诱惑。他的喉咙发痒,唾液大量分泌,压迫着舌头滋润着口腔。他结结巴巴地说:

"这样丰盛……无功受禄……"

"丰盛什么呀老丁同志,您这是打我们的脸!咱是个小矿,底子薄条件差,厨师水平也低,您是大城市里来的,走南闯北,经得多见得广,什么样的佳酿名酒没喝过?什么样的山猫野兽没吃过?见笑见笑。"党委书记或是矿长说,"对付着吃点,咱都是干部,要响应市委的号召:勒紧腰带过日子,请您理解和原谅。"

两个人滔滔不绝地说着,高举着的白酒杯渐渐逼近了丁钩儿的唇边。他困难地吞咽了一口黏稠的唾沫,手伸向酒杯,端起来,感觉到体积很小的酒杯和酒液的沉甸甸的分量。党委书记和矿长的杯子清脆地碰到了丁钩儿的杯子上。他的手哆嗦了一下,几滴酒液洒到了虎口上,那里的皮肤产生了幸福的凉意。在幸福的凉意中,他听到两边说:先喝为敬!先喝为敬!

党委书记和矿长把酒倒进口腔,并把滴酒不剩的杯子倒着给他看。丁钩儿知道剩一滴罚三杯的规矩。他喝了半杯,优雅的香气在嘴里翻腾。身边两人并不批评他,只是把那喝干了的酒杯亮在他的面前。榜样的力量无穷无尽。丁钩儿喝干了杯中酒。

三只空杯里又斟满了酒。丁钩儿说:

"我不喝了,酒多误事。"

"好事成双!好事成双!"

他用手捂着空杯,说:

"行啦行啦!"

"入座三杯,这是本地风俗。"

喝完三杯酒后,他的头开始眩晕,抄起筷子夹了几根粉丝,那粉

丝调皮捣蛋,狡猾非常。党委书记和矿长友善地用筷子帮他抬起两根粉丝,送到他的嘴边,并大声督促道:

"吸!"

丁钩儿用力一吸,哧溜一声响,粉丝抖动着蹿进他的嘴。一位服务小姐掩着嘴笑起来。姑娘开口笑,男人兴致高,宴席上的气氛顿时活跃起来。

酒杯又斟满了,党委书记或是矿长举起杯来,说丁钩儿高级侦查员能来鄙矿调查我们感到光荣,本人代替全矿干部和工人敬您三杯,您若不喝就是瞧不起俺工人阶级瞧不起俺挖煤的煤黑子。

丁钩儿看到他白色的脸上泛着激动的红晕,揣摸揣摸他的敬酒辞,的确分量沉重,不能不喝,仿佛数千名头戴铝盔、腰扎皮带、遍体乌黑、牙齿雪白的挖煤工人正目光炯炯地盯着自己,使他心潮翻卷,便十分痛快地连干了三杯。

另一位紧接着跟上来,以他的八十四岁老母亲的名义祝丁钩儿侦查员身体健康精神愉快。丁钩儿推辞不喝,那人说,丁同志咱们都是母亲生养对不对?俗话说"七十三,八十四,阎王不叫自己去",也就是说咱家的老母亲今年很可能就要去世,难道一个垂死的老母亲敬您一杯水酒您还好意思推辞吗?丁钩儿是个孝子,在故乡也有一个白发苍苍的老母亲,让这位老兄一通胡侃,他的心里酸酸的,母亲敬儿子的酒,怎敢不喝?孝心化作力量,他端起酒杯,一饮而尽。

连续九杯白酒落肚,丁钩儿感到身体与意识开始剥离,不,剥离不准确,他准确地感到自己的意识变成一只虽然暂时蜷曲翅膀但注定要美丽异常的蝴蝶,正在一点点从百会穴那部位,抻着脖子往外爬,被意识抛弃的躯壳,恰如被蝴蝶扬弃的茧壳一样,轻飘飘失去了重量。

现在他有劝必饮,一杯接一杯,仿佛倒进无底深渊,连半点回音也没有。在他们豪饮的过程中,一道道热气腾腾、色彩鲜艳的大菜车轮一般端上来,三位红色服务小姐,像三团燃烧的火苗,像三个球状闪电呼喇喇滚来滚去。他恍惚记得吃过巴掌大的红螃蟹,挂着红油、像擀面杖那般粗的大对虾,浮在绿色芹叶汤里的青盖大鳖像身披伪装的新型坦克,遍体金黄、眯缝着眼睛的黄焖鸡,周身油响、嘴巴翕动的红鲤鱼,垒成一座玲珑宝塔形状的清蒸鲜贝,还有一盘栩栩如生、像刚从菜畦里拔出来的红皮小萝卜……他满嘴香腻滑黏甜酸苦辣咸,心里百感交集,肉体的眼光在袅袅的香雾中飘游,悬在空中的意识之眼,却看到那各种颜色、各种形状的气味分子,在有限的空间里无限运动,混沌成一个与餐厅空间同样形状的立体,当然有一些不可避免地附着在壁纸上,附着在窗帘布上,附着在沙发套上,附着在灯具上,附着在红色姑娘们的睫毛上,附着在党委书记和矿长油光如鉴的额头上,附着在那一道道本来没有形状现在却有了形状的弯弯曲曲摇摇摆摆的光线上……

后来他模模糊糊地感到一只生着很多指头、活像一只八腿蛸的手把一杯鲜红的葡萄酒递给他。残存在躯壳内的意识的残渣余孽竭尽最后的力量艰苦工作,使分离了的他看到那只手团团旋转,像一朵花瓣层叠的粉荷花。而那杯酒,也层层叠叠,宛如玲珑宝塔,也好似用特技搞出的照片,在那较为稳定,较为深重的一淀鲜红周围,漫漶开一团轻薄的红雾。这不是一杯酒而是一轮初升的太阳,一团冷艳的火,一颗情人的心——一会儿他还会觉得那杯啤酒像原来挂在天空现在钻进餐厅的棕黄色的浑圆月亮,一个无限膨胀的柚子,一只生着无数根柔软刺须的黄球,一只毛茸茸的狐狸精——悬在天花板上的意识在冷笑,空调器里放出的凉爽气体冲破重重障碍上达天顶,渐渐冷却着、成形着它的翅膀,那上边的花纹的确美丽无比。他的意识脱离了躯壳舒展开翅膀在餐厅里飞翔。它有时摩擦着丝质的窗帘——当然它的翅膀比丝质窗帘更薄更柔软更透亮——有时摩擦着枝形吊灯上那一串串使光线分析折射的玻璃璎珞,有时摩擦着红衣姑娘们的樱桃红唇和红樱桃般的小小乳头或是其他更加隐秘更加鬼鬼祟祟的地方。茶杯上、酒瓶上、地板的拼缝里、头发的空隙里、中华烟过滤嘴的孔眼里……到处都留下了它摩擦过的痕迹。它像一只霸占地盘的贪婪小野兽,把一切都打上了它的气味印鉴。对一个生长着翅膀的意识而言,没有任何障碍,它是有形的也是无形的,它愉快而流畅地在吊灯链条的圆环里穿来穿去,从 A 环到 B 环,又从 B 环到 C 环,只要它愿意,就可以周而复始、循环往返、毫无障碍地穿行下去。但是它玩够了这游戏。它钻进了一位体态丰满的红色姑娘的裙子里,像凉风一样地抚摸着她的双腿——腿上起了鸡皮疙瘩,润滑的感觉消逝枯涩的感觉产生——它疾速上升,闭着眼飞越森林,绿色的林梢划得它的翅膀窸窣有声。由于能飞翔能变形所以高山大河也不能把它阻挡,所以针孔锁眼也可以自由出入。它在那个最漂亮的服务小姐的两座乳峰之间和一颗生了三根黄色细毛的红痦子调情,和十几粒汗珠儿捣蛋,最后它钻进她的鼻孔,用触须拨弄她的鼻毛。

红姑娘打了一个响亮的喷嚏,把它像子弹一样发射出去,正碰在餐桌第三层那盆仙人掌上。反作用力使它好像挨了仙人掌一巴掌,带刺的巴掌。丁钩儿感到一阵剧烈头痛,腹中热流绞动,形成无数湍急的漩涡,周身刺痒,起了一片片的风疹。它伏在他的头皮上休息,喘息着哭泣。丁钩儿肉体的眼睛恢复功能,意识的眼睛暂时昏迷,他看到了党委书记和矿长高举着酒杯,居高临下地看着自己。他们的声音洪大有力,在房间的四壁回响,声波如潮,好像浪花撞到礁石上又返回来,好像牧童站在山顶上对着远山呼唤羊群:咩——咩——咩——哗啦——哗啦——哗啦——

"老丁同志,其实咱们是一家人,咱们是一母同胞亲兄弟,亲兄弟喝酒必须尽兴,人生得意须尽欢,欢天喜地走向坟墓……再来……三十杯……代替金副部长……敬你三十杯……喝喝喝……谁不喝谁不是好汉……金金金……金刚钻能喝……他老人家海量……无边无涯……"

金刚钻! 这个名字像一柄金刚钻钻进了丁钩儿的心脏,在一阵紧缩的剧痛中,他大嘴张开,喷出了一股混浊的液体,也喷出了一句惊人的话:

"这条狼……哇……吃红烧婴儿……哇……狼……!"

他的意识如同受了惊吓的小鸟一样飞回巢穴,丁钩儿胃肠绞动,苦不堪言。他感到两只拳头轻盈地捶打着自己的脊背,哇哇……酒……黏液,眼泪鼻涕齐下,甜的咸的牵的连的,眼前一片碧绿的水光。

"好点了吗? 丁钩儿同志?"

"丁钩儿同志? 您好点儿吗?"

"吐吧吐吧,尽情地吐吧,把肚子里的苦水都吐出来!"

"人类需要呕吐,呕吐有利于健康。"

党委书记和矿长一左一右夹着他,用拳头擂着他的脊梁,用宽慰的话儿、劝导的话儿喂着他的耳朵,好像两位乡村医生抢救一位溺水儿童,好像两位青年导师教育一位失足青年。

丁钩儿吐出一些绿色汁液后,一位红色服务小姐喂了他一杯碧绿的龙井茶,另一位红色服务小姐喂他一杯焦黄色的山西老陈醋,党委书记或是矿长塞到他嘴里一片冰糖鲜藕,矿长或是党委书记塞到他鼻子下边那个洞里一片蜜浸雪花梨,一位红色小姐用滴了薄荷清凉油的湿毛巾仔细揩了他的脸,一位红色小姐清扫了地板上的秽物,一位红色小姐用喷过除臭剂的白丝棉拖把揩了秽物的残迹,一位红色小姐撤了狼藉的杯盘,一位红色小姐重新摆了台。

丁钩儿被这一系列闪电般的服务工作感动得够呛,心里有些后悔刚才随酒喷出的过激言语,正想婉言弥补过失时,党委书记或是矿长说:

"老丁同志,您认为我们这些服务员怎么样?"

丁钩儿不好意思地望望那些花骨朵一样的嫩脸,连声赞叹:

"好! 好! 好!"

红色女服务员一定是久经训练,像一群争食吃的小狗崽子,或者像一群给贵宾献花的少先队员,一窝蜂拥过来,反正三层大餐桌上有的是空酒杯,每人抢一只在手,大的大,小的小,倒上红酒黄酒白酒,满的满,浅的浅,齐声嚷嚷着,声音高的高,低的低,向丁钩儿敬酒。

丁钩儿周身流粘汗,唇冻舌僵,说不出一句囫囵话,只好咬着牙瞪着眼把那些迷魂汤往肚子里灌。果然是大将难过美人关,只一会儿工夫……

现在,他的感觉很不好,那个兴风作浪的小妖精又在脑袋瓜子里拱来拱去,又在头顶的洞口那儿伸头探脑。他真正体会了魂不守舍的滋味。那种灵魂倒悬在天花板上的痛苦实在令他恐惧,他甚至想用手捂住头顶上意识逃跑的通道。捂头不雅,于是他想起了在卡车上与女司机套近乎时头上戴着的那顶鸭舌帽。由鸭舌帽想到内装一支黑手枪的公事包,就这样汗水从腋下流出。他左顾右盼的神情引起了一位聪明的红色小姐的注意,她从不知什么地方把他的公事包拎出来。他接了,捏捏那铁家伙硬邦邦的还在,汗立刻不流了。鸭舌帽没有了。他真切地想起了看门狗。看门人、保卫部里的年轻人、圆木垛、葵花林,这些景物和人好像距离他非常遥远,不知是真的看见过,还是一场梦。把公事包小心翼翼地放在两膝之间夹住,动摇、动乱、酝酿叛逃的精灵使他的眼前出现忽明忽暗的亮光,忽清忽懵的景象,他看到膝盖上布满油渍和污迹,它们忽而是明亮的中国地图,忽而是黑暗的爪哇国地图,虽然有时错位,但他努力调整。他希望中国地图永远光明而清晰,爪哇国地图永远黑暗而模糊。

在酒国市市委宣传部副部长金刚钻推门而入前一分钟时,丁钩儿感到腹中痛苦万端。仿佛有一团缠绕不清的东西在腹中乱钻乱拱,涩呀涩,粘呀粘,纠纠,缠缠,勾勾,搭搭,牵扯拉拽,滋滋作响,活活是一窝毒蛇。他知道这是肠子们在弄鬼。感觉向上,一团火在燃烧,一把磨得半秃不秃的竹扫帚刷着胃壁好像呼呼嚓嚓刷一只污迹很厚的彩绘马桶。哎哟我的亲娘也!侦查员暗自哀鸣着,这滋味可真不好受,今天算是倒了血霉!中了罗山煤矿的奸计!中了酒肉计!中了美人计!

丁钩儿勾着腰站起来,竟然感觉不到腿在何方,所以他其实也搞不清楚是谁让他重新坐在椅子上。是双腿还是大脑?是红色女子们的灼灼目光?还是党委书记和矿长按了他的肩头?

他一腚墩在椅子上时,听到遥远的咯咯吱吱声从屁股下传出,红姑娘们捂着嘴巴嗤笑,他想发怒,但没有力量,肉体正在与意识离婚,或者是……故伎重演……意识正在叛逃。在这个难堪的痛苦时刻,金刚钻副部长周身散发着钻石的光芒和黄金的气味,像春天、阳光、理想、希望,撞开了那扇敷有深红色人造皮革、具有优良隔音效果的餐厅大门。

他是个文质彬彬的中年人,皮色微黑,容长脸儿,高鼻梁儿,一副银边茶色水晶石眼镜遮住了他的眼睛,在灯光下,他的眼睛像两口深不可测的黑井。他中等身材,穿一套笔挺的深蓝色西服,配一件洁白如雪的小领衬衫,一条蓝底白斜格领带,脚蹬锃亮黑色牛皮鞋,头上一头好毛,蓬蓬松松,说乱也不乱,说光也不光,还有,这人嘴里还镶着一颗铜牙,也许是金牙。金刚钻大概是这样子。

丁钩儿在迷懵中精神一震,他宿命般地感觉到:我的真正的敌手出现了。

党委书记和矿长迅速站起来,不惜用膝盖去撞击餐桌的边缘,一条衣袖匆忙扫倒了一杯啤酒,棕黄酒液浸湿台布,还流到了一个人的膝盖上。这一切他们都不顾,他们拎开椅子,从两边转过去,迎接那个人。金部长来了呀的欢快叫声完成在啤酒杯翻倒之前。

那人的笑声响亮,一波一波挤压空气,也挤压着丁钩儿头上的美丽蝴蝶。他不想站起来,但站了起来。他不想微笑,但脸上出现笑容。丁钩儿微笑着站起来迎接。

党委书记和矿长几乎一齐说:

"这是市委宣传部金部长,这是省检察院的特级侦查员丁钩儿。"

金刚钻抱拳在胸,嬉皮笑脸地说:

"对不起对不起,兄弟来晚了。"

他把手递到丁钩儿面前。丁钩儿不想跟他握手却握住了他的手。他心中暗想这吃婴孩的魔王爪子一定冰凉可怖,却感到他的手又软又温暖,略带着几分舒适的潮湿。他听到金刚钻客气地说:

"欢迎欢迎,久仰您的大名!"

呼呼隆隆重新坐定,丁钩儿咬紧牙关,动员自己要保持清醒头脑决不再喝一杯酒。他心里命令自己:开始工作!

现在他和金刚钻并肩而坐,保持着高度的警惕。金刚钻啊金刚钻,哪怕你铜墙铁壁,哪怕你皇亲国戚,哪怕你盘根错节,哪怕你天罗地网,落到我的手里你别想好过。我的日子不好过谁的日子也别想好过!

金刚钻主动地说:

"我来晚了,罚酒三十杯!"

他的话让丁钩儿吃了一惊,一侧脸却看到党委书记或是矿长面带着会意的笑容。红色服务小姐端来一托盘崭新酒具,明晃晃一片,摆在金刚钻面前。红色服务小姐端着酒壶,凤凰点头一般往那片杯里倒酒。服务小姐久经训练,倒得稳、准、狠,不洒一滴,杯杯满盈,最后一杯倒完了,第一只杯里的珍珠样小泡沫还未散尽。金刚钻面前犹如奇花盛开。丁钩儿赞叹不已。一赞叹服务小姐技艺超群,精美绝伦;二赞叹金刚钻英雄虎胆,果然是"没有金刚钻不敢揽瓷器活儿"。

金刚钻脱掉上衣,上衣被一红色小姐接走。他对丁钩儿说:

"老丁同志,您说这是三十杯矿泉水还是三十杯白酒?"

丁钩儿抽动鼻子,嗅觉有些麻木。

"要想知道梨子的滋味,就要亲口尝一尝梨子;要想辨别这是真酒假酒,也要亲口尝一尝。请您从这些酒杯里任挑三杯。"

丁钩儿虽然从那份检举材料上得知金刚钻善饮,但终究有些怀疑。加上两边的催促,他便从那一片酒杯里拎出三杯,用舌尖在每杯里沾了一点,又香又醇,果然是真货。

金刚钻说:

"老丁同志,喝干这三杯呀!"

旁边人说:"这是规矩,您沾了呀。"

还说:"喝了不疼洒了疼,浪费是最大的犯罪。"

丁钩儿只好把这三杯酒喝干了。

金刚钻说:"多谢多谢!该我喝了!"

他端起一杯酒,轻轻地喝了,不滋不咂不洒不剩,酒风淳朴而优雅,显示出良好的酒场风度。然后他越喝越快,但动作准确、干净,有节奏有韵律。最后一杯酒,他缓缓地端起来,在胸前画一个优美的弧线,好像小提琴的弓子在琴上运行,优美低沉的琴声在餐厅里回荡,在丁钩儿血液里流淌。他的警惕性渐渐瓦解,对金刚钻的好感像春天坚冰初融的小溪边的草芽,缓慢地生长起来。他看到金刚钻把最后一杯酒送到唇边时,明亮的黑眼睛里闪烁着忧郁的光彩,这个人变得善良宽厚,散发着淡淡的感伤气息,既抒情又美好。琴声悠扬,轻凉的秋风吹拂着金黄色的落叶,墓碑前开着白色的小花朵,丁钩儿双眼湿润,似乎看到了那杯酒像一股涓涓的石上清泉,流进了碧绿的深潭。他开始爱这个人。

党委书记和矿长拍着巴掌喝彩;丁钩儿沉浸在富有诗意的感情里,一声不响。竟然出现了一个小小的静场。红色服务小姐四人,都立着不动,像四株姿态各异、仿佛在谛听、沉思的美人蕉。空调机在墙角上发出了一声怪叫,把静默打破。党委书记和矿长嚷嚷着要金部长再干三十杯,金摇摇头,说:

"不干了,干了也是浪费。但初次与老丁同志见面,应该敬上三乘三杯。"

丁钩儿入迷地望着这位连干三十杯酒面不改色的人,沉醉在他的风度里,沉醉在他嗓音的韵味里,沉浸在他那颗铜牙或是金牙的柔和光芒里,一时竟悟不出三乘三等于九的道理。

丁钩儿面前摆着九杯酒。金刚钻面前也摆着九杯酒。丁钩儿无法抵御这个人的魅力,他的意识和肉体背道而驰,意识高叫:不准喝!

手却把酒倒进嘴里。

九杯酒落肚,丁钩儿眼睛里流出了泪水。他不知道为什么要流泪,尤其是在宴席上流泪。谁也没打你,谁也没骂你,你为什么哭泣?我没哭泣,难道流泪就是哭泣吗? 他的眼泪越来越多,一张脸如一片雨后的荷叶。他听到金刚钻说:

"上饭吧,让丁同志吃过去休息。"

"还有一道大菜呢!"

"噢,"金刚钻想了想,说,"那就快上吧。"

一位红色服务小姐搬走了餐桌上那盘仙人掌。两位红色小姐抬来一只镀金的大圆盘,盘里端坐着一个金黄色的遍体流油、异香扑鼻的男孩。

二

敬爱的莫言老师:

您的来信收到了。感谢您能亲笔给我回信,并且那么快地把我的小说推荐给了《国民文学》。不是我酒后狂妄——这样也许很不好——我自觉这篇小说富有创新精神,洋溢着酒神精神,焕发着革命精神,《国民文学》要是不发表,才算是他们瞎了眼。

您推荐给我的李七先生的狗屎小说《千万别把我当狗》我看了。说实话我感到十分愤怒。李七把崇高、神圣的文学糟蹋得不像样子,是可忍,孰不可忍!有朝一日我碰上他,一定要和他展开一场血腥大辩论,我要驳得他哑口无言噤若寒蝉,然后还要揍他一顿,让这个小子七窍流血鼻青脸肿魂飞魄散一佛出世二佛涅槃。

诚如老师您所言,我如果潜心研究专业,在酒国确会有光明前程,吃也不会缺,穿也不会缺,房子会有的,地位会有的,金钱会有的,美女也会有的。但我是有志青年,不甘心一辈子浸泡在酒里。我立志要像当年的鲁迅先生弃医从文一样弃酒从文,用文学来改造社会,愚公移山,改造中国的国民性。为了这崇高的目标,我不惜抛头颅洒热血,头颅尚不惜,何况那些身外之物呢?

莫言老师,我搞文学的决心已定,十匹膘肥体壮的大马也难把我拉回转。我是王八吃秤砣铁了心,您不必再劝我了。如果您胆敢再劝我,我就要恨您。文学是人民的文学,难道只许你搞就不许我搞了吗?马克思当年设想的共产主义的一个重要标准就是艺术劳动化劳动艺术化,到了共产主义人人都是小说家。当然我们现在是"初级阶段",但"初级阶段"的法律也没规定说酒博士不许写小说呀!老师,您千万不要学那些混账王八羔子,自己成了名,就妄想独占文坛,看到别人写作他们就生气。俗话说得好:"长江后浪推前浪,流水前波让后波,芳林新叶催陈叶,青年终究胜老年。"任何想压制新生力量的反动分子,都是"螳臂挡车,不自量力"。老师,我们研究室有一位女资料员。

女资料员姓李名艳,她自称是您的学生,当年您在保定军官初级学校担任政治教员时,她说她听过您的课。她对我讲了不少您的轶闻趣事,使我对您有了更加全面的了解。她说您曾在课堂上大骂我国的著名作家王蒙,说王蒙在《中国青年报》的星期刊上发表了一篇文章,奉劝文学青年们从拥挤的文学小路上退下去。她说您在课堂上愤怒地说:"王蒙一个人能独霸文坛吗?有饭大家吃,有衣众人穿,你让我退,我偏要进!"

老师,听了您这段轶事,我一口气灌下去半升葡萄酒,激动万分,连十个指尖都哆嗦;周身热血沸腾,双耳红成了牡丹花瓣。您的话像一声嘹亮的号角、像一阵庄严的呼啸,唤起了我的蓬勃斗志。我要像当年的您一样,卧薪吃苦胆,双眼冒金星,头悬梁,锥刺股,拿起笔,当刀枪,宁可死,不退却,不成功,便成仁。

老师,听李艳讲了您当年的轶事,再回头看您给我的信,我感到又难过又失望,您在信中劝我的话和王蒙当年奉劝文学青年(包括您)的话何其相似乃尔! 这令我万分痛心。老师啊老师,您可千万不要学那些无耻的小人,刚刚扔掉打狗棍,就回头痛打叫花子。想当年您瘦得像只猴,三根筋挑着一个头,老师,您也是在文学小路上艰难跋涉的苦出身,千万不要好了疮疤忘了痛,那样,您会失去我和成千上万文学青年对您的爱戴。

老师,昨天夜里,我又写了一篇题为《肉孩》的小说。在这篇小说中,我认为我比较纯熟地运用了鲁迅笔法,把手中的一支笔,变成了一柄锋利的牛耳尖刀,剥去了华丽的精神文明之皮,露出了残酷的道德野蛮内核。我这篇小说,属于"严酷现实主义"的范畴。我写这篇小说,是对当前流行于文坛的"玩文学"的"痞子运动"的一种挑战,是用文学唤起民众的一次实践。我的意在猛烈抨击我们酒国那些满腹板油的贪官污吏,这篇小说无疑是"黑暗王国里的一线光明",是一篇新时期的《狂人日记》。如果有刊物敢于发表,必将产生石破天惊、振聋发聩的效果。今随信寄上,请老师大笔斧正。"彻底的唯物主义者是无所畏惧的",老师不必怜香惜玉进退维谷,更不必投鼠忌器左顾右盼,有什么看法直说不要吞吞吐吐,竹筒倒豆子,是我党的光荣传统之一。

《肉孩》阅罢,如老师认为已达到发表水平,请您给找个婆家嫁出去吧。当然,我知道现在去火葬场烧死人都要靠关系,何况发表小说?所以,老师您尽管大胆去攻关,该请客就请客,该送礼就送礼,一切费用由我报销(别忘记开发票)。

老师,《肉孩》是我苦心经营之作,还是寄给《国民文学》为好。我的理由是:一,《国民文学》是中国文坛的领袖刊物,领导着文学新潮流,在该刊发一篇,胜过在省、市级发两篇。二,我想采取"猛攻一点,不及其余"的战术,迅速拿下《国民文学》这个顽固堡垒!

敬颂
大安!

您的学生:李一斗

老师:

我有一个朋友去京办事,托他带给您一箱(十二瓶)我参与研制的酒国佳酿"绿蚁重叠",请您品尝。

李一斗又及

三

酒博士:

您好!

感谢您馈赠的"绿蚁重叠",此酒色、香、味俱佳,只是在总体感觉上似乎有些不协调,就好像一个五官端正、不能说不美丽,但缺少那么一种难以言明的魅力的女人。我的故乡，也是酿酒业发达的地方，当然与你们酒国比较起来相差甚远。据我父亲说，解放前，我们那只有百十口人的小村里就有两家烧高粱酒的作坊，都有字号，一为"总记"，一为"聚元"，都雇了几十个工人，大骡子大马大呼隆。至于用黍子米酿黄酒的人家，几乎遍布全村，真有点家家酒香、户户醴泉的意思。我父亲的一个表叔曾对我详细地介绍过当时烧酒作坊的工艺流程及管理状况，他在我们村的"总记"酒坊里干过十几年。他的介绍，为我创作《高粱酒》提供了许多宝贵素材，那在故乡的历史里缭绕的酒气激发了我的灵感。

我对酒很感兴趣，也认真思考过酒与文化的关系。我的中篇小说《高粱酒》就或多或少地表达了我的思考成果。我一直想写一篇关于酒的长篇小说，结识您这位酒博士可谓三生有幸。今后，我会有许多问题向您请教，所以，希望不要再称我为"老师"了。

您的信及大作《肉孩》均拜读，感触颇多，随便谈谈吧。先说您的信：

（1）我认为，狂妄与谦卑，是相互矛盾又相互依存的两种人生态度，很难说哪种好哪种不好。事实上，看似狂妄的人实际很谦卑；看似谦卑的人骨子里却很狂妄。有的人在某些方面、某些时刻极狂妄，而在某些方面、某些时刻又极谦卑。绝对的狂妄和永远的谦卑大概是没有的。如阁下的"酒后狂妄"，很大程度上是一种化学反应，似乎无可指责。所以，你酒后自我感觉良好我感觉也良好，你酒后骂几句《国民文学》的娘也触犯不了刑律，何况你还没有骂他们的娘，你仅仅说"要是不发表，才算是他们瞎了眼"哩。

（2）李七先生把小说写成那种模样自有他的道理在，你如果认为不好，扔到一边不看即可。假如你有朝一日碰到他，送他两瓶"绿蚁重叠"抽身就躲吧，千万不要犯革命浪漫主义的毛病去跟他进行什么

"血腥大辩论",更不要试图跟他动武,此公练过八卦拳,与黑社会联系
密切,心狠手辣,啥都敢干,据传北京有个吃多了饭没事干的文学批评
家写了一篇批判李七文学的文章在报上发表后,没出三天,这位批评家
的老婆就被李七他们给拐卖到泰国去当了妓女。所以,我劝你趁早别
多事,这个世界上,有许多人是上帝都不敢惹的,李七即是一个。

（3）你既然已经像"王八吃秤砣一样铁了心搞文学",我绝对不
敢再劝你浪子回头,也免得你恨我。无意中招了别人忌恨是没有办
法的事,有意招人恨则是"扒着眼照镜子——自找难看"了。我本来
就够难看了,何必再去扒眼睛。

你痛骂那些想"独霸文坛"的"混账王八羔子",我感到很舒畅。
假如真有那么几个混账王八羔子想独霸文坛,我会跟你一起骂。

我在保定军校教书是十几年前的事了,听过我的课的学生有好
几百名,姓李名艳的女生好像有两位,一位白脸瞪眼子,一位黑脸矮
胖子,不知是哪一位与你同事。

关于我在课堂上骂王蒙的事,确实记不得了。王蒙那篇劝导文
学青年冷静地设计自我的文章我好像读过,审情度势,当时的我读了
那篇文章感到情绪受了打击,心里不舒服是可能的,但要我在宣传共
产主义的课堂上骂王蒙,绝对不可能。

实际上至今我也没扔掉要饭棍,我想,即便有朝一日我扔了要饭
棍,也不会"痛打叫花子"吧？我不敢下保证,因为人的变化往往不是
能由自己决定的。

再谈您的大作：

（1）您给自己的小说定性为"严酷现实主义",这主义的内涵究
竟是什么东西,我委实搞不清楚,但大概意思是看出来了。小说中描
写的情景令我不寒而栗。多亏这是一篇小说,要是您作了一篇这样

内容的报告文学,那事情就麻烦透了。

(2)关于作品的"发表水平",一般地认为有两个标准:一是政治标准,二是艺术标准。这两条我都拿不准。拿不准就是拿不准,并不是我有意"吞吞吐吐"。好在《国民文学》群英荟萃,您就听他们判决吧。

我已把大作寄给《国民文学》编辑部,至于请客送礼一事,学问很大,我干不了。像《国民文学》这种中央级大刊,能不能请出来送进去,也许需要你亲自去试一下。

祝你
好运气!

莫 言

四

肉 孩

秋天的后半夜,月亮已经出来,挂在西半天上,边缘模糊,好像一块融化了半边的圆冰。凉森森的光芒照耀着沉睡的酒香村,谁家的鸡在窝里叫起来,叫声闷闷的,好像从地窖子里发出来的。

这叫声虽然沉闷但还是惊动了金元宝的老婆。她围着被坐起来,在朦胧中发着怔。青白的月光从窗棂里泻进来,把黑色的被子印上惨白的格子。男人的脚在她右侧直竖着,凉冰冰的。她拉拉被角为他遮盖。小宝在她左边蜷着,呜呜地打着均匀的呼噜。更遥远更沉闷的鸣叫声传来,她打了一个哆嗦,慌忙披衣下地,走到院子里,抬头看天,见三星西斜,昴星东升,离天亮不远了。

女人推着男人的腿,说:

"起来吧,快起来吧,大昴星都出来了。"

男人停止打鼾,巴嗒了几下嘴唇,坐起来,迷迷瞪瞪地问:

"天就要亮了?"

女人说:"快了,早点去吧,别再像上次那样,白跑一趟腿。"

男人慢腾腾地披上夹袄,伸手从炕头上摸过烟笸箩,捏着烟斗,装了一锅烟,塞到嘴里叼着。又摸到火镰、火石、火绒,噼噼啪啪打起火来。几个有角的大火星子溅出,有一颗落到火绒上,他噏着嘴吹气,火绒燃起。暗红的一点火在昏暗中闪烁。他点着烟锅,巴哒两口,正要掐灭火绒时,女人说:

"点着灯吧。"

男人说:

"还要点吗?"

女人说:

"点着吧。穷富不在这盏灯油上。"

他憋足一口气,悠悠地吹那火绒,愈吹愈亮,终于"噗噜"一声燃起了明火。女人端来灯盏点着,然后挂到墙壁上。青幽幽的光辉立刻充满了房间。夫妻俩目光相碰,立刻都躲闪了。和男人在一头睡着的几个孩子一个说梦话,声音很高,像呼口号一样。一个把胳膊伸出来,手在油腻的墙壁上摸索着。一个在哭。男人把那条小胳膊塞进被里去,顺便推了推哭泣者的头,不耐烦地说:

"哭什么?讨债的鬼。"

女人叹了一口气,问:

"就烧水吗?"

男人说：

"烧吧，烧两瓢就行了。"

女人想了想，说：

"多烧一瓢吧，洗得干净一点招人喜。"

男人不说话儿，举着烟锅，小心翼翼地探头到炕角上去看。那个小家伙睡得很香。

女人把油灯移到门框上挂着，让光明照亮里外两间房。她涮了锅，添了三瓢水，盖了锅盖，拿一把干草就灯火上引燃，小心着塞进灶里，紧接着往灶里续草。火旺了，金黄的火舌舔着灶脸，火光映得女人的脸焕发出光彩。男人坐在里屋炕前的矮凳上，出神地打量着好像变年轻了的女人。

锅里的水吱吱地响起来，女人紧着往灶里填草。男人把烟袋锅往炕壁上叩叩，清清嗓子，慢吞吞地说：

"东头孙大牙家里又怀上了，人家怀里也有吃奶的。"

女人顺着眼说：

"人跟人怎么能一样？谁不想一年生一胎？谁不想一胎生仨？"

男人说：

"大牙发起来了，这狗日的，仗着他舅子当验级员，别人验不上，他就验上了，明明该验二级，他就验上了特级。"

女人说：

"朝里有人好做官，古来就是这样。"

"不过我们小宝儿验一级是稳了的。谁家的孩子也没舍得下咱这么大的本钱。"男人说，"你吃了一百斤豆饼，十条鲫鱼，四百斤萝卜……"

"我吃了什么？"女人说，"看着是进了我的肚子，到头来还是变成奶汤,全被他嚓了去!"

说着话,锅里水开了,蒸气沿着锅盖的边缘,一股股往外窜。蒸汽升腾起来,那一点灯火失去辐射能力,像一粒红豆,在雾气中抖动。

女人停止往灶里续草,吩咐男人:

"把洗衣盆拿来吧!"

男人吭吭着,拉开房门走到院子里,把一个破了沿的黑色大瓦盆拎进来。瓦盆的底上,凝着一层薄薄的霜花。

女人揭开锅盖,蒸气汹涌上升,几乎把灯火淹灭。后来渐渐清亮起来。女人抄起水瓢,从锅里往盆里舀水。

男人问:

"要掺点凉水吗?"

女人把一只手伸到盆里试了试,说:

"不要掺了,正好。你把他抱下来吧。"

男人进到里屋,弯着腰,把那正在鼾睡的小男孩拖出来。小男孩乜乜斜斜地哭起来,金元宝拍着他的屁股,哼哼唧唧地说:

"宝儿,小宝儿,不要哭,爹给你洗澡。"

女人把孩子接过来。小宝弯着脖子往女人怀里拱,一边拱一边牙牙着:

"吃妈妈……吃妈妈……"

女人无奈,坐在门槛上,掀开衣襟。小宝准确地把乳头抢进嘴里,嗓子里发出呜呜啦啦的声响。女人的腰佝偻着,好像被孩子的重量坠弯了一样。

男人把手浸在盆里搅动着,催促道:

"别给他吃了,水要凉了。"

女人拍拍宝儿的屁股,说:

"宝儿,宝儿,别呲了,早让你呲干了。洗澡吧,洗净了送你去市里享福。"

她用力往外送着孩子,但宝儿的嘴巴叼着乳头不放,于是那只瘪瘪的乳房便被抻得很长,像一块缺乏弹性的疲劳橡皮。

男人一把将孩子拽过来,女人呻吟了一声,宝儿哇啦一声哭了。金元宝拍了宝儿屁股一巴掌,气哄哄地说:

"嚎!嚎什么?!"

女人不高兴地说:

"你手下轻点,打出青紫来又要降低等级。"

男人把宝儿的衣服撕扯下来,扔到一边,伸手试了一下水,自言自语着:热了点,热点好,褪灰。边说着,边把赤着身子的男孩放到瓦盆里。男孩尖利地嚎叫了一声,这声嚎叫比前边的嚎叫高出了许多,好像从平缓的丘陵拔升到突兀的高山。男孩双腿缩着,可着劲往上蹿,金元宝则可着劲儿往下按。盆里的热水溅落到女人的脸上,她伸手捂住脸,低低地叫了一声。她说:

"他爹,这水是太热了,烫红了怕又要降级。"

男人嘟哝着:

"这小讨债,还知冷知热的来,那你就舀半瓢凉水掺上吧。"

女人慌忙起身,不及掩怀,耷拉着双乳,长长的衣襟垂在双腿之间,宛若一面湿漉漉的破旗。她舀了半瓢水,倒进盆里,并用手紧急搅和了几下,嘴里说:

"不热了。现在真的不热了。宝儿莫哭,宝儿莫哭哟。"

小宝的哭声稳健了许多,但依然手撕脚踢,不肯乖乖入水。金元宝硬是把他按到盆里。女人提着水瓢,在一旁傻愣愣地站着,元宝呵道:

"死人！还不快来帮我。"

女人如梦方醒,扔下水瓢,在盆边蹲下,撩着水,搓洗着男孩的屁股和脊背。他们最大的女儿——一个七八岁模样的小姑娘——穿着一条长及膝下的肥大红裤头,光着背,耸着肩胛骨,蓬松着头发,赤着脚,从里屋走出来,搓着眼睛,问:

"爹,娘,你们洗他干什么? 要煮了他给我们吃吗?"

金元宝凶狠地说:

"滚回去睡!"

小宝见到女孩,哭喊着姐姐。女孩不敢出声,悄悄地退到里屋,手把着门框子看爹娘忙活。

小宝哭累了,嗓子哑哑地低沉下来,连绵不绝的哭声也变成了有一节没一节的干嚎。

男孩身上的灰着了热水,化成了一层滑溜溜的油泥,盆里的水混浊了许多。男人说:

"把丝瓜瓢子和皂角膏子拿来。"

女人从锅灶后把这两样东西拿来。元宝道:"你提着他,我来擦洗。"

女人和元宝换了手。

元宝将丝瓜瓢子放到盆里浸湿后,又放到碗里沾了一些皂角膏子,然后,嚓嚓地搓着男孩的脖子、屁股,连指头缝里也不放过。宝儿浑身都是泡沫,拔高了嗓门哭叫,屋子里弥漫着一股怪怪的臭味。女人说:

"他爹,你下手轻点,别擦破他的皮。"

元宝道:

"他也不是纸扎的,那么容易就擦破了?! 你不知道那些验级员是多么刁钻，连孩子屁眼都要扒开检查，有点灰泥就要压你一个等级，一个等级就是十几块钱。"

终于洗完了。元宝提着小宝，女人用一条干净毛巾揩着小宝身上的水。在灯光里，孩子红彤彤的，散发出香喷喷的肉味。女人拿出一套新衣服给小宝穿上，顺手把小宝从男人手里接过来。小宝又噘着嘴寻找乳房，女人把乳房给了他。

元宝擦了手，装了一锅烟，就着门框上的灯火点燃。吐着烟他说："这小家伙，弄了我一身汗。"

小宝叼着奶头睡着了。女人抱着孩子，有些恋恋不舍。元宝道："给我吧，还有好多路要赶呢。"

女人把乳头从孩子嘴里拔出来。他的嘴翕动着，仿佛乳头还在他嘴里。

金元宝一手举着纸灯笼，一手抱着沉睡的儿子，走出家门，进入胡同，然后拐上村庄正中的大道。在胡同里行走时，他似乎还能感觉到站在门口望着自己的那双眼睛，心里泛起一股酸溜溜的感情，拐上大道后，这感情便消逝得干干净净。

月亮还没完全落下去，街道呈现出灰秃秃的颜色，街边那些落尽了叶子的杨树，像瘦长男人一样沉默地站着，枝条上泛着青白的光芒。夜气肃杀，他不由地打了一个寒噤。灯笼放着温暖的黄光，街道上投下了一个晃晃荡荡的大影子。他看到那根羊油的黄蜡烛在白色的灯罩里流着浑浊的泪珠，便轻轻地抽了抽鼻子。一条狗在谁家的墙角上兴致不高地呜咽了几声。他同样兴致不高地看了看黑乎乎的狗的影子，然后便听到了它钻进柴草堆时发出的窸窣声。将要走出村子时，他听到了孩子的哭声，抬头看到几户人家窗户里透出昏黄的灯光,知道他们也在干着自己和女人方才干过的事情。他知道自己比他们赶了早,一阵轻松感涌上心头。

走到村头土地庙时,他从怀里摸出一卷黄表纸,从灯笼里引火点燃,放到庙前的焚化炉里烧了。火苗在纸上像小蛇一样爬动时,他看到了永远端坐在神龛里的土地爷爷和两位土地奶奶脸上的冰冷微笑。土地爷爷和土地奶奶都是王石匠用石头雕刻的。土地爷爷用黑石雕成,两位土地奶奶用白石雕成。土地爷爷的身躯比两位土地奶奶的身躯加起来还要大许多,就像一个大人带着两个小孩子一样。王石匠手艺很差,土地爷爷和土地奶奶模样难看。夏天,土地庙漏雨,石像上生过青苔,所以三个神身上至今绿油油的。纸燃尽未尽时,纸灰像迅速缩小着的白蝴蝶,暗红的火线在纸灰上抖颤着,很快就消逝了。他听到了纸灰破裂的声音。

他放下灯笼和孩子,跪下,给土地爷爷和土地奶奶磕了一个头。

为孩子注销户口的工作完毕后,金元宝站起来,一手抱孩子,一手挑灯笼,匆匆地赶他的路。

太阳出山时,他走到了盐水河边。河边的盐树像玻璃一样,河水通红一片。他吹熄灯笼,藏在盐树林里,然后走到渡口,等待着对岸的船过来。

孩子醒了,哇哇啦啦哭了一阵。元宝怕他哭瘦了,便想出许多法子逗他。孩子已能蹒跚行走,元宝把他放在河边平坦沙地上,折了一根盐树枝条让他玩,自己偷空抽了一锅烟。举着烟锅时,他感到胳膊又酸又痛。

男孩用树枝抽打沙地上的黑蚂蚁,举起树枝时他失去平衡所以身体晃晃荡荡。红太阳不但照亮了河水也照亮了孩子的脸。元宝由着孩子玩耍,并不干涉。河面约有半里宽,水流平缓,河水混浊。太阳初出时像一根大柱子一样倒在河里。河面像一匹宽大平展的黄绸子。谁也不敢想能在这样的河上修座桥。

渡船还拴在对面沙地上,泊在河边浅水里,隔河看去很小。那船本来也很小,他坐过。使船的人是一个聋老头子,住在河外那栋土房子里。他看到土房子里已经冒起了一缕青青的烟,知道聋子正在做早饭。他耐心地等待着。

后来,又来了一些等船的人。有两位老人,有一位十几岁的男孩,还有一位抱着婴儿的中年妇女。两位老人好像是一对夫妻,默默地坐在一起,四只眼睛好像四只玻璃球儿,定定地注视着浑浊的河水。那位男孩赤着膊,穿一条蓝色裤头,赤着脚。他的脸和他身上裸露的部位一样,生着一层鱼鳞状的白皮。他跑到河边把一泡尿撒到河里,然后,靠近金元宝的儿子,看那些黑蚂蚁怎样被盐树枝条抽打成肉酱。他还跟小宝说了一些稀奇古怪的话,那小家伙竟像听懂了一样,龇着雪白的乳牙笑出声。那位妇女面皮枯黄,乱糟糟的头发上扎着一根白头绳,蓝褂黑裤,还算干净。她把孩子小便时金元宝吃了一惊:男孩!又多了一个竞争者。仔细看去,那男孩比自家的小宝瘦弱得多,皮色黢黑,头发焦黄,耳朵上还生着一块白色的癣。这样的孩子根本不是小宝的对手,他的心宽了下来。他搭讪着跟那女人说话:

"大嫂,您也是去那里的吗?"

女人警觉地望着他,双臂把孩子抱得更紧些,嘴唇哆嗦,但不说话。

金元宝有些无趣,便离了她身边,去看对岸的景物。

太阳跃出河面一丈高了,河水黄成金琉璃。那只小船静静地泊在对岸。小屋顶上依旧炊烟袅袅,不见渡船老汉的踪影。

小宝和那个生鳞的男孩手拉着手沿着河水走出去了几十步远，元宝慌忙追过去。他把小宝抢到怀里时，鱼鳞男孩睁着大眼迷茫地望着他。小宝嗷嗷哭叫，挣扎着要下地。元宝哄他道：

"不哭不哭，看渡船的老爷爷把船撑过来了！"

眺望对岸时，果然看到一个放着光彩的人物蹒跚着往渡船靠近。对岸有几人，是过河者，也紧急着向船靠拢。

金元宝再也不肯把小宝放下，小宝折腾了一会，不哭不闹了，结结巴巴叫饿。元宝从怀里摸出几十粒炒黄豆，放到嘴里嚼成糊糊，吐到小宝的嘴里。小宝呜呜啦啦地哭着，好像不喜欢这种食物，但还是往肚里咽。

船到半渡时，从盐树林子里急步闯出一个满脸络腮胡须、身材高大的男人。他怀抱着一个二尺来长的孩子加入了等候渡船的队伍。

金元宝满口焦香着瞥了这个大胡子一眼，莫名其妙地感到有些恐惧。那男人用霸蛮的目光横扫了河边的人。他的双眼很黑、很大，鼻子尖溜溜的，有些鹰钩儿。他怀中那个孩子——是个男孩——穿着一身簇新的红衣服，衣服上残留着一些金黄色的线头儿。由于这身衣服那男孩便显得格外扎眼睛。他在红衣服里缩着头。头上毛儿细密僵硬，脸皮儿还算白嫩，但那两只细细的眼睛却显得相当老。他观察周围事物的眼神绝对不是孩子的眼神。他还生着两只又大又厚的耳朵。这一切都使他引人注目，尽管他老老实实地伏在络腮胡子的怀抱里，不吭声也不动弹。

渡船渐渐靠过来，船头向着水流的方向倾斜着。等船的人聚拢在一起，眼巴巴地望着。

渡船终于靠近浅水，聋老汉放下橹，操起竹篙，一篙一篙往前撑。船头激起一团团浑得发红的水，终于靠在河水的边缘。船上有七个参差不齐的人跳下来,下船前都掏出一些毛票或是亮亮的硬币放在舱底的一个葫芦里。聋老汉扶着竹篙站着,望着河里滔滔东去的流水。

待到船上人下完,这边的人匆匆忙忙上船。本来金元宝是能够第一个跳上渡船的,但是他犹豫了一会,等到络腮胡子跨上去之后,他才随着上去。跟在他后边上船的是那位抱着孩子的中年妇女,然后是那两位老人。两位老人上船时,得到了那位身上生鳞男孩的帮助。他先搀扶了老太太,后搀扶老头,最后,轻盈一跳,稳稳地立在船头上。

金元宝和络腮胡子对面而坐,他惧怕络腮胡子黑洞洞的眼睛,他更惧怕络腮胡子怀中的红衣男孩那阴森森的目光。这家伙不是个孩子,活脱脱一个小妖精。在他的目光逼视下,元宝心慌意乱,坐立不安。他的身体不自主地晃动,弄得渡船也晃荡起来。撑船老汉虽聋却不哑,他大声地说:

"坐稳啦,客官。"

元宝避开小妖精的目光,去看河水,看太阳,看河面上飞行着的那只青灰色的孤独沙鸥。尽管如此,他的心中还是紧张,一阵阵凉意遍体流动,无奈,他只好去看摇船老汉赤裸着的背脯。聋老汉腰背弯曲,但肌肉极端发达,长年的水上生涯使他的肤色如擦亮的古铜。从这老人身上,金元宝寻找到了一些温暖,一些精神力量,所以,他一刻也不敢把目光从老汉身上移开了。老汉节奏分明、动作轻柔地摇动着船尾的大橹,橹叶在水中翻滚,好像一条赭色的大鱼紧追着船儿游动。拴橹的皮绳吱吱扭扭的声响,船头冲击浪花哗啦啦的声响,以及老汉呼哧呼哧的喘息声,混合成一曲宁静的音乐,但金元宝无法宁静。小宝在他怀中号啕大哭起来,他感到孩子的脑袋死劲向自己怀里扎,好像遭了严重的惊吓,一抬头又看到那小妖精锥子一样的目光,元宝心里一阵痉挛,头发梢儿似乎颤抖起来。他歪过身子,紧紧地搂住孩子,让冷汗渐渐地湿透了衣裳。

好不容易到达对岸,船刚泊定,元宝便摸了一张汗湿的毛票,塞进聋老汉的葫芦头里,然后,纵身一跳,身体摇晃着落在潮湿的沙地上。他再也不愿回头,抱紧孩子,急匆匆穿越河滩,翻过堤坝,寻到通往城市的宽广大道,急如星火,大步流星,三步并做两步走,两步变为一步行——他想尽快赶到城市里,他更想摆脱掉那穿着红衣服的小妖精。

大路坦荡,漫漫似无尽头。路边的杨树枝条扶疏,残留着一些黄色叶片,时有麻雀、乌鸦在上聒噪。时令正是晚秋,天高气爽,万里无云,沿途好风景,元宝只顾赶路,像被狼撵着的兔子。

到达城市时,已是正午时分,元宝口干舌焦,小宝热成一块火炭,伸手至怀,摸摸还有十几枚硬币,便拐进一家小酒馆,选了一张靠边角的桌子坐下,要了一碗酒尾巴,往小宝嘴里灌了几口,自己也喝了一大口。几只苍蝇围着小宝的脑袋飞翔,发出嗡嗡的怪叫,他抬手去赶,手抬到半截,竟如遭了激光袭击一般,停住了:

在另一个边角的桌子旁,端坐着那位络腮胡须大汉,桌子上,坐着那个令金元宝胆战心惊的小妖精。小妖精端着酒杯,一口一口地呷酒,动作老练至极,绝对一个久经酒场锻炼的老手模样。他的身躯与他的动作、神情极端不协调,产生了一种荒唐效果,酒馆里的伙计和酒客们都在注意着这个小妖怪,那大汉却毫不在意,管自将那小店名酒"透瓶三里香"咕咕嘟嘟往肚里灌。元宝匆匆喝干碗中酒尾巴,挖出四枚硬币轻轻摆在桌子上,抱起小宝,脑袋低垂,下巴触着胸脯,灰溜溜地逃了出来。

午休时刻,元宝抱着小宝,终于站在了烹饪学院特别收购处的门前。特别收购处在烹饪学院里自成格局:一栋洁白的圆顶小楼,四周围着高高的红砖墙,一个圆形的月亮门通进去。院内栽着奇花异草,常绿灌木。院子中央有一个椭圆水池,池中垒一座假山,山顶上喷水,水呈菊花状,不断地开放不断地凋谢。池中水花四溅,响声不绝。池里养着一群背有五彩文章的香乌龟,还有一群体态臃肿的红金鱼。虽然是第二次来到特别收购处,但金元宝还是战战兢兢,如踏入神仙洞府,全身的每一个细胞都在幸福中颤抖。

特别收购处那条特为排队的人修成的铁栅栏里,已经排了三十余人,元宝赶忙排上队伍。在他前边的,正是那位络腮胡子大汉和那个穿红衣的小妖精。小妖精的头从络腮胡子的肩头上探出来,两只阴鸷的眼睛放射着凉森森的光芒。

元宝咧开嘴,想裂着嗓子吼叫,但他不敢叫。

熬过了极端艰难的两小时,小楼里响起了电铃声。疲惫的人们精神一振,纷纷站立起来,为男孩们抹脸擦鼻涕整理衣裳。几位女人用棉花沾着白粉往孩子脸上擦着,用唾沫在手心里化开胭脂,往孩子额上点着。元宝用袄袖子揩干小宝脸上的汗水,用粗笨的手指耕了耕小宝的头发。唯有那络腮胡子男人不动声色,小妖精蜷缩在他怀里,转动着两只冷眼扫描着周围的景象,显得异常镇静。

与栅栏相连的那扇铁门哗啷啷开了,显出一个宽敞明亮的大房间。收购工作开始了,除了个别孩子的啼哭外,再无宏大的声音。收购人员压低嗓门与卖主交谈着,气氛显得融洽而和谐。元宝因为惧怕那小妖精的目光,所以与队伍拉开一点距离,反正铁栅栏狭窄,只容一人抱孩子通过,不必担心后边人抢了先。喷泉落水的声音时强时弱,但永不间断;鸟儿在树上叫,婉转如琴声。

一位卖完孩子的妇女拐出栅栏后,络腮胡子和小妖精开始接受询问。元宝和小宝离他们三米外,听不清楚他们的低语。尽管心里怕,但还是看着他们。他看到一位穿着白色制服、头戴白色红镶边大檐帽的男人从络腮胡子手里把小妖精接过去。小妖精一贯严肃的脸上,突然挤出了笑容。这笑容使元宝心惊肉跳,但那位工作人员浑然不觉。他脱掉了小妖精的衣服,用一根玻璃棒戳着小妖精胸脯上的肉,小妖精咯咯地笑着。一会儿工夫,元宝听到那络腮胡子的高大男人吼道:

"二等? 他妈的,你们欺负老子!"

那位工作人员也略略提高了嗓音,说:

"伙计,不怕不识货,就怕货比货! 你这个孩子,分量倒是不轻,但皮糙肉硬,要不是他笑得可爱,顶多划个三等!"

络腮胡子嘟嘟哝哝地骂了几声,抓过一沓钞票,粗粗数数,揣在怀里,头一低,钻过了栅栏。这时,金元宝听到那被贴上了二等标签的小家伙对着络腮胡子的背影高声叫骂:

"操你妈! 杀人犯! 出门就被卡车撞死你这个狗娘养的王八蛋!"

他的声音粗粝沙哑,谁也不敢相信这样的声音、这样狠毒连贯的骂人话竟会出自一个不足三尺的孩子之口。元宝看到他那张刚才还笑着的脸突然变得横眉竖目,额头上布满皱纹,那神态表情竟如一个小屠夫。五位工作人员都吃惊地蹦起来,脸上都挂着恐怖之云,一时都手足无措。小妖精双手叉腰,对着他们啐了一口唾沫,然后,大摇大摆走到那堆贴着标签的孩子群里去。

五位工作人员发了一会呆,交换着眼神,好像互相安慰:没有什么吧？对,没有什么。

工作继续进行。那位脸色红润、坐在桌子后边的温和的中年大檐帽对着金元宝招招手。元宝急忙走上前。他的心脏怦怦乱跳。小宝嘤嘤地哭起来,元宝结结巴巴地安慰他。不久前的经历蓦然涌上心头。那次来晚了,收购限额已满,本来可以跟工作人员求情,但小宝哭得他心烦意乱。他哀求道:

"好孩子,别哭,人家不喜欢爱哭的孩子。"

工作人员低声问:

"这孩子是专门为特购处生的是吗?"

元宝嗓子干燥疼痛,话出滞怠变音。工作人员继续问:

"所以这孩子不是人是吗?"

"是,他不是人。"元宝回答。

"所以你卖的是一种特殊商品不是卖孩子对吗?"

"对。"

"你交给我们货,我们付给你钱,你愿卖,我们愿买,公平交易,钱货易手永无纠缠对吗?"

"对。"

"好,你在这儿按个手印吧。"工作人员说着,把一张铅印的文字推给他,并推过了印泥盒子。

元宝说:

"同志,俺不识字,这上面写着什么?"

工作人员道:

"是你我刚才的对话。"

元宝把一个鲜红的大指印按到工作人员指给他的位置上。好像完成了一件大事一样,他感到一阵轻松。

一位女工作人员把小宝接过去。小宝还是哭,女工作人员捏了一下他的脖子,哭声立刻止住。元宝佝偻着腰,看着她脱掉小宝的衣服,非常迅速但相当仔细地检查了小宝的全身,连屁股都扒开看,连小鸡儿的包皮也撸上去看。

她拍拍手,对坐在桌后的人说:

"特等!"

元宝激动万分,眼泪差点流出眶外。

另一位工作人员把小宝放到一台磅秤上过了过,然后轻声说:

"二十一斤四两。"

一位工作人员按了按小机器,一张纸嗤嗤响着从机器嘴里吐出来。他对着元宝招手,元宝跨上前一步,听到那人说:

"特等每斤一百元,二十一斤四两,共合人民币二千一百四十元。"

他拍给元宝一堆钱,连同那张纸,说:

"你点点清楚。"

元宝手指哆嗦,捞过钱来,胡乱数了一下,脑子里一团模糊,他紧紧地攥住钱,带着哭腔问:

"这些钱归俺啦?"

那人点点头。

"俺能走了吗?"

那人点点头。

第三章

一

那男孩盘腿坐在镀金的大盘里,周身金黄,流着香喷喷的油,脸上挂着傻乎乎的笑容,憨态可掬。他的身体周围装饰着碧绿的菜叶和鲜红的萝卜花。侦查员丢魂落魄般望着男孩,吞咽着翻卷而上的胃中液体。男孩水灵灵的眼睛回望着他,鼻孔里喷出热气,嘴唇翕动,好像要开口说话。他的笑容他的憨态令侦查员浮想联翩,他恍惚觉得这男孩非常面熟,好像不久前见过面。他的清脆的笑声在侦查员耳边盘旋。他的小嘴巴里喷出新鲜草莓的味道。爸爸给我讲故事。别缠着爸爸。那时还是温柔的妻子抱着粉红的婴儿微笑。转眼间妻子的微笑变成可怕的阴阳怪气,她抽搐着腮帮子,伪装出一副十分深沉的模样。混蛋!他拍着桌子,愤怒地站起来。

金刚钻意味深长地笑着。矿长和党委书记鬼鬼祟祟地笑着。侦查员以为自己在做梦,睁大眼睛,仔细观察,那男孩仍旧盘着腿坐在盘里。

金刚钻说:

"丁钩儿同志,请吧!"

党委书记和矿长说:

"这是我市一道最有名的菜,叫做'麒麟送子'。我们用它招待外宾,给外宾留下了终生难忘的深刻印象,赢得了外宾的高度评价。我们用它为国家换取了大量宝贵的外汇。用它招待最尊贵的客人。您就是我们最尊贵的客人。"

请吧!老丁同志,检察院派来的特级侦查员丁钩儿,请吃"麒麟送子"。党委书记和矿长抄起筷子,迫不及待地催促着。

男孩的香气强劲有力,难以抗拒。丁钩儿咽了一些口水,把手伸到公事包里。他的手摸到了光滑的枪管和有刻纹的枪柄,还有刻纹中央那颗五角星。枪口是圆的,准星三角形,枪的温度低于手的温度,所以感觉到凉意。一切感觉正常,一切判断正常。我没醉,我是侦查员丁钩儿,奉命来酒国市调查以金刚钻为首的领导干部烹吃男孩案件,大案特案要案,世界少有之残忍,空前绝后之腐化。我没有醉,没有产生错觉,他们要想逃脱万不能。我的眼前摆着一个红烧婴孩,按他们的说法:一盘"麒麟送子"。我神志很清楚,为了保险起见,我进行自我测验:$85 \times 85 = 7225$,随口喊出,丝毫不差,他们杀了一个男孩让我吃,想堵住我的嘴,阴谋家,畜生,禽兽。他端着手枪,凌厉地减:

"不许动,举起手来,你们这些野兽!"

三个男人呆呆地坐着,红色小姐们尖叫着挤成一堆,好像一群受惊的小鸡。丁钩儿一手端着枪,另一只手推开身下的凳子,退两步,背贴着窗户站定。他想要是他们是有军事经验的人,完全可以近便地把枪夺走,但是他们没有。现在,三个人都在他的枪口之下,谁也休想轻举妄动。他起身时那只公事包从两腿之间滑落在地。他的手虎口感觉到手枪枪柄沉甸甸的凉意,食指感觉到光滑的扳机柔韧的弹性。保险机在抓枪的过程中已经打开,子弹和撞针等待着撞击,一触即发。他冷静地骂道：

"王八蛋们，你们是百分之百的法西斯！都给我举起手来！"

金刚钻缓慢地举起双臂，党委书记和矿长的手臂也缓缓举起。金刚钻面带笑容，镇定自若地问：

"老丁同志，您这玩笑开过火了吧！"

"开玩笑？"丁钩儿咬牙切齿地说，"谁跟你们开玩笑?！吃儿童的野兽！"

金刚钻仰着脸，朗声大笑起来。党委书记和矿长也傻乎乎地笑起来。

金刚钻笑着说：

"老丁啊老丁，您是个富有人道主义精神的好同志，真令人钦佩！可是，您错了，您犯了主观主义的错误，请仔细地看看，这是个男孩吗？"

丁钩儿的视线被金刚钻的话引导着，转移到盘中婴儿的身上。男孩面上笑容依旧、嘴唇微微噘起，好像要开口说话。

"他简直栩栩如生！"丁钩儿大叫着。

"是的，他栩栩如生，"金刚钻说，"为什么这个假男孩栩栩如生呢？因为我们酒国市的厨师们技艺超群，鬼斧神工！"

党委书记和矿长帮腔道：

"这还不算好的呢！我市烹调学院特烹部那位女教授制作的男孩，眼睫毛都会忽扇，没有一个人敢下筷子哩！"

"老丁同志，放下您的武器，拿起您的筷子，与我们一起来欣赏这道绝世佳肴！"金刚钻垂下投降的双手，殷切地招呼着丁钩儿。

"不！"丁钩儿严肃地说，"我宣布退出你们这吃人的宴席！"

金刚钻脸上显出了一丝丝愠意，不卑不亢地说：

"老丁同志,您太固执了。我们都是高举着拳头在党旗前宣过誓的人,为人民谋幸福是您的任务也是我的任务,不要以为天下只有你是好人。吃过我们酒国婴儿宴的人,有德高望重的领导人,也有世界五大洲的尊贵朋友,还有国内外大名鼎鼎的艺术家、社会名流。他们用盛赞对待我们,只有您,丁钩儿侦查员,对着一片热诚款待您的人,举起了手枪!"

党委书记或是矿长帮腔道:

"丁钩儿同志,是什么样的妖风迷雾蒙蔽了您的双眼?您知道不知道,您的枪口对准了的,不是阶级的敌人,而是您的阶级兄弟!"

丁钩儿持枪的手脖子酸软,枪口渐渐下落,他的眼前迷蒙一片,那只缩回茧壳的美丽蝴蝶又开始向上爬行,恐怖的感觉沉重如巨石,压着他的肩头,他感到自己立场不稳,骨骼随时都会瓦解,面前是一个散发着臭气的无底泥潭,陷下去就不可自拔,陷下去就是灭顶之灾。但那个调皮的小家伙、香气扑鼻的小家伙、坚决站在他母亲阵线上的小儿子,正坐在莲花一样形状、莲花一样颜色的仙雾里,对着我,对着我举起了他的手! 他的手指短促,肉滚滚的,肥美异常。手指上的纹路一圈圈陷进去,一共三圈,手背上有四个肉涡涡。他的甜蜜的笑声在香气里缭绕。莲花升腾,孩子随之升腾。肚脐眼儿圆圆,天真童趣,像腮边的酒窝。你们这些花言巧语的强盗! 休想蒙混过关! 被你们煮熟了的婴儿对着我微笑。你们说不是婴孩是名菜? 哪里有这样的名菜? 战国时易牙把儿子蒸熟献给齐桓公,其味鲜美,宛若羊羔胜过羊羔,易牙们,哪里跑? 举起手来,接受审判。你们不如易牙,易牙烹自己的儿子,你们烹别人的儿子。易牙是封建地主阶级,效忠王是最高准则;你们是领导干部,杀百姓的儿子喂自己的肚子。天理难容! 我听到儿童们在蒸笼里啼哭,在油锅里啼哭。在砧板上啼哭。

在油、盐、酱、醋、糖、茴香、花椒、桂皮、生姜、料酒里啼哭。在你们胃肠里啼哭。在厕所里啼哭。在下水道里啼哭。在江河里啼哭在化粪池里啼哭。在鱼腹里啼哭在庄稼地里啼哭。在鲸鱼、鲨鱼、鳗鱼、鱿鱼、带鱼等等的肚腹里,在小麦的芒尖上、玉米的颗粒里、大豆的嫩荚里、番薯的藤蔓上、高粱的茎秆里、谷子的花粉里等等啼哭。哭啊哭,令人不忍卒听的啼哭声,从苹果里、鸭梨里、葡萄里、桃里杏里核桃里发出。水果店里是婴孩的哭声。蔬菜店里是婴孩的哭声。屠宰场里是婴孩的哭声。酒国的盛宴上回响着一个个被害男童的令人毛骨悚然的啼哭声。我不对你们开枪对谁开枪?

他看到几张油光光的脸在红烧男孩的迷雾里漂游着,像碎玻璃一样的光芒时隐时显。他们的稍纵即逝的脸上竟然挂着油滑的、玩世不恭的、或者是轻蔑的笑容。怒火满腔。正义的、复仇的火焰熊熊燃烧,映得满室通红,荷花般辉煌。他大吼一声:畜生们,你们的末日来临了! 他听到这吼声在头上发出,很陌生。声音撞到天花板上,无声地破碎,声音的碎片像凋落的花瓣一样,拖曳着烟一样的猩红尾巴,纷纷摇动,落满了酒席。他用力扣动了扳机,对着那些碎玻璃一样的脸,那些镶着碎玻璃的脸,那些奸邪的笑容。扳机咔嗒一响,撞针疾速前去,撞在那颗铜光闪闪的可爱子弹的绿屁股上,火药燃烧,速度看不见,气体受压迫,向前冲啊,向前向前向前,前,前。弹头与巨响飞出枪口,硝烟一缕,在枪口抖动。巨响如浪潮翻卷。哇哇怪叫。让一切不正义的、不人道的在我的枪声中颤抖。让一切善良的、美好的、香气扑鼻的在我的枪声里抚掌欢笑。正义万岁! 真理万岁,人民万岁,共和国万岁。我的伟大的儿子万岁。男孩万岁。女孩万岁。男孩与女孩的母亲们万岁。我也万岁。万岁,万岁,万万岁。

特别侦查员嘴里咕噜着一些谁也听不清楚的胡言乱语,嘴角上挂着白沫,慢吞吞的,如一堵老朽的墙壁瘫在地上。被他的胳膊和手枪扫下来的酒杯砸在他身上,啤酒白酒葡萄酒湿了他的衣服他的脸,他趴在地上,像一具从酒缸里捞出来的死尸。

良久,金刚钻、党委书记、矿长以及挤成一堆的红色服务小姐们苏醒过来,从桌子底下钻出来,从地板上爬起来,从别人的裙裾里伸出自己的头。硝烟的味道压倒所有的味道,在餐厅里荡漾着。丁钩儿射出的那颗子弹,恰好打在红烧男孩的脑袋上。脑壳破碎,脑浆子迸到墙壁上,红的红,白的白,冒着热气,散着香气,释放着各种感情。红烧婴儿变成了无头婴儿。他的头没被打碎的部分跌在餐桌二层的边缘上,像西瓜皮一样的脑壳或者像脑壳一样的西瓜皮架在一盘扒海参和一盆红烧虾之间,汁液滴滴答答,流着血一样的西瓜汁或者是西瓜汁一样的血,污染了台布,也污染了人的眼睛。那两颗紫葡萄一样的眼睛或者眼睛一样的紫葡萄,在地板上滴溜溜滚动,一颗滚到了酒柜后边,另一颗滚到了一位红色服务小姐脚下,被她一脚踩破。她的身体摇晃了一下,嘴里发出一声尖叫:哇!

他们在"哇!"里恢复了理智,哲学、党性、原则、道德等等构成一位领导者素质的全部要素全都回到大脑,支配他们的行动。党委书记或是矿长伸出舌头,舔食了溅到手背上的婴孩脑浆。其味一定鲜美异常,他巴咂着嘴说:

"这家伙,糟蹋了一道好菜!"

金刚钻不满意地瞥了他一眼,在金副部长批评的目光下舔食脑浆者满面羞愧。金副部长说:

"快把老丁同志扶起来,擦干净脸面,灌碗醒酒汤。"

红色服务小姐们急忙行动起来。她们扶起丁钩儿,为他擦嘴、擦脸,但不敢为他擦手。他手握钢枪,仿佛随时都要射击。她们扫了破碎的酒杯,擦干净地板。她们搬着他的头,用浸在酒精里严格消过毒的不锈钢开口器撬开他紧咬的牙关,把一个硬塑料漏斗插到他的嘴里,然后,一匙一匙地,往那漏斗里也就是往他嘴里灌注醒酒汤。

金刚钻问:

"几号醒酒汤?"

红色服务小姐的领班答道:

"1 号。"

金刚钻说:

"用 2 号吧,2 号醒得快一些。"

服务小姐去厨房里取来一瓶金黄色的液体,拔开胶木塞子后,一股清凉的气息从瓶口涌出,沁着人的心脾。她们把大半瓶金黄液体倒进漏斗里。丁钩儿咳嗽,呛了,漏斗里液体喷起很高。

他感到一股清泉流入胃肠,浇灭了烈火,唤醒了神志。身躯恢复活力,把那爬出头颅的美丽意识之蝶吸附回来。他睁开眼睛,第一眼看到坐在金盘里的无头男孩,他的心一阵剧痛。他不由自主地叫了一声:亲娘啊!我难受!然后把枪举起。

金刚钻举着筷子说:

"丁钩儿同志,如果我们真是吃男孩的魔鬼,你打死我们完全应该,但如果不是呢?党把枪交给你,是让你惩罚坏蛋,不会让你滥杀无辜吧?"

丁钩儿说:

"你有什么话,快说。"

金刚钻操起一根筷子,猛戳到盘中无头男孩秀丽地翘起的小鸡

鸡上,男孩立刻解体,变成了一盘杂拌。金刚钻用筷子指点着讲解:

"这是男孩的胳膊,是用月亮湖里的肥藕做原料,加上十六种佐料,用特殊工艺精制而成。这是男孩的腿,实际上是一种特殊的火腿肠。男孩的身躯,是在一只烤乳猪的基础上特别加工而成。被你的子弹打掉的头颅,是一只银白瓜。他的头发是最常见的发菜。要我详细地、准确地把制作这道名菜的全部原料及其精细、复杂的工艺告诉你是不可能的,这是酒国市的专利,我也只了解个大概,否则我就改行当厨师了。但我可以负责地对您说:这道菜是合法的,是人道的,您应该用筷子对付他,而不是用子弹。"

金刚钻说着,用筷子夹起男孩的一只手,大口大口地吃起来。党委书记或者矿长用一柄银叉叉起一支胳膊,放到丁钩儿的菜盘里,他恭敬地说:

"请吧,老丁同志,别客气!"

丁钩儿仔细审查着这条胳膊,心里七上八下。它的确有点像肥藕但更像一条胳膊。它的味道诱人,的确有点类似藕的甜味但更多的是从没闻过的香味。他把手枪放进公事包里,感到有些内疚。尽管你负有特殊使命,但也不能随便开枪。我应该慎重。金刚钻用一把锋利的小刀,啪啪啪把另一条胳膊切成几十片。他挑起其中一片,举到丁钩儿面前,说:

"五眼藕,胳膊有眼吗?"

丁钩儿听到了金刚钻吃胳膊的咯吱声,是藕。他低下头看摆在自己面前的胳膊,不知该不该动手。党委书记和矿长正在咬着男孩的腿。金刚钻递过刀来,用微笑鼓励着他。他接过刀,试试探探把刀刃按到男孩胳膊上。刀子像被磁力吸引一般,滋一声,把胳膊一样的藕切成两段。

他扎起一片胳膊,闭闭眼,塞到嘴里。哇,我的天。舌头上的味蕾齐声欢呼,腮上的咬肌抽搐不止,喉咙里伸出一只小手,把那片东西抢走了。

金刚钻诙谐地说:

"行喽,丁钩儿同志与我们同流合污了,你吃了男孩的胳膊!"

丁钩儿一怔,心里又生出怀疑,他问:

"你告诉我,这不是男孩。"

金刚钻说:

"哎哟我的同志哟,你可真叫迂。开玩笑逗逗你嘛! 你想,我们酒国市是文明城市,又不是野人国,谁忍心吃孩子? 你们检察院的人竟然相信这样的天方夜谭,一本正经地派员调查,简直是胡编乱造的小说家的水平嘛!"

矿里的两位领导端起酒杯,说:

"老丁,你开枪无礼,罚你三杯!"

丁钩儿自知理亏,认罚三杯。

金刚钻说:

"老丁同志疾恶如仇,爱憎分明,敬你三杯!"

丁钩儿喜欢奉承,受敬三杯。

六杯酒落肚,他又有些迷糊起来。矿长或是党委书记把半支男孩胳膊递过来时,他竟然扔掉筷子,不怕油腻,接过来,双手卡着,大口大口地啃起来。

餐厅里的人们笑起来。丁钩儿吃了一条胳膊。矿长和党委书记又发动红色服务小姐们敬酒。红色小姐们撒娇撒痴,连灌了丁钩儿二十一杯。他贴在天花板上,听到金刚钻与自己告别。

他贴在天花板上,看到金刚钻步履轻松地走出餐厅,并听到他向矿长和党委书记交代什么。弹簧镶革门由两位红色小姐拉开。她们倚门而立,一边一位,彬彬有礼。他看到了她们头顶上的毛旋,还看到脖子,以及胸膛上的东西。这种窥视伤风败俗,他进行自我批评。后来,他看到党委书记和矿长对红色服务小姐的领班交待着什么。男人们都走了。红色服务小姐们围拢到餐桌上,一齐动手,抓起菜肴往嘴里填。女人的吃相都很凶恶,全不似方才模样。他看到自己的躯壳坐在椅子上,软瘫瘫的,像一堆肉。脖子靠在椅背上,头歪在一边,嘴角上流着酒,好像一只歪倒的酒葫芦。他贴在天花板上为自己半死的肉体哭泣。

女人们吃饱了,撩起台布擦嘴。有一位偷偷地把一盒中华牌香烟塞到乳罩里。他叹息着,为她那只受挤压的乳房。他听到领班说:

"来吧,把这只醉猫架到招待所里去。"

两位小姐架着他的双臂,他没有骨头一样,很难架。他听到那位耳后有痣的小姐骂:这条死狗!他很愤怒。他看到一位小姐拎起了他的公事包,拉开拉链,摸出了手枪,反来复去地看。他在天花板上惊呼着:放下武器,当心走火。可她们好像聋子一样。老天保佑,她把枪塞进公事包。她又拉开了夹层的拉链,摸出了那个女人的照片。她说:快来看呀!红色小姐们聚到一起,七嘴八舌议论。他的愤怒到了顶点,用一连串的脏话咒骂她们,但她们浑然不觉。

终于,四个红色服务小姐把我的躯体架起来了。她们拖着我走出餐厅,走上那条铺着化纤地毯的走廊,像拖着一条死狗。她们中的一个故意用鞋尖踢我的腿肚子。小婊子,我的肉体醉了我的精神未醉呀。我在离头三尺的空中忽悠悠扇着翅膀飞翔,一步不落地跟着我的肉体。我悲哀地注视着不争气的肉体。走廊仿佛更长了。我看到从我的嘴里溢出的酒液流到了我的脖子上。臭气熏天,红色服务小姐们尽量封闭着嗅觉器官。一位红色小姐干呕了一声。我的头颅挂在胸前,我的脖子像根晒蔫了的蒜薹一样软绵绵的所以我的头颅挂在胸前悠来荡去。我看不到我的脸,能看到两扇灰白的耳朵。一位红色小姐捧着我的公事包跟在后边。

终于走完了漫长的走廊,我认出了那个大厅。她们把我的肉体扔在地毯上,让我仰面朝天。我被我的脸吓了一跳。我紧闭着双眼,脸色如破旧的糊窗纸。咧着嘴,一嘴黑白各半的牙。一股难闻的酒臭直冲上来,熏得我想呕吐。我的肉体抽搐着,我的裤子湿了。惭愧。

红色小姐们喘息了一阵,把我架出了大厅。外面是葵花的海洋,夕阳如血,葵花的金黄在血色里显得格外温柔。葵花林里原来有一条平坦如砥的水泥路。水泥路上停着一辆银灰色的轿车,豪华皇冠。金刚钻弯腰钻进去。轿车缓缓驰去,那一对孪生兄弟举着手对轿车屁股晃动。轿车一闪而过。红色小姐们拖着我在水泥路上走。一条狗站在一棵粗壮如树的葵花下吠叫。它的毛色油亮,黑身体,白耳朵。它吠叫时身体一促一伸,好像手风琴被挤压与抻拉。她们到底要把我架到什么地方去呢?矿区的电灯亮了,像一只只诡诈的眼睛,那些矿山机械与上午一样,坑口的卷扬机也与上午一样。一群头戴铝盔的黑人走过来。不知为什么我怕与他们迎面相逢。是福不是祸,是祸躲不过。矿工们闪到道路两边,红色服务小姐架着我从矿工的夹道里通过。我嗅到了他们身上浓重的汗臭味和坑道里的潮湿腐败的气息。他们的眼睛像锥子一样扎着我的肉体。有几个人骂了几句脏话。红色服务小姐骄傲地昂着头挺着胸,不理睬他们。我突然悟到那些与性交有关的脏话是冲着红色小姐们去的,而不是冲着我。

她们架着我进了一间孤零零的小屋,小屋里有两位白衣小姐膝盖顶着膝盖坐在一张刻着字迹的写字台前。她们见到我们进入后膝盖分开了一些。有一位按了按墙上的电钮,一扇门慢慢地缩出来,似乎是电梯。她们把我架进去。门关闭了。果然是电梯。它飞快地下降着。我佩服地想:果然是煤矿,一切活动都在地下。我不怀疑他们能在地下修筑万里长城。电梯空咚一响,抖了三抖,到底了。门开了。强烈的白光照花了我的眼。豪华的大厅,能照出人影的大理石地面像水一样,映出雕花天棚和几百盏玲珑灯具。四根大理石板材镶贴成的多棱的大柱子。鲜花与绿色植物。最现代化的金鱼缸。一群遍体赘瘤的金鱼,它们使我周身发腻。她们把我的肉体安放在410房间里。我猜不透410是如何排出来的,这是座什么样的大厦呢?纽约的大厦通向天堂,酒国的大厦通向地狱。她们把鞋子从我腿上剥掉,然后把我抬到一张床上。把我的公事包放到茶几上。她们走了。五分钟后,一位米黄色服务小姐推门进来,把一杯茶放在茶几上。我听到她对我的肉体说:首长请饮茶。

我的肉体不回答。

米黄色小姐化着浓妆,眼睫毛粗壮,像猪鬃一样。这时床头柜上的电话响了。她伸出尖尖的手拿起话筒。房间里非常安静,我听到一个男人在电话里说:

"他醒了吗?"

"他一动不动,很可怕。"

"摸摸他的心脏跳不跳。"

米黄色小姐把手按在我的胸脯上,她的脸上表现出极端厌恶的表情。她说:

"跳。"

"给他灌点醒酒 1 号吧。"

"好。"

米黄色小姐走了。我知道她马上要回来。她回来了,手里拿着一个钢铁的注射器,就是兽医使用的那种。幸亏针头是软塑料的,所以我不担心她扎我。她把软塑料管子插到我的嘴里,然后往我嘴里注射药液。

后来,我听到我的肉体哼哼起来。它的胳膊抢动起来。它还说了一句什么。它放出一股力量吸引我捕捉我,我抗拒着,我变成一个大吸盘吸在天花板上抗拒着。但我感觉到我的一部分被它吸走了。

我困难地坐起来,睁开眼皮,痴呆呆地望着墙壁,好一阵子。我摸过那杯茶,咕嘟嘟灌下去,然后,跌仰在床上。

又过了很久,门轻轻地开了。一个赤脚赤膊只穿一条蓝布裤身上生着鱼鳞状皮肤、十四岁左右的男孩闪身进来。他的动作轻捷,无声无息,像一只猫。我满怀着兴趣看着这孩子。这孩子面熟,我仿佛在什么地方见过他。我一定在什么地方见过他。他嘴里叼着一柄柳叶状的小刀,像黑猫叼着一尾柳叶状的小鱼。

我感到巨大的恐惧,为我那半死不活的肉体。同时我纳闷在地下如此隐蔽的地方,怎么会出现这样一个小精灵。房门自动关闭,房间里的安静压迫我的耳膜,生鳞的孩子接近我的躯体时,我嗅到了他身上那股土腥味,是一只刚从岩缝里揪出来的穿山甲的味道。他要干什么?他头发乱蓬蓬,沾着很多成熟苍耳子的刺球儿,这刺球儿的精辟的味道像一条条小蛇,爬进我的鼻道并进入脑髓。我的肉体打了一个喷嚏。小精灵突然伏在地毯上。他站起来,伸出小爪子摸了摸我的咽喉。他嘴里的柳叶小刀闪烁着幽蓝的寒光。我多么想唤醒我的肉体但是我不能够。我搜索枯肠或曰绞尽脑汁:我在什么时候什么地方因为什么得罪了这个小精灵?他又伸出手指捏我的肉体上那个被叫做脖子的部位,好像一个老练的厨师在进行杀鸡前准备工作。我甚至感觉到了那可怕的、坚硬的小爪子,但我的肉体无动于衷,它打着沉闷压抑的呼噜在鼾睡,不知道死神降临。我盼望着他赶快把那柄小刀子从嘴里取下来,对着气嗓眼儿给我的肉体来一下,省了我的灵魂贴在天花板上受折磨。但是他不。他捏完了脖子又摸我的肉体上套着的衣服、衣服上的口袋。他摸出了一支"英雄"牌金笔,拔开笔帽,用笔尖在自己手背上划道道。他的手背上也生着鳞片。划一下他一缩手一咧嘴,脸上出现难分哭笑的表情。我猜测到这小精灵是怕痒。从笔尖划动鳞片发出的嗤拉声里,我知道这支"英雄800 号"高级金笔彻底完了蛋。这是奖给工作模范的奖品。这种无聊的游戏持续了足有半小时,终于停住。他把金笔放在地上。继续搜查。他从我的口袋里搜出了一方手绢、一包香烟、一只电子打火机、一个身份证、一支十分逼真的玩具手枪、一只钱包、两枚硬币。看来这一大堆宝贝使他眼花缭乱。他像一位贪婪的儿童那样,把这堆宝贝摆在两腿之间,旁若无人地坐着,一件一件赏玩。钢笔自然是不玩了,非常自然地他抓起了玩具手枪,举到面前看。镀镍的枪身在灯光下闪烁着。这是仿制得惟妙惟肖的左轮枪,美国军官悬挂在腰带上那种。线条十分优美。我知道枪里那塑料齿盘上还嵌着几粒响火一勾必爆响。他的两只大眼睛因为喜悦和兴奋变得十分可爱。我生怕他扣动扳机暴露自己。男孩胳膊与鲜藕之间距离多远?我的肉体受没受蒙骗?但一切都无法制止,他扣动了扳机。乓——!我看到蓝烟的同时听到了枪声。我等待着门外嘈杂的脚步声和冲进房间的米黄色小姐以及保卫人员们。深夜里枪响,除了谋杀和自杀,还能有什么呢？我为这生鳞的小家伙担忧。他面临着危险。我不希望他被捉。应该坦率地承认，这小家伙很有意思，并不因为他生着鳞片。生鳞片的东西很多，有鱼、蛇、穿山甲，除了对笨拙得有点装模作样的穿山甲我不太厌恶外，我不喜欢冷腥的鱼，讨厌阴沉的蛇。我的想象落了空，枪声过后，一切如常，没有人跑动更没有人撞门。这家伙又制造一声枪响。说实话这枪声单纯、单薄，房间密封得很好，地毯、天花棚、贴壁纸都是极好的消灭声音的材料。他安详地坐着，毫无惊讶之意，如果他不是聋子就是位临变不惊的将才。枪玩够扔一边。揭开钱包，把里边的一切全抖擞出来。钱，粮票，机关食堂的饭票，没来得及报销的单据。他捏着打火机研究着。打火机喷出了明亮的火苗。他抽烟。他咳嗽。他把烟头扔到地毯上。我的天呐！烟头引燃地毯，我立刻嗅到了烧羊毛的味道。这时，我终于明白：如果我的肉体化为灰烬，那么我也将变成轻烟。它的消逝也就是我的消逝。我的肉体啊，醒来吧！

生鳞的小精灵，我恨你！

我不恨你了，我只想笑，其实我笑不出来。他发现了地毯上的火，慢腾腾地站起来，把一条裤腿往上一撸，用两根指头夹着那根与他的身体相比较显得大一点、似硬非硬、同样生着鳞片的高压水龙，对准了地毯上的火。一道水柱呲呲地响着，浇到了火上。火也响。水量很足，很冲，灭这样两次火也绰绰有余。我轻松地嗅着尿臊味与湿漉漉的焦糊味，欢喜地想：天才，真是他妈的天才！

他从我的肉体上剥衣裳。他千方百计地把我的褂子剥下来了。我听到他呼哧呼哧的喘息声。他穿上我的褂子。我的褂子掩到他的膝盖。他把地毯上那堆玩意儿统统装进衣袋。他还想干什么呢？

他吐出口中的小刀，捏着，打量着房间。后来，他用小刀在墙上刻了四个"十"字。然后,叼着小刀子,像叼着一片柳叶,甩着两只肥大的衣袖,大摇大摆地走出房间。

我的肉体早被这小精灵推到床下。它依然打呼噜。

二

莫言老师:

还是让我这样称呼您吧,否则我会很难过很别扭很不舒服。

老师,您是我名副其实、货真价实的老师,我发现您不但是写小说的行家里手,而且,您还是品酒的大内高手。您写起小说来是老太婆裹脚一手熟,谈论起酒来更是头头是道。当今世界,找一个优秀小说家不难,找一个优秀品酒师也不难,但是找一个既是优秀小说家又是优秀品酒师的天才却十分困难。而我的老师,您就是这样的天才。

您对"绿蚁重叠"的分析既精辟又准确,达到了专业水平。此酒采用的基本原料是高粱、绿豆,在百年老窖中发酵。酒曲的基本培养基是大麦、麸皮和豌豆,并掺了少量的米糠。蒸馏后得到的酒液是一种优雅、素洁的浅绿色。基本上属于浓香型,艳美丰满。因原酒味道过于辛辣,在勾兑时我们采用了诸多措施,来压制它暴烈的性格,就像给一匹野马带上了铁嚼子,但效果未臻完美。后来,由于急着参加展销会,便差强人意定了型。正如您所说的那样,"绿蚁重叠"的单项品格绝对上乘,缺点是酒体不协调。

以美女喻美酒是我们品酒时对酒的风格的形象化表述,您的感觉基本对头。改善"绿蚁重叠"使之更臻完美的方案我跟我岳父袁双鱼教授思考了很久,已经接近成熟,可惜现在我醉心文学,顾不上其他了。

老师,偌大个世界,芸芸着众生,酒如海,醪如江,但真正会喝酒者,真正达到"饮美酒如悦美人"程度的,则寥若晨星,凤其毛,麟其角,老虎鸡巴恐龙蛋。老师您算一个,学生我算一个,我岳父袁双鱼算一个,金刚钻副部长算半个。李白也算一个……"举杯邀明月,对影成三人",何谓三人?李一人,月一人,酒一人。月即嫦娥,天上美人;酒即青莲,人间美人。李白与酒合二为一,所谓李青莲是也。李白所以生出那么多天上人间来去自由的奇思妙想,盖源于此。杜甫算半个,他喝的多是村醪酸醴,穷愁潦倒,粗皮糙肉,都是枯瘦如柴的老寡妇一个样,所以他难写出神采飞扬的好诗。曹孟德算一个,对酒当歌就是对着美人唱歌,人生短暂,美人如朝露。美是流动的、易逝的,及时行乐可也。从古到今,上下五千年,数来数去,达到了饮美酒如悦美人的至高艺术境界的,不过数十人耳。余下的都是些装酒的臭皮囊。灌这种臭皮囊,随便搅和一桶辣水即可,何必"绿蚁重叠"?何必"十八里红"?

提起"十八里红",学生心旌摇荡,老师,那真是一件惊天动地的杰作!往酒缸里撒尿,这一骇世惊俗、充满想象力的勾兑法,开创了人类酿造史上的新纪元。最美好的事物中,往往掺杂着最丑陋的因素。世人皆知蜂蜜甜,但有几人知道蜂蜜的构成因素?有人说了:蜂蜜的主要成分是花粉呀!对,一点也不差。说蜂蜜的主要成分是花粉同说酒的主要成分是乙醇同样正确,但也等于没说。酒里含有数十种矿物质你知道吗?酒里含有数十种微生物你知道吗?酒里还含有许多叫不出名字来的东西你知道吗?我不知道我岳父也不知道你更不会知道。蜂蜜里含有海水你知道吗？蜂蜜里含有大粪你知道吗？缺少新鲜的大便酿不成蜜你知道不知道？

近日我看了一些报刊，那些根本不懂酿造学的家伙竟然把老师您的诡奇超拔的创造诬为不洁之举，说什么往酒里撒尿是亵渎人类文明，他们根本不晓得，PH 值，水质，对酒的品格具有多么大的制约作用。水质偏酸，酒生涩难以下咽，撒上一泡健康的童子尿，变成一坛"香气馥郁、饮后有蜂蜜一样的甘饴回味"的高级名酒"十八里红"（这名字比"状元红"、"女儿红"都有味道），没有任何的荒谬，何必少见多怪！我以酒类学博士的身份宣布：这是科学！科学是严肃的，容不得半点虚伪，不懂就学，不要随便指手画脚，更不要张嘴骂人。再说，尿有什么不洁呢？那些和妓女睡觉的家伙有梅毒有淋症有艾滋病，尿当然不洁，可老师您的爹撒到酒篓里的是一泡清明如山泉的原装童子尿。我国的杰出药物学家李时珍先生的经典著作《本草纲目》里明明白白写着，童子尿做药引能治疗高血压、冠心病、动脉粥样硬化、青光眼、乳汁不下等诸多顽症，难道他们连李时珍先生都要骂吗？童子尿是地球上最神圣最神秘的液体，里边含着多少宝贝元素鬼都搞不清楚。日本国许多政要名流为了身体健康精神愉快每天早晨都要喝一杯尿。我们酒国市委蒋书记用童便熬莲子粥吃，治愈了多年的失眠症。尿神着哩，尿是世界上最美好的液体，更是最深奥的哲学。老师，我们不去理睬那些糊涂虫，人民委员斯大林同志说："我们不理睬他们！"他们只配灌马尿。

您信上说要写一部关于酒的长篇小说，这重担只有您才能担当得起。我的老师您的灵魂就是一个彻头彻尾的酒魂，您的身体就是一具彻里彻外的酒体。您的酒体和谐完美，红花绿叶，青山绿水，四肢健全，动作协调，端庄大方，动静雅致，有血有肉，栩栩如生，减一分则短，加一分则长。我的老师您活脱脱就是一瓶子"十八里红"！学生正在帮您搜集有关酒的资料并为您准备了"绿蚁重叠"十瓶、"红鬃烈马"十瓶、"东方佳人"十瓶，俟我校有车晋京时，顺便给您捎去。从今后，老师您大胆向前走，酒瓶不离口，钢笔别离手，写出的文章九千九百九十九！让那群蠢东西们向隅而泣去吧，人民大众开心之日，就是阶级敌人难受之时，胜利必定是属于我们的。

我上次寄给您的《肉孩》，虽然不是报告文学但也跟报告文学差不多。酒国市一些腐化堕落、人性灭绝的干部烹食婴孩的事千真万确，据说有人正在调查，此案一旦水落石出，必将震动世界。将来，把这件大案写成报告文学的人非学生我莫属！手里掌握着这样的爆炸性题材，老师，您说，我不狂妄谁还配狂妄？

《国民文学》至今没给我消息，希望老师能帮我催一催。

这里的李艳是个"蝴蝶斑脸瞪眼子"，可能就是您记忆中的那位"白脸瞪眼子"，脸上的蝴蝶斑很可能是多次非法怀孕所致。她对我说，她的沟里土地极其肥沃，炒熟的种子也发芽。还说，她每次流下来那些不足月的胎儿，都被医院里的大夫抢去吃了。据说那种六七个月的婴儿营养价值极高，我想有道理，鹿胎不是大补气血吗？毛蛋不是养血怡颜吗？

寄上新作《神童》。此篇所用手法是"妖精现实主义"，老师斧正后，请再寄《国民文学》，不敲开这个鬼门关我誓不罢休！哪怕你门槛比天高，我也要用青春撞折你的腰！

敬祝

著安！

学生：李一斗

三

神　童

读者诸君，不久前我为你们写过一个肉孩的故事，在那个故事里，我特别刻意地描写过一个包裹在红布里的男孩形象，大家或许还记得他那两只不同寻常的眼睛：细细的，闪烁着冷冰冰的成熟光芒。这是一双典型的阴谋家的眼睛。这双眼睛不是生长在阴谋家的脸上而镶嵌在一位不足三尺的孩子脸上，所以才令我们难以忘怀，所以才令酒国市郊的善良农民金元宝心惊肉跳。在这个一万多字的故事里，我们不可能追本溯源，去描写这婴孩的身世，他一出场就是确定的形象：不足三尺的男孩身躯，茂密僵硬一头乱毛，两只阴谋家的眼睛，两扇又厚又大的耳朵，一副沙哑的嗓子。他是一个男孩，除此之外什么都不是。

故事在烹饪学院特别收购部里展开，时间是从傍晚开始的。读者诸君，"我们的故事其实早就开始了"。

这晚上有月亮，因为我们需要。一轮又大又鲜红的月亮从烹饪学院的假山石后冉冉升起，玫瑰色的光辉使他们面色温柔，月光斜射进来，从双层玻璃窗里，好像一匹红瀑布。他们是一群男孩子，如果您看过我的《肉孩》，就应该熟悉他们。那个小妖精是他们中的一员，他很快就要成为他们的领袖或者霸王，等着瞧吧。

这群孩子的眼泪在太阳落山前就流干了。他们的脸上污迹斑斑，嗓子沙哑，这自然不包括小妖精。他才不会哭呢！孩子们哭的时候,他倒背着双手,迈着方步,像一只长鹅,在这间漂亮的、有山有水的大房子里兜圈子。有时,他还对准那些发出响亮哭声的孩子的屁股,狠狠地踹一脚。被踹的孩子往往发出最响亮的一吼,便转入低声的嘟嘟哝哝的抽泣。他的脚成了治疗哭嚷的良药,就这样他把三十一个孩子踹遍了。在那个最小的男孩的抽泣声里,孩子们看到了像一匹红马驹一样的可爱月亮在假山石上跳跃。

他们拥挤到窗口,手把着窗台,往外观看。挤不到前面的,就把住前边的肩头。一个腮上沾着鼻涕的小胖子举起一根胖胖的手指,呜呜啦啦地说:

"月妈妈……月妈妈……"

另一个孩子巴咂着嘴唇说:

"月姑姑,不是月妈妈,是月姑姑。"

小妖精冷笑一声。冷笑从高处传来,好像猫头鹰的叫声。孩子们打着哆嗦,回头搜索。他们看到小妖精蹲在房中假山的顶上,红色的月光照耀着他,必然也照耀着他的红衣裳。他像一团燃烧的火。假山腰里那道人造的小瀑布像一匹舒展的红绸子,漂亮地、持续不断地跌落在山下的水池里,水声清脆,溅起的水花宛若一串串红樱桃。

孩子们不再看月亮了,都转过身来,挤成一团,怔怔地望着他。

他低沉地说:

"孩子们,竖起你们的耳朵,听老子说——那玩意儿,那红马驹似的玩意儿,不是妈妈,不是姑姑,那是一个球,是一个天体,围绕着我们团团旋转,它的名字叫月球!"

孩子们傻乎乎地看着他。

他从假山上一跃而下,在飞跃的过程中他的肥大的红衣服被气体鼓动起来,变成奇形怪状的羽翼。

他倒背着手,在孩子们面前来回踱步。偶尔,他抬起袖子擦擦嘴巴。他把唾沫啐到光滑的石头地面上。他停住脚,举起一只羊腿一样的细胳膊,在空中挥挥,严肃地说:

"孩子们,听着,你们从出生到现在,从来都不是人。你们的爹娘把你们卖了,像小猪小羊一样卖了!所以,从现在开始,谁再敢哭爹叫娘,我就揍谁!"

他挥舞着那只鸟爪一样的手,声嘶力竭地吼着。月光打在他灰白的小脸上,使他的双眼放出碧绿的光芒。两个男孩咧嘴哭起来。

他高声叫:

"不许哭!"

他从孩子堆里,把那两个哭叫的孩子揪出来,握紧拳头,狠狠地捣他们的肚子。捣得他们瘫倒在地,像皮球一样滚动。

"谁敢哭就打谁!"他宣布命令。

孩子们更紧地挤成一团,再没人敢哭叫。他说:

"等着,我给你们寻找光明。"

他在这间古怪的大房子里寻找着,像一匹猫贴着墙壁行走。在门口附近,他停止走动,仰着脸,打量着那四根并排悬挂着的灯绳。他举直胳膊,灯绳的最下端距离他的中指尖约有一米。他跳跃了两次,尽管他的弹跳力很好,但距离灯绳还有半米。他离开墙壁,把一株用钢筋焊成的假柳树拖过来。他爬到树上,抓住灯绳用力一拽,房子里的灯噼噼啪啪亮起来。有日光灯、白炽灯、碘钨灯,白色灯、蓝色灯、红色灯、绿色灯、黄色灯。墙壁上有灯、天棚上有灯、假山上有灯、假树上有灯。灯火灿烂,五彩缤纷,宛若天上人间,童话世界。孩子们忘掉痛苦和烦恼,拍着巴掌欢呼起来。

小妖精轻蔑地歪着嘴,欣赏着自己的杰作。后来,他从墙角上捡

起一串铜铃铛,紧急摇晃起来。铃声串串,吸引了孩子们的注意力。他把这串好像特意为他准备的铜铃挎在腰里,吐了一口痰,说:

"孩子们,知道这些光是从哪里来的吗?你们不知道,你们来自偏僻落后、敲石取火的农村,当然不知道光明来自何处。我告诉你们,为我们带来光明的是电。"

孩子们静静地听着他的讲演。月亮的红光全部退到户外。一片亮晶晶的小眼睛。被打翻在地的两个男孩也爬起来。他问:

"电好不好?"

"好——!"孩子们齐声回答。

"我有没有本事?"

"有——!"

"你们听我的话不听?"

"听——!"

"好,孩儿们,你们要不要爹?"

"要——!"

"从今后,我就是你们的爹,我要保护你们,我要教育你们,我要管理你们。我的话谁敢不听,就把他摁到池子里灌死!听明白了没有?"

"听明白了——!"

"叫我三声爹,一齐叫!"

"爹——爹——爹——!"

"跪下给爹磕头,每人磕三个!"

男孩中有个别智力低弱者,其实并不能完全理解小妖精的话,但摹仿能力帮助了他们。三十一个小男孩乱七八糟地跪在地上,嘻嘻哈哈地笑着,给小妖精磕头。小妖精蹦到假山石上,盘腿坐着,接受这群孩子的跪拜。

跪拜完毕,他选择了四个口齿清楚、动作敏捷的小家伙做班长,把三十一个孩子分成四个班。分班完毕,他说:

"孩子们,从现在开始,你们就是战士了。战士,就是敢于斗争敢于胜利的男子汉。我要训练你们,跟那些妄图吃掉我们的人作斗争。"

一班长好奇地问:

"爹,谁要吃我们?"

"混蛋!"小妖精晃了一下铜铃,说,"爹说话时儿子们不许插话!"

一班长说:

"爹,我错了。我再不插话了。"

小妖精说:

"同志们,孩儿们,现在我告诉你们,是谁想吃我们! 他们是红眼睛绿指甲,嘴里镶着金牙!"

"他们是狼吗? 是老虎吗?"一个腮上有酒窝的小胖子问。

一班长上去扇了小胖子一巴掌,训斥道:

"爹讲话时不许插嘴!"

小胖子咬着嘴唇,把哭声压了回去。

"同志们,孩儿们,他们不是狼,但比狼还凶恶;他们不是老虎,但比老虎还可怕。"

"他们为什么吃小孩?"一个小男孩问。

小妖精皱着眉头说:

"烦恼啊烦恼! 不许插话! 班长们,把他架出去罚站!"

四个班长把那个多嘴的小男孩拖到队伍外边。小男孩挣扎着嚎哭着,像上刑场一样。班长们刚一松手,他就迈动着两条小腿,跑回

队伍里。四个班长又去拖,小妖精说:

"算了,饶了他吧。我再说一遍:爹讲话时孩子不准插嘴。他们为什么要吃小孩呢?道理很简单,因为他们吃腻了牛、羊、猪、狗、骡子、兔子、鸡、鸭、鸽子、驴、骆驼、马驹、刺猬、麻雀、燕子、雁、鹅、猫、老鼠、黄鼬、猞猁,所以他们要吃小孩,因为我们的肉比牛肉嫩,比羊肉鲜,比猪肉香,比狗肉肥,比骡子肉软,比兔子肉硬,比鸡肉滑,比鸭肉滋,比鸽子肉正派,比驴肉生动,比骆驼肉娇贵,比马驹肉有弹性,比刺猬肉善良,比麻雀肉端庄,比燕子肉白净,比雁肉少青苗气,比鹅肉少糟糠味,比猫肉严肃,比老鼠肉有营养,比黄鼬肉少鬼气,比猞猁肉通俗。我们的肉是人间第一美味。"

一口气说了一大串话,小妖精口吐白沫,好像有点疲倦。二班长羞羞答答地问:

"爹,我想说话,行吗?"

"你说吧。正好爹说累了。爹想闹口大烟抽抽,可惜没有。"小妖精打了一下呵欠,说。

"爹,他们怎么吃我们,生吃吧?"二班长问。

"他们吃我们方法很多,譬如油炸、清蒸、红烧、白斩、醋熘、干腊,方法很多哟,但一般不生吃。但也不绝对,据说有个姓沈的长官就生吃过一个男孩,他搞了一种日本进口的醋,蘸着吃。"

孩子们缩成了一团,胆小的低声哭起来。

小妖精振奋起精神,说:"孩子们,同志们,所以你们不能不听我的指挥。在这危急的关头,你们应该立刻成熟起来。一夜之间,要成为顶天立地的男子汉,不能哭哭啼啼,哼哼唧唧。为了不被他们吃掉,我们要团结成一个钢铁般的集体。我们要成为一只刺猬,一只豪猪,他们吃够了豪猪,我们的肉比豪猪的肉温柔。要成钢刺猬,铁豪猪,扎烂那些吃人野兽的嘴唇和舌头!让他们好吃难消化!"

"可是,可是,这些灯……"四班长结结巴巴地说。

小妖精挥挥手,说:"你甭说了,我明白你的意思,你是想说:既然他们要吃我们,为什么把我们放在这么美丽的地方,对不对?"

四班长点点头。

"好,我告诉你们,"小妖精说,"十四年前,当我还是个孩子时,我就听说过酒国市的官员吃男孩的故事,这故事传得有鼻子有眼,既恐怖又神秘。后来,我的娘连续不断地给我生弟弟,但生一个,长到两岁左右,就突然失踪了。我就想,我的弟弟,被人吃了。当时我就想揭穿这桩滔天罪恶,但没有成功,因为我那时生着一种古怪的皮肤病,遍体鱼鳞,一动流黄水,谁见了谁恶心,没人敢吃我,我无法深入虎穴。后来,我专事偷窃,在一位官员家里偷喝了一瓶画有猿猴图像的酒,身上的鱼鳞一层层剥落,身体也越剥落越小,成了今天这副模样。虽然我状如婴孩,但我的思想却像大海一样宽阔。吃人的秘密就要被揭露了,我是你们的大救星!"

孩子们神情严肃,听着小妖精的话。他继续说:

"为什么要布置这样一个美丽的大房子放我们呢?他们想让我们心情愉快,我们心情不愉快,肉就要变酸变硬。孩儿们,同志们,听我的命令,把这房子里的一切砸个稀巴烂吧!"

小妖精从假山石上抠下一块石头,对准一盏闪烁着红色光芒的壁灯投过去。他的力量很大,石头飞行时带起一股凉风。他投歪了,石头打在墙壁上,反弹回来,险些打破一个男孩的脑袋。他捡起石头,瞄瞄准,又一次打歪了。他恼怒地骂起来。他捡起石头,使出吃奶的力气。操你妈!猛力一掷,打个正着,壁灯破碎,瓷片哗啦啦落地,那些枝杈状的灯丝红了红,熄灭了。

孩子们看着小妖精的举动,像一群小木偶。

"砸呀砸呀! 你们为什么不砸?!"

几个孩子打着哈欠说:

"爹,困了,困觉……"

小妖精冲上去,拳打脚踢那些打哈欠的孩子。被打的孩子尖声哭叫着,有一个胆大体壮的还了一下手,把小妖精的脸皮抓出了血。他见血性起,张嘴咬住了那孩子的耳朵,竟把半只耳朵咬了下来。

这时门开了。

一位穿着洁白工作服的阿姨打开门跑了进来。她费了很大的力气才把小妖精和那男孩分开。被咬的男孩哭得快要昏了。小妖精呸呸地啐着嘴里的血,双眼发绿,一声不吭。那只男孩的耳朵在地上哆嗦着。阿姨看看地上的耳朵,看看小妖精的脸,脸色煞白,惊叫一声,转身就跑。她的屁股扭动着,鞋跟把地板敲出了一串杂乱的声响。

小妖精爬到那棵铁柳树上,把所有的灯都拉灭了。黑暗中,他压低了嗓门威胁道:

"谁敢胡说八道我就咬掉谁的耳朵!"

然后,他走到假山前,就着瀑布的水,洗了嘴巴上的血。

门外响起了脚步声,似乎来了很多人。小妖精抓起那块打破过壁灯的石头,躲在铁柳树后等待着。

门推开后,一个白影贴近墙壁摸索灯绳。小妖精瞄准那影子的上部,把石头掷去。白影子惨叫一声,身体摇晃起来,门外的人呼隆隆跑掉了。小妖精捡起石头,对准那白影子,又是猛力一击。白影子倒下去。

过了一会,门外射进了几道雪亮的光柱,几个举着手电筒的人闯进来。小妖精轻巧地溜到墙角上,趴在地上,闭上眼睛睡觉。

灯亮了。七八位高大的人先把那位头部受到沉重打击的白衣阿姨抬走,又把那昏过去的缺耳男孩、连同那只耳朵带走。然后,开始追查凶手。

小妖精趴在墙角上打着呼噜睡觉。一位白衣大汉捏着脖子把他拎起来时,他四肢挥舞着,嘴里发出嘤嘤的哭声,好像一只可怜的小猫。

清查工作进行得很不顺利。孩子们劳累一天,又饥又饿,又被小妖精折腾了一顿,此时早已困得东倒西歪,神志不清,清查凶手的工作只好在一片鼾声中结束了。

白衣们拉灭灯锁上门走了,小妖精在黑暗中得意地笑了。

第二天凌晨,太阳还没出来,房子里一片朦胧。小妖精爬起来,从衣服里掏出铜铃铛,使劲摇晃起来。急促的铃声把一些孩子惊醒了,他们蹲在地上撒尿,撒完尿歪倒再睡。小妖精翻白眼。

太阳出来后,房子里一片红光,大多数孩子爬起来,坐在地上哼哼唧唧地哭。他们饿了。昨天夜里的事情在他们脑子里已经没有多少印象,小妖精费心费力培养起来的权威也几乎消逝干净。他的脸上显出无可奈何、恨铁不成钢的表情。

为了避免犯错误,我这讲故事的人,只好客观地叙述,尽量不去描写小妖精及孩子们的心理活动。我只写行动和语言,至于这行动的心理动机和语言的言外之意,靠读者诸君自己理解。我的故事进行得很艰难,因为小妖精千方百计地粉碎着我的故事,他确实不是好孩子。"其实我的故事快要结束了"。

早饭十分丰盛,有精粉小馒头、牛奶、面包、果酱、腌香椿芽、糖醋萝卜条,还有一桶蛋花汤。

送饭的老头十分负责地把各种食物分成等份,用碟子或是碗盛着,送到男孩们手边。小妖精也得到一份。他低着头顺着眼,不去触动老头儿,但老头还是特别地打量了他两眼。

送饭老头走后,小妖精抬起头,目光炯炯地说:

"同志们,孩儿们,千万不能吃啊,他们要先把我们喂胖,然后吃掉。绝食吧,孩子们,谁饿得瘦谁死得晚,甚至不死。"

男孩们根本不理睬他的煽动,或者根本理解不了他的意思,见到食物,嗅到美味,他们什么也不顾,插上去,手抓嘴嚼,吃出一片响声。小妖精才要用武力制止这种愚蠢的举动,就看到一个高个子男人走进房子。他偷偷地看着那人的脚,端起那杯热牛奶,响亮地呷了一口。

他感觉到那男人正居高临下地注视着自己,便更加努力地喝牛奶,吃馒头。他故意把手和脸弄得脏乎乎的,还从喉咙里挤出一种呼呼噜噜的声响。他努力把自己变成一个贪吃的傻瓜。他听到那男人说:

"小猪崽子!"

那两条石柱子一样的粗腿移到前边去了,小妖精抬起头,盯着那人的背。他看到那人生着一颗椭圆形的长头,几缕鬈曲的黄头发从白帽子里露出来。那人转过脸时,小妖精看到他脸色红润,鼻子油汪汪的,好像一只涂过猪脂油的奇形怪状的菱角。他面带着油滑的笑容问:

"孩子们,吃饱了没有?"

大多数孩子说吃饱了,也有的说不饱。大个子男人说:

"亲爱的孩子们,一顿不能吃太多,否则容易消化不良。现在,我们出去做游戏,好不好?"

孩子们巴眨着小眼,不回答。男人拍拍头说我糊涂了,忘了你们是孩子,不懂得何为游戏。我们出去玩老鹰捉小鸡好吗?

孩子们齐声叫好,跟着那男人,一窝蜂拥到院子里。小妖精好像极不情愿,慢吞吞跟在最后头。

游戏开始,那长鼻子男人选定小妖精当鸡婆——也许是他的红衣服特别炫目——小妖精身后,拖着一大串孩子。长鼻子充当老鹰。他扎煞着两只胳膊,摹仿着老鹰振翅飞行的动作,瞪着眼,龇着牙,嘴里发出呀呀的怪叫声。

老鹰呼扇着翅膀,在低空飞行着。它的鼻梁弯曲着,鼻尖触着薄薄的上唇,双眼放射出阴鸷的光芒。这的确是一只凶猛的食肉禽。它的黑暗的影子在孩子们头上晃来晃去。小妖精紧张地盯着它那两只痉挛的利爪。它时而落在如茵的绿草上,时而腾飞起来,它不慌不忙地游戏着孩子们,等待着时机。食肉禽其实是一种极有耐心的动物。进攻者总是处于主动的地位。防守者精神高度紧张,连一秒钟也不敢松懈。

老鹰发动了一次电一般的攻势。小妖精奋勇扑向队伍的尾巴,用脑袋、用手爪、用牙齿,把一位陷入鹰爪的孩子解救出来。孩子们兴奋又恐怖地尖叫着,逃避着老鹰。小妖精灵巧地跳动着,挡住老鹰的道路。他的双眼放出的光芒比鹰眼的光芒还要锐利。老鹰不由地怔了怔。

又一次进攻开始了,小妖精用力前扑,摆脱了孩童队伍的牵扯。他的动作敏捷、准确,绝对不是孩童的身手。老鹰还没来得及做出反应,小妖精就飞到了他的脖子上。他感到一种真正的恐怖爬上心头。他感到自己的脖子上伏着一只巨大的黑蜘蛛,或者是一只肢间生着鲜红肉膜的食人蝙蝠。他晃动着头颅,想把那孩子甩出去。他的行动是徒劳的。小妖精的尖爪子深深地抠进了他的眼睛。剧痛使他丧失了任何反抗能力,他哀嚎着,向前,立仆,像倒了一株枯树。

小妖精从那男人的头颅上跳起来,嘴角上挂着一丝应该说是又奸又邪又凶残的笑容,走到孩子们面前,说:

"孩子们,同志们,我把老鹰的眼珠抠出来了,他看不见我们了。孩子们,游戏吧!"

被抠出眼珠的老鹰在地上滚动着。他的身体时而造成一座拱桥,时而扭成一条龙。他双手捂着脸,黑色的血从指缝里汩汩地流出来,好像一条条黑色的蚯蚓在他的脸上爬动。他哀嚎着,声音凄厉吓人。孩子们又习惯地缩成一团。小妖精机警地往四周看了看:庭院里空无一人,有几只白色的蝴蝶在草尖上哆哆嗦嗦地飞行。院墙外边有一支烟筒冒着汹涌的黑烟,一股浓烈的香味扑进小妖精的鼻孔。越是这样越显出老鹰哭嚎声的凄惨和尖锐。他着急地转了几圈,又一个飞跃落在了老鹰背上,那两只尖利的小爪子扼住了老鹰的喉咙。他的脸十分可怕,难以形诸笔墨。他的十根指头毫无疑问是深深地插进了那根肥胖的脖子里。小妖精插手人脖子的感觉是否如插手滚热的沙土或插手油滑的脂膏?我们不得而知。他是否体会到一种报仇雪恨的快感?我们同样不得而知。读者诸君永远比作者聪明,叙述者深信不疑。他拔出手来时,老鹰的叫声微弱了,一串串血的气泡从老鹰的脖子上冒出来,此起彼伏,老鹰的脖子里仿佛居住着几只喜欢吐泡沫的螃蟹。小妖精提着十根血手指,平静地说:

"老鹰快死了。"

大胆的孩子围过来,胆小的也陆续围过来,孩子们观看着这具垂死老鹰的尸体。它还在抽搐,扭曲,但活动范围逐步缩小,动作的频率也逐渐缓慢了。鹰嘴忽然张开,好像要鸣叫。没有鸣叫它喷出了一股血。血落在绿草上,发出扑簌簌的响声。血那么黏稠地沾在草叶上,把草都烫蔫了。小妖精挖起一把泥土塞到大张着的鹰嘴里。老鹰的喉咙里突然发出一声响亮,炸出了一些泥点和血星。小妖精命令道:

"孩儿们,堵呀,把鹰嘴堵住,堵住他就无法吃我们了。"

孩子们积极响应着小妖精的号召,人多力量大,几十双手一齐努力,泥土、乱草、碎沙,雨点般填满了鹰嘴,盖住了鹰眼、鹰鼻子。他们越干越起劲,欢乐精神诞生,游戏恍若人生,老鹰的头被泥土遮住。他们的活动在日常生活中经常出现,譬如合伙打一只倒霉的蛤蟆,一条过街的蛇,一匹受伤的猫。打完了,便围着欣赏。

"死了?"

鹰的下体把一股气体崩出来。

"没死,还放屁呢,堵住呀。"

又是一阵泥土的急雨,几乎把老鹰埋葬——基本上也差不多把老鹰埋葬了。

烹饪学院特购部负责人听到肉孩饲养室院子里传来一阵阵类似鬼哭狼嚎的声音,脖子和膀胱猛一收缩,灾祸降临的念头像虫子一样爬上了她的心头。

她站起来,走到电话机旁,右手刚触到话筒,就感到一股猛烈的电流沿指尖飞速上升,麻木了半边身体。她拖着半边身子回到办公桌前坐下,感到身体被分成了两半,一半冰凉,一半在燃烧。她急忙拉开抽屉,摸出一面镜子照着自己的脸。那张脸一半青紫另一半雪白。她紧张得要命,扑回到电话机旁,刚伸出手又电一般缩回来。眼看着她就要瘫倒时,一道灵光在她脑子里照出了一条道路:路上有一棵被雷电袭击过的大树,半边青翠欲滴,枝叶繁茂,果实累累;半边铜枝铁干,片叶不存,在如海的阳光里,放射着奇异的神采。她顿时悟到:这棵树就是我。她突然地让心中充满了温柔的激情,泪水在脸上幸福地流淌。她入迷地、痴情地望着那大树的在雷火中熔炼过的半边,厌恶地避开那青翠的另半边。她呼唤着雷电,呼唤着雷电把青翠击成铜枝铁干,构成一个辉煌的整体。于是她把左手伸向电话机。于是她周身都在燃烧。她仿佛一下子年轻了十岁。她跑到院子里。她跑到肉孩饲养室前边的草坪上。看到被埋葬的死鹰时,她哈哈大笑起来。她抚着掌说:

"孩子们,杀得好! 杀得好! 你们跑了吧,快跑! 快逃出这个杀人魔窟呀,快。"

她率领着孩子们穿过一道道铁门,在烹饪学院迷宫一般的校园里穿行。她的企图没有得逞。孩子们除了小妖精逃跑外其余的全被抓回来,她被撤了职。读者诸君,为什么我要在这里为她浪费了如许笔墨呢?因为她是我的丈母娘,也就是说,她是酿造大学袁双鱼教授的夫人。大家都说她得了神经病,我看也是,她现在天天躲在家里写检举信,一摞摞地写,一摞摞地往外寄,有寄给中央主席的,有寄给省委书记的,还有一封,竟然寄给河南开封府的包黑子包青天,您说她不是神经病是什么? 这样下去,光买邮票就买穷了。

花开两朵,先正一枝。一群白衣人把逃亡的男孩捉回特别饲养室里。捉这群孩子费了好大的劲。那些小家伙经过了杀鹰的战斗洗礼后,一个个变得又野蛮又刁滑,他们钻进树丛里,钻进墙洞里,爬到树梢上,跳进茅坑里。他们躲到所有可以躲的地方。其实,我丈母娘打开特别饲养室院子的坚固铁门后,孩子们就撒了野。她感觉到自己带着一群孩子在逃离魔窟——这是幻觉——事实上跟着她前进的只有她的影子。当她站在学院临街的后门口,大声鼓励着孩子们快快逃跑时,听着她喊叫的,只有那一群伏在学院下水道通往小河出口处等着抢食烹饪学院排泄出来的优美食物的老头老太太们,他(她)们埋伏在河边那些惊人茂密的野生植物里,我丈母娘看不到他(她)们。我的身居要职的丈母娘为什么疯了呢?是不是因为身体通了电还得另说着。

发现孩子逃跑后,烹饪学院组织校保卫部召集紧急会议,制订了应急措施,如立即关闭学院的四门等。然后组织了几支精干的小分队在校园内搜捕。搜捕过程中,有十名队员被凶恶的肉孩咬伤了皮肉,有一名女队员被肉孩抠瞎了一只眼睛。学院领导对受伤人员进行了慰问,并视伤势轻重发给了丰厚不一的奖金。他们把肉孩关进了一间严密的房子,点数时,发现少了一名。据那位经治疗恢复了神志的白衣阿姨说,逃跑的肉孩就是那个打伤她的凶手。而且,杀害老鹰的也一定是他。她恍惚记得那肉孩穿着一身红衣服,有两只蛇一样阴沉的眼睛。

几天后,一位校工在清理下水道时,发现了一套脏得不成样子的红衣服,那个小妖精、杀人凶手、肉孩的领袖,却没有任何踪影。

读者诸君,你们想知道小妖精的下落吗?

四

酒博士一斗兄:

来信收到。大作《神童》读毕,那身披红旗的小妖精搞得我心惊肉跳，数夜不得安眠。老兄这篇小说语言老练，奇思妙想层出不穷，鄙人自愧不如也。如果硬要我提意见，倒也可以敷衍几句；譬如说那小妖精的来历不明，不符合现实主义的原则啦，文章结构松散，随意性太强啦，等等，不足为训。面对着阁下的"妖精现实主义"，我实在是不敢妄加评论。《神童》已寄往《国民文学》，这是大牌刊物，稿源充足，积压的稿件汗牛充栋，您的前两篇大作暂时还没有消息是完全正常的。我给《国民文学》的两位名编周宝和李小宝写了信，请他们帮助查一下，两个宝是我的朋友，相信他们会帮忙的。

你信中谈到酒的文字，妙语联珠，亦庄亦谐，左右逢源，通博兼之。果然是酒博士，我十分佩服。希望你多跟我谈谈酒，我很感兴趣。

拙作《高粱酒》中那个往酒篓里撒尿的细节被老兄誉为科技发明，令我哭笑不得。我没有化学知识，更不知勾兑技艺，当初写这细节时，纯粹出于一种恶作剧心理，想跟那些眼睛血红的"美学家"们开个小小的玩笑而已。想不到你能用科学理论来论证这细节的合理性与崇高性，除了钦佩你之外我还要感激您。这才叫"内行看门道，外行看热闹"，这才是"有心栽花花不开，无意插柳柳成荫"呢。

说起"十八里红"，还有一场老大不小的官司呢。电影《红高粱》在西柏林得奖后，我的家乡的酒厂厂长就跑到我写作的一间仓库里去找我，说要试制"十八里红"，后因经费不足没能上马。一年后，省里领导到县里视察，提出来要喝"十八里红"，弄得县里很狼狈。领导走了后，县财政拨款给酒厂，成立了"十八里红"试制攻关小组。我想所谓试制，无非就是把几种酒掺和掺和，设计出个新瓶型，装瓶贴签，就算成功。他们往酒里加没加童子尿我不知道。正当酒厂把"十八里红"兴冲冲送到县里去报喜时，《电影大众》上发了一条消息,说河南省上蔡县十八里红酒厂在深圳举行记者招待会并宴请电影界人士。会上发表新闻,说该厂的"十八里红"即是电影《红高粱》中的"十八里红"。他们的酒盒上印刷着这样的文字,大意是说电影《红高粱》中的女主人公戴九儿祖籍是河南上蔡,后随父亲逃荒到了山东高密东北乡,酿造名酒"十八里红"的配方就是由河南上蔡带到山东高密的,所以,河南上蔡才是"十八里红"的真正故乡。

我老家的酒厂领导看到这则消息,骂河南上蔡油滑至极,并立即派员携带高密产正宗"十八里红"晋京找我,要我以原作者的身份出面帮高密把"十八里红"争回来。但聪明的河南上蔡人早已把"十八里红"在国家工商局注册商标,法律无情,高密酒厂所造"十八里红"已是非法。高密人让我帮他们打官司,我说这是一场无头官司,戴九儿本是小说家虚构出来的人物,并不等于我奶奶,河南上蔡硬说她祖籍在那儿,并不触犯刑律,这官司不打高密也输了。高密人只好吃了这哑巴亏。后来听说河南上蔡靠这"十八里红"打开了国际市场,赚了不少外汇。我希望这是真的。文学与酒竟然通过这样的方式联系在一起,这又是一绝。我看了最近颁布的著作权法,正准备约上电影导演张艺谋,去上蔡要几个钱花花呢!

你所说的各类美酒,都芳名优雅,但我不需要。关于酒的资料我很需要,希望你能选一些要紧的,先寄给我看。邮费自然由我来出。

见到李艳时,说我问她好。

即颂
时绥!

莫　言

第四章

一

侦查员丁钩儿睁开眼睛,感觉到眼珠枯涩,头痛欲裂。嘴巴里喷放臭气,比屎还臭。牙床上、舌头上、口腔壁上、咽喉里都沾着一层黏稠的液体,吐不出,咽不下,影响呼吸。头顶上的枝形吊灯放射着浑浑噩噩的黄光,不知道是白昼还是黑夜,是黎明还是黄昏。手表不知去向,生物钟紊乱。肠子发出雷鸣,痔疮怦怦跳动,合着心脏的节拍。电流让钨丝发热震颤,钨丝令空气咝咝作响。丁钩儿耳朵里嗡嗡嗡,在嗡嗡响的间隙里,他听到了自己的心跳声。他努力调动肢体,想离开床,但肢体不听指挥。他想起喝酒的情景,恍惚如同旧梦。突然,那个遍体金黄、流着油喷着香、端坐在大铜盘里的婴儿,对着他莞尔一笑。侦查员怪叫一声,意识冲破障碍,思想如同电流,燃烧着骨头与肌肉。他跳了起来,离开了床面,好像鲤鱼从水面上跃出,拉开漂亮的弧线,让空间扭曲变形,空间变化磁场变化光线遭到切割,侦查员展现了一个小身段,就如一条抢屎吃的狗,一头扎在化纤的地毯上。

他赤裸着背,惊讶地打量着墙壁上那四个"十"字,突然感到脊背发凉。那口叼柳叶小刀的鳞皮少年形象生动地从酒精中浮显出来。他发现自己赤着背,肋条凸现,肚皮微腆,胸口蓬乱着一撮萎靡不振的黄毛,肚脐眼里布满灰垢。后来侦查员用凉水冲洗了脑袋,对镜端详着自己的浮肿的脸蛋儿和晦暗无光的眼睛时,突然感到应该在卫生间里自杀。他找到公事包,摸出枪,顶上火、提着,感受着枪柄凉凉的温柔,站在镜前,对着镜中的影像好像面对着一个陌生的仇敌。他把冰凉的枪口抵在鼻尖上,鼻尖钻进枪管、鼻翼处冒出几丝皮下分泌物,如数条弯曲的寄生虫。他把枪口抵到太阳穴上,皮肤愉快地颤抖。最后,他把枪口插进嘴巴,并用嘴唇紧紧地嘬住枪管,嘬得十分紧密,连根针也插不进去。那模样很是滑稽,自己看着都想笑。他就这样笑着,镜里的影像也笑。枪管里有一股硝烟的味道,直冲咽喉。什么时候开过枪呢? 砰! 盘中男婴的脑袋像西瓜皮一样飞翔在空中,五颜六色、异香扑鼻的儿童脑浆飞溅。他记得有人像馋嘴猫儿一样舔食脑浆。责任感在心头爬,狐疑的阴云笼罩在头上,他想谁能保证不是骗局呢? 是鲜藕瓜做成男童胳膊,还是把男童胳膊做得像一节五眼鲜藕瓜?

门被敲响。丁钩儿把枪口从嘴里吐出来。

矿长和党委书记来了,满脸都是笑容。

金刚钻副部长来了,潇洒漂亮。

“丁钩儿同志,睡得好!”

“丁钩儿同志,睡得好!”

“丁钩儿同志,睡得好!”

丁钩儿自觉狼狈,拖过一条毛巾被披在肩上,说:“有人偷走了我的衣服。”

金副部长没有回答,双眼盯着墙壁上那四个刀刻的“十”字,脸上神色庄严肃穆。好久,他才自言自语地说:

“又是他!”

"他是谁?"丁钩儿紧急地问。

"是一个技艺高超、神出鬼没的惯偷。"金刚钻用弯曲的左手中指笃笃地敲打着墙壁上的记号,说,"每次作案后,他都留下这记号。"

丁钩儿凑上前去,盯着那字迹看。职业的本能使他混沌的思维突然清晰了许多,自我感觉良好,枯涩的眼眶里生出了津液,目光变得像鹰隼般犀利。四个"十"字并排着,每一刀都入墙三分,塑胶贴壁纸翻卷着边缘,露出了沙灰墙皮的真面貌。

他想观察金刚钻的脸色时,发现金刚钻一双英俊的眼睛正在观察着自己,这使他产生了一种受制于人的感觉,一种碰到了老辣敌手的感觉,一种落入了敌手圈套的感觉。但金刚钻的美目中洋溢出友善的笑意,又部分地粉碎了侦查员意识中的戒备防线,他用美酒般的声音说:

"丁钩儿同志,您是这方面的专家,这四个'十'字代表什么意思呢?"

丁钩儿一时语塞,他的被酒精灌出脑壳的婀娜意识之蝴蝶还没有完全归位,所以,他只好怔怔地望着金刚钻的嘴和那颗或金或铜的牙齿的闪光。

金刚钻说:

"我想,这是一个流氓团伙的记号,这团伙有四十个人,四个'十'字,表示着四十大盗,当然,也许会出现一个阿里巴巴。也许,您丁钩儿同志就会不自觉地承担起阿里巴巴的角色,那可真是我们酒国市二百万人民的福气了。"

他对着丁钩儿幽默地一拱手,使丁钩儿狼狈不堪。

丁钩儿说:"我的证件、钱包、香烟、打火机、电动剃须刀、玩具手枪、电话号码本,都被这四十大盗偷走了。"

"太岁头上动土!"金刚钻大笑着说。

"幸亏没把我的真家伙偷走!"丁钩儿把手枪亮了亮,说。

"老丁,我来跟你告个别,本来想请你喝告别酒,考虑到阁下公务缠身,就不打扰了,有什么事到市委找我。"金刚钻说完,对着丁钩儿伸出了手。

丁钩儿迷迷糊糊地握住了那只手,又迷迷糊糊地松开手,又迷迷糊糊地看到金刚钻在矿山党委书记和矿长的簇拥下像风一样地从房间里消逝。一阵干呕从胃里冲上来,胸腔一阵剧痛。宿酒未消。情况复杂。他把头放在水龙头下冲洗了足有十分钟。喝了那杯冰凉的陈茶。长吸了几口气,闭着眼,意守丹田,收束住心猿意马,驱赶走私心杂念,然后猛睁眼,思想敏锐,如同一柄刚用砂轮打磨过的利斧,劈砍开障眼的粗藤细葛,一个崭新的念头,清晰地出现在脑中的屏幕上:酒国市有一伙吃人的野兽! 酒宴上的一切,都是巧妙的骗局。

他擦干净头脸,穿好鞋袜,扎紧腰带,把手枪装好,戴上帽子,披上那件被鳞皮少年弃在地毯上、沾满了呕吐物的蓝格子衬衣,昂然至门边,拉开褚色门,大步行走在走廊间,寻找电梯或者楼梯。服务台上一位奶油色服务小姐非常善良,为他指点了走出迷宫的道路。

迎接他的是一个部分乌云翻卷、部分阳光灿烂的复杂天气,时间已经是午后,地上匆匆游动着云团的巨大阴影,黄色的树叶上闪烁着耀眼的金色光点。丁钩儿鼻孔发痒,连打了七个响亮的喷嚏,腰弯得像虾米,眼睛里噙着泪花。抬直腰,泪眼迷蒙中,看到坑道口那架暗红色的卷扬机上灰色的巨大定滑轮和银灰色的钢丝绳依然在无声无息地油滑转动。一切如旧:葵花金黄,木材散发着清香散布着原始森林的信息,装满煤炭的铁斗车在高矗于煤堆之上的狭窄铁道上来回奔驰。车上装着小电机,电机拖着长长的胶皮线。押车的是位乌黑的姑娘,牙齿洁白晶莹,犹如珍珠。她站在车后挡板上,威风凛凛,像披坚执锐的甲士。每当煤车开到铁轨尽头时,她便猛按刹把,让铁斗车立定,铁斗站起,湿漉漉的煤炭如瀑布般流下,发出哗啦啦的声响。似乎是门房里豢养的那只狼毛老狗,从斜刺里蹿出来,对着丁钩儿狂吠数声,仿佛在倾诉深仇大恨。

狗跑了,丁钩儿怅然若失。他想如果冷静地一想我真是无聊之极。我从哪里来? 你从省城来。你来干什么? 调查大案。在茫茫太空中一个小如微尘的星球上,在这个星球的人海里,站着一个名叫丁钩儿的侦查员,他心中迷糊,缺乏上进心,情绪低落,悲观孤独,目标失落,他漫无目标地、无所得也无所失地,朝着装煤场上那些喧闹的车辆走去。

无巧不成书,一个清脆的声音在喊叫——丁钩儿! 丁钩儿! 你这个家伙,在这里转悠什么?

丁钩儿循声望去,一头坚硬的黑发映入眼帘,随即看到女司机那张生动活泼的脸蛋。

她提着两只黑乎乎的白手套站在卡车旁,阳光下如同一只小驴驹子。"过来呀,你这个家伙!"她挥舞着白手套,宛若挥舞着一件勾魂的法宝,吸引着侦查员向前走,吸引着正深陷在"孤独综合症"中的丁钩儿无法不向她靠拢。

"是你呀,盐碱地!"丁钩儿很流氓地说。站在她的面前,他有一种轮船傍了岸、孩子见了娘的良好感觉。

"肥田粉!"她龇牙笑着说,"你这家伙还在这里呀?"

"我正想离开这里呢。"

"又想搭我的车?"

"是。"

"没那么便宜的事。"

"一条万宝路。"

"两条。"

"两条就两条。"

"等着吧。"

前边的车辆冒着黑烟开走,煤粉在车轮下沸腾。靠边站,她喊着,跳上车,把住方向盘,一阵凶猛地左旋右打,汽车的车厢正正地贴在那悬空铁轨的尽头。姐儿们,好样的! 一个戴墨镜的小伙子发出由衷赞叹。牛皮不是吹的! 火车不是推的! 泰山不是堆的! 她跳出驾驶室,英姿潇洒地说。丁钩儿心中愉快,咧着嘴笑。她说:笑什么!他说:不笑什么。

铁斗车喀啦啦地响着,像黑色的大鳖,浮游而来。铁轮与铁轨摩擦,偶尔溅出几颗硕大的火星,黑胶皮电线在车后摇曳着延伸着,充满蛇样的灵气。车后的姑娘目光坚定,脸色严肃,令人肃然起敬或者望之生畏。铁斗车直冲过来,有些猛虎下山的气势。丁钩儿害怕它一头栽到汽车厢里,把车厢砸个粉碎。事实证明,他的害怕是多余的,那姑娘的判断力准确无误,反应敏锐,头脑如电脑身体似机械,总是在那一瞬间让铁斗车煞住让铁斗翻起:哗——湿漉漉油亮亮的煤块倾进车厢,一点不外洒一点不残留。新鲜的煤味儿扑进鼻腔,丁钩儿心情更加愉快。

"有烟吗,姐们?"他对着盐碱地伸出手,乞求道,"赏小人一支。"

她递给他一支,自己也叼上一支。

在淡薄的烟雾中她问:"你怎么搞成了这副模样? 遭了贼了?"

他没有回答,因为他在看骡子。

他和她看到那辆双骡拉马车从布满矸石、煤灰、断裂石条、腐朽木料、生锈铁丝的场地上往这边靠拢时,车夫趾高气扬地左手挽住缰绳右手晃动马鞭轰赶拉车的骡子。那是两匹漂亮的黑骡子。一匹大些,好像瞎了眼,它驾着辕;另一匹小些,没有瞎眼,双目大如铜铃炯炯有神,它拉着长套。噢噢噢……驾驾驾……长蛇般的鞭梢在空中挫出清脆一响,小黑骡子勇猛地往前一蹿,马车喀啷啷往前一跳,不幸的事情发生了:小黑骡子跌倒在杂乱无章的狰狞地面上,好像倒了一堵黑油油的墙壁。车夫对着小黑骡子的屁股打了一鞭,它猛烈挣扎着,站起来,身体剧烈颤抖,摇摇晃晃。小黑骡子痛苦的嘶鸣声撩人心弦。车夫怔了一会,突然扔掉鞭子,扑向前,跪在地,从两根石条的夹缝里,捧出一只青红皂白的骡蹄。丁钩儿拉着女司机的手,往前走了几步。

车夫捧着骡蹄,面色焦黄,呜呜地哭起来。

辕中的老黑骡低垂着头,一声不吭,像追悼大会上的人。

小黑骡三条腿着地,另一条残缺的后腿像鼓槌敲打鼓面一样频繁地敲打着地上的一根烂木头,暗黑的血咕嘟嘟往外冒,把那根木头和木头周围的其他物质都染红了。

丁钩儿心悸得厉害,想转头走开,但盐碱地抓住他不放。她的手抓住他的手腕,如同给他上了一道难以挣脱的镣铐。

人们七嘴八舌地议论着,有的可怜小骡子,有的可怜马车夫,有的谴责马车夫,有的谴责这崎岖不平的道路。乱糟糟一窝乌鸦。

"闪开闪开!"

众人吃一惊,慌忙闪开一条缝隙。见两个身材瘦小的人跌跌撞撞飞进来。细看竟是两位女人。她俩的面孔白得过火,令人联想到冬季贮藏的白菜腌。身穿洁白工作服,头戴洁白工作帽。一个手提蜡条篓,一个手提柳条包。似乎是两位天使。

"兽医来了!"

兽医来了兽医来了别哭了小伙子兽医来了。快把骡蹄给兽医让兽医给你把骡蹄接上。

那两位白衣妇女着急地辩白着:

"我们不是兽医!我们是招待所的厨师。"

"明天市里领导来矿上参观,矿长下死命令要我们好好招待,鸡呀鱼呀不稀罕,正发愁呢,就听说骡子断了蹄。"

"红烧骡蹄,激汤骡蹄。"

"赶车的,把骡蹄卖了吧!"

"不,不卖……"车夫把骡蹄往怀里搂了搂,一脸痴情,好像抱着爱人的一只断手。

"你这个小伙子,这不是犯糊涂吗?"白衣女人愤愤地说,"你还想给它断肢再植吗?花得起钱吗?这年头,人断了胳膊也不一定能接上,何况匹牲口。"

"我们给你大价钱。"

"过了这个村就没有这个店了。"

"你们给俺……多少钱?"

"三十块钱一只,不便宜吧?"

"你们光要蹄?"

"光要蹄,别的不要。"

"四只蹄都要?"

"都要。"

"它还活着呀。"

"缺了一蹄,活着有什么用!"

"它还活着……"

"啰嗦,卖不卖?"

"卖……"

"给钱！数数！"

"卸套，快点！"

车夫一手攥着四只骡蹄钱，另只手把那只微微颤抖的骡蹄递给白衣女人。她接了蹄，小心翼翼地放到蜡条篓中。另一位白衣女人从柳条包里摸出钢刀利斧截骨锯，气昂昂站着，口里出高声，催促年轻车夫赶快把小黑骡子从挽具中解放出来。车夫罗圈着腿、弓着腰、哆嗦着手，解脱了小黑骡子。说时迟那时快，白衣女人举起利斧对准骡子宽阔的脑门猝然一击，斧刃挤进了骡头，怎么拔也拔不出来，但她还是拔，在她拔斧头的过程中，小黑骡子前腿猛然跪地，然后，缓缓地将整个身躯平摊在凸凸凹凹的地面上。

丁钩儿长长地舒出了一口气。

小骡子还没有彻底死亡，粗重的呼吸还在它脖子里响着，柔弱无力的淡薄血液从斧刃的两边洇出来，浸湿了它的睫毛、鼻梁和嘴唇。

还是那个斧劈骡子的白衣女人，操起那柄蓝色的短刀，跳到骡子身边，一手攥住骡蹄——黑色的大骡蹄白色的小嫩手——一手握刀沿着骡蹄与骡腿之间弯曲的接合部，轻快地一转，轻快地又一转——攥蹄的小白手往下一按——骡蹄与骡腿分开，中间只连着一根白色的筋络。短刀一挑，骡蹄与骡腿彻底告别。白手一扬，骡蹄飞到另一个白衣女人手里。

割下三只骡蹄，只用了片刻工夫。围观的人似乎都被这女人的好手段震住了，没有人说话，没有人咳嗽，也没有人放屁。在这样一位女侠客面前谁敢放肆？

丁钩儿两手冒汗，心里在想着庖丁解牛的故事。

白衣女人摇动斧柄，把劈进小黑骡子头颅中的斧头拔出来。

小黑骡子终于死了。它肚皮朝天死了,四条腿僵硬,斜指着天空的四个方向,好像四挺高射机关枪的枪筒。

卡车终于驶出煤矿艰难曲折的道路,高大的矸石山,幽灵般的矿山机械也都隐没在身后沉重的暮霭里,看门狗的叫声、铁斗车的喀啦声、地下的爆炸声也早已无法听到,但那四挺高射机枪似的骡腿还在丁钩儿面前晃动,搅得他心神不安。女司机的情绪大概也受了那小黑骡子的影响:在矿区的颠簸道路上,她粗野地骂大街;在通往市区的康庄大道上,她快速地换挡,拉大风门,一腿把油门踩到最大,定死,搞得发动机啪啪怪叫。载重卡车疾驰,像一颗呼啸的法西斯炮弹。路边的树木像被利斧一排排砍倒,大地像一个团团旋转的棋盘。速度表上的粗短针柄指着八十公里。风在呼哨,车轮飞转,排气阀每隔三分钟嗤啦一声。丁钩儿钦佩地斜睨着她,渐渐忘记了对着天空射击的骡腿。

逼近市区时,水箱里喷出的蒸汽给挡风玻璃蒙上了一层雾。盐碱地把水箱开成了锅炉。她嘴里不干不净地骂着,让车停在了路边。丁钩儿随着她下车,有几分幸灾乐祸地看着她揭开车挡板,让凉风给机器降温。发动机散发着逼人的热气,水在水箱里翻腾并发出沸沸噜噜的声响。她垫着手套拧开水箱盖子时,他看到她的脸色像绚丽的晚霞。

她从车底拖出一个扁平的铁皮桶,愤怒地命令:

"去,打水!"

丁钩儿不敢也不愿意违抗她的命令,接过水桶,故意装糊涂,说:

"你是不是想趁我打水时开车跑掉?姑奶奶,你救人救到底,送人送到家。"

她恼怒地说：

"你懂不懂科学？能跑还停下干什么？还有水桶呢！"

丁钩儿扮了个小鬼脸，他知道这浅薄的小幽默只能逗逗浅薄的小女孩，对这位母夜叉毫无作用，但他还是下意识地扮了。果然，她吼道：

"少给我挤鼻子弄眼出洋相，快找水去。"

"姑奶奶，这前不挨村后不靠店的你让我到哪儿去找水？"

"我知道还要你去找？"

丁钩儿有些恋恋不舍地看她一眼，提着桶，拨开路边柔软的灌木，越过干涸的平浅路沟，站在收割后的农田里。这已经不是他熟悉的那种一望无际的农田了——那样的农田也就是广袤的原野——由于逼近市郊，城市的胳膊或者手指已经伸到这里，这里一栋孤独的小楼，那里一根冒烟的烟囱，把农田分割得七零八碎。丁钩儿站在那儿，心里不免有几分忧伤。后来他抬头看到层层叠叠压在西边地平线上那些血红的晚霞，便排除掉忧伤情绪，朝着那一片距己最近的、奇形怪状的建筑物大步奔去。

"望山跑死马"，这话果然千真万确。那片建筑物沐浴着血红晚霞看起来很近很近，走起来却很远很远。一片片庄稼好像从天而降，插在他与建筑物之间，阻挠着他走向幸福。在一片掰掉了棒子只剩下秸秆的玉米田里，他大吃了一惊。

那时暮色已经十分浓重，犹如葡萄酒浆，玉米秸秆棵棵挺立，好像一群沉默的哨兵。丁钩儿侧着身体行走，但还是将那些悬挂在秸秆上的枯萎叶片碰得索罗罗地响。猛然间，一个高大的黑影子像从地下凸出来的怪物一样，挡在丁钩儿面前，吓得这胆大如拳的侦查员浑身冰凉，头发梢子直竖起来，手臂下意识地挥舞铁皮桶，想去打击

眼前的怪物。那怪物后退一步,瓮声瓮气地说:

"你打我干甚么?"

侦查员定住神,才发现面前站着一位身材高大的老人。从沉沉暮气中闪烁出来的星光照耀着那人下巴上的浓密胡须和头上的蓬松乱发,轮廓模糊的脸膛上,有两点绿幽幽的光亮。凭感觉丁钩儿知道他衣衫褴褛、骨骼粗大,是个艰苦朴素、勤劳勇敢的好人。他的胸膛里发出的呼吸声重浊粗短,间杂着铁锣般的咳声。

"你在这里干什么?"丁钩儿问。

"捉蟋蟀。"老人把手提的瓦罐往高处举了举,说。

"抓蟋蟀?"

"找蟋蟀。"

蟋蟀在瓦罐里跳跃着,碰撞得罐壁发出噼噼啪啪的声响。老人默默地站着,脸上那两点绿光游移不定,好像两只精疲力竭的萤火虫。

"抓蟋蟀?"丁钩儿问,"这里兴斗蟋蟀吗?"

"这里不兴斗蟋蟀,这里兴吃蟋蟀。"老人缓缓地说着,转过身去,向前挪两步,无声无息地跪在地上。玉米的叶片抖了几下,便垂挂在他的头颅与肩背上,使他变成一座坟丘。这时刻星光愈加灿烂了,一缕缕清凉的风倏忽而来又倏忽而去,真个是来无影去无踪神秘莫测。丁钩儿感到肩背僵硬,心里生出许多寒意。流萤如同梦幻,幽幽地飞行。一瞬间,蟋蟀的凄凉鸣叫声竟然响彻天地,好像到处都是蟋蟀。丁钩儿看到,老人捏亮了一支拇指粗细的手电筒,一道金黄的光柱射向地面,在一株玉米的根部,罩住了一只肥大的蟋蟀。它通体金红,方头凸眼,粗腿大腹,摆着一副准备腾跳的架势在那儿喘粗气。老人伸出一张小网轻轻一罩。它进入了瓦罐。不久,它就要进入滚烫的油锅,然后进入某个人的肚腹。

　　侦查员恍惚记起,在一本名为《美食》的杂志里,曾有一篇长文,介绍了蟋蟀的营养价值与蟋蟀的多种吃法。

　　老人膝行着往前去了。丁钩儿穿过玉米田,向着光明急走。

　　这是个富有诗意、健康活泼的夜晚,因为在这个夜晚里,探险与发现手拉手,学习与工作肩并肩,恋爱与革命相结合,天上的星光与地下的灯光遥相呼应,照亮了一切黑暗的角落。明亮的圆球状水银灯使那块长条状大标牌光彩夺目,丁钩儿提着水桶眯着眼读着白标牌上的黑漆仿宋体大字:

特种粮食栽培研究中心

　　这是一个规模不大的研究中心。丁钩儿端详着那几栋秀丽的小楼和那几架灯火辉煌的大棚子,心里想。一位身穿蓝制服、头顶大盖帽、腰束武装带的看门人从门后闪出来,气冲冲地吼叫:

　　"干什么的? 你探头探脑地往里看什么? 想来打探贼路吗?"

　　丁钩儿看着他腰挂毒瓦斯手枪、手挥电警棍的嚣张模样,心里很愤怒,便说:

　　"小子,你说话客气点!"

　　"什么? 你说什么?"看门的年轻人厉声责问着,往前逼过来。

　　"我说你小子说话客气点!"丁钩儿是正牌的公、检、法系统里的大宠儿,一向横行惯了,今日竟被这看门人粗声大气地斥问,禁不住拳头发痒,心情恶劣,开口骂道:"看门狗!"

　　"看门狗"嗷地一声叫,跳一跳,离地足有二十厘米高,喝道:"兔崽子,你敢骂老子? 老子毙了你!"他从腰间拔出毒气手枪,瞄准了丁钩儿。

丁钩儿笑着说:

"小心别把你自己放倒! 用这种瓦斯手枪制人,自己要站在上风头。"

"嘿,看不出来,你这兔崽子还挺内行!"

丁钩儿说:

"老子擦屁股就用这种破瓦斯枪!"

"放屁!"

"你们领导来了!"丁钩儿对着看门人背后努努嘴巴。

趁着看门人转头回望的工夫,丁钩儿不慌不忙地举起水桶,对准他的手腕打了一下,瓦斯手枪应声落地。随即飞起一脚,又踢中了握电警棍的手。电警棍脱手飞去。

看门人想弯腰捡枪,丁钩儿举着水桶说:

"弯腰就砸你个狗抢屎。"

看门人知道碰上了厉害角色,倒退几步,扭头便往那栋小楼跑去。丁钩儿微笑着走进大门。

一群与看门人同样装束的人从小楼里奔跑出来,其中一个口里叼着铁哨子死劲地吹。就是他就是他,那个刚才吃了苦头的看门人指点着丁钩儿喊叫着。打这个狗娘养的! 保安们一拥而上,十几根电警棍挥舞着,十几张小脸紧绷着,活像一窝小疯狗。

丁钩儿不慌不忙,伸手至腰间,噢,枪装在公事包里,公事包在汽车的驾驶楼里。

一个臂缠红袖标、大概是个小头目的人用警棍指着丁钩儿,气势汹汹地问:

"你是干什么的?"

丁钩儿说:"我是汽车司机。"他扬了扬手里的铁皮桶。

"司机?"小头目狐疑地问,"到这里来干什么?"

"找水,水箱烧干了。"

气氛缓和了不少,有几根高举着的警棍低垂下来。

"他不是司机,"吃过苦头的看门人大声说,"这家伙拳脚厉害得要命。"

"这只能说明你太无能。"丁钩儿说。

"你是哪个单位的司机?"小头目继续盘问。

丁钩儿突然想起了卡车门上印着的字样,流利地说:

"酿造大学的。"

"到哪里出车。"

"煤矿。"

"你的证件呢?"

"在褂子口袋里。"

"褂子呢?"

"在车上。"

"车呢?"

"在公路上。"

"车上还有什么人?"

"一个漂亮的小姐。"

小头目嘻嘻地笑着说:

"你们酿造大学的司机,都是些臊骒子。"

"对,都是臊骒子。"

"走走走,继续干!"小头目说,"楼里有水你不去接还愣着干什么?"

丁钩儿随着他们往楼里走,听到小头目在身后训斥那个看门人:"你这个笨蛋,连个司机都治不服,要是四十大盗来了,还不把你的蛋子骗了去!"

走进楼内,强烈的灯光刺得丁钩儿有些头晕。走廊里铺着猩红的化纤地毯,墙上挂着色彩鲜艳的大照片,照片的内容是庄稼:有玉米、水稻、小麦、高粱,还有一些四不像的东西,丁钩儿猜想那一定是这楼里的农业科学家们呕心吐血捣弄出来的杂种。小头目比较热情地为丁钩儿指出了通往厕所的方向,他说厕所里有一个冲抹布的龙头,可以接水。丁钩儿谢了他几句,看到他与他的部下钻到一间屋里,开门时门缝里钻出了辛辣的烟雾。他猜想他们也许是在打扑克或者搓麻将,当然也许是在学习文件什么的,他微笑了一秒钟,提着桶,小心翼翼地向厕所走去。一边走,一边看着各个门口钉着的木牌:技术科、生产科、统计科、财会科、档案室、资料室、实验室、录像室。录像室半掩着门,有人在工作。

他提着一桶水,悄悄地走进去,看到录像室里有一男一女在放一部录像片。一台屏幕庞大的电视机让他吃了一惊。屏幕上显示出一行美丽的隶体字:

稀世珍品——鸡头米

美妙的配乐撩人心弦。广东音乐,《彩云追月》。他本来没有看这部录像片的意思但录像片很有意思吸引着他看。画面五彩缤纷很美丽。一条自动化杀鸡生产线。一只只鸡头有条不紊地落下来。丝竹齐鸣。解说:特种粮食研究栽培中心的广大干部群众在……鼓舞下齐心协力集思广益发扬"攻关莫畏难"的精神日夜奋战……一群面孔瘦削、头脑膨大的人身穿着洁白的工作服在摆弄着大大小小的瓶子化验着什么。一群美丽的女人把头发通通塞进白色工作帽里胸前戴着白围裙手持镊子把一粒粒稻种塞进一颗颗鸡头里。一群与上群女人同样打扮也同样美丽的女人把植入稻种的鸡头埋在一个个火红色的花盆里。画面一转，盆里长出稻秧。几十只喷壶往稻秧上淋水。画面一转，稻子秀出穗子。画面一转再转，终于变成几碗热气袅袅、颜色血红、粒粒透亮、光泽如珠的米饭摆在鲜花盛开的餐桌上。几位或英俊或丰满或魁伟的领导人围桌品尝这稀世珍品，他们脸上都挂着满意的微笑。丁钩儿感叹万分，方知自己是井底之蛙，知识贫乏。录像片尚未放完，屋里的男女说起话来，丁钩儿怕麻烦，提着水急忙前进。出大门时受到看门人的双目仇视。背上被看门人的目光戳了许多窟窿。穿越玉米田时被干枯的玉米叶子擦了眼珠子，搞了个热泪盈眶。捉蟋蟀的老头儿不知去向。离汽车老远就听到女司机在马路上咆哮：

"你他妈的到黄河里去提水还是到长江里提水？"

放下水桶，他摇摆着麻木酸痛的胳膊说：

"我他妈的到雅鲁藏布江里去提来的水。"

"我他妈的还以为你掉到河里给淹死了呢。"

"我你妈的没淹死还看了一部录像片。"

"是他妈的武打的还是床上的？"

"我你妈的不是武打不是床上是稀世珍品鸡头米。"

"鸡头米有什么稀罕你他妈的怎么张口就是你妈的你妈的。"

"我你妈的要不你妈的就得堵住你的嘴。"

丁钩儿一把拉过女司机，双臂紧紧地搂住她的腰，把一张甜酸苦辣的嘴巴紧紧地压在她的嘴上。

二

莫言老师:

您的来信收到了。

《国民文学》方面,一点音讯也没有。我非常焦急,希望您再去催催周宝和李小宝两位老师,让他们尽快给我个回话。

前天夜里我又写了一篇小说,题名《驴街》。在这篇小说中,我采用了武侠小说的一些创作技巧,请老师慧眼观赏。此稿寄给什么刊物合适,由老师定夺吧。

关于酒的资料,我已随信寄出,那三十瓶美酒,等有车晋京时捎去,老师喝学生的酒,是天经地义的事,当年孔夫子设帐授徒还向每个学生索要十条干肉做"束脩"呢。

《国民文学》不给我消息,令我心情沮丧,失魂落魄一般,老师是过来人,一定能理解学生我的心情。

敬祝
著安!

学生:李一斗

三

一斗兄:

　　来信及小说稿均收到。资料尚未收到,印刷品一般要比信件慢吧。

　　我完全能够理解你的心情,我自己也是这样艰难地熬过来的。跟你说实话吧,为了能使文章变成铅字,我什么样的事都干过或者都想干过。收到你的信后,我立即跟周宝通了电话。他说你的那三篇小说他都看了而且看了好几遍。他说他也拿不准,一下子说不出个子丑寅卯来。他说他正在认真考虑。他已把你的大作转给李小宝,让李尽快看,然后交流一下看法。最后他说,这三篇小说当然有许多值得商榷的地方,但作者富有才华是毫无疑问的。看到这里,我想你的心情也许会稍微好一点吧?对一个作家来说,才华比什么都重要。有不少人当了一辈子作家,写了许多东西,也知道一切如何成为大作家的"法门",但最终难成大器。这些人什么都不缺,缺的是才华或才华不够大。

　　《驴街》我看了三遍,总体印象是比较开放、大胆,有点野驴打滚的意思。简单地说就一个字:野。是不是喝了"红鬃烈马"之后写的呀?

　　有些我看不太明白的地方和不成熟的意见供参考:

　　(1) 文中描写的那个骑着小黑驴、能够飞檐走壁如履平地的鱼鳞皮小男孩,是个侠客还是个大盗?他在《肉孩》和《神童》篇里都曾出现过(是不是一个人呢?),似乎也无不凡表现,在本篇中却突然变

成了半神半妖的超人,是否有点过火?当然,你并没跟我说这些小说
是内容连贯的兄弟姐妹篇。还有,他与那个穿红衣裳的小妖精是什
么关系?在《神童》篇里,你好像说小妖精就是鱼鳞皮小子?

我一向不敢贬低武侠小说。武侠小说能够吸引那么多的读者,
单凭这一点就了不起。去年暑假里,我看了几十部武侠小说,看得废
寝忘食。看完之后,连自己都感到莫名其妙。明知是满纸谎言,却为
何如醉如痴?有人说武侠小说是成年人的童话,此论很有道理。当
然,几十部武侠读罢,发现其模式化的程度很重,胡编乱造一部并不
难,但要写到金庸、古龙那个份上,绝对不是一件容易事。你在小说
中做了一些"杂交"的尝试,成功与否且不论,这想法本身就有意思。
当今有一位姓花名大姐的十分先锋的女作家,"杂交"试验卓有成效,
你不妨找她一些作品读读。此人好像就住在距离你们酒国不远的七
星县(那里有一位卖耗子药卖出了名的县长),你得空不妨去见见那
位瓢虫作家。

(2) 我听鲁迅文学院的研究生赵大嘴说,"龙凤呈祥"是粤菜中
的经典之作,基本原料是毒蛇与野鸡(当然在偷工减料的年代里换成
了黄鳝和家鸡的可能性很大)。阁下的"龙凤呈祥"竟然用公驴和母
驴的外生殖器为基本原料,不知何人敢下筷子?我担心这道菜因为
其赤裸裸的资产阶级自由化倾向将不被文艺批评家们所接受。时
下,文坛上得意着一些英雄豪杰,这些人狗鼻子鹰眼睛,手持放大镜,
专门搜寻作品中的"肮脏字眼",要躲开他们实在不易,就像有缝的鸡
蛋要躲开要下姐的苍蝇一样不易。我因为写了《欢乐》《红蝗》,几年
来早被他们吐了满身黏液,臭不可闻。他们采用"四人帮"时代的战
法,断章取义,攻击一点,不及其余,全不管那些"不洁细节"在文中的
作用和特定的环境,不是用文学的观点,而是用纯粹生理学和伦理学

的观点对你进行猛攻,并且根本不允许辩解。所以,根据我个人的经验,劝你还是换一盘别的什么菜为好。

(3)关于余一尺。我对这个人物很感兴趣,尽管你并没用太多的笔墨去写他。文学作品中的侏儒形象,中外皆有,但可称为典型的并不太多。我希望你能发挥才力,为这个侏儒树碑立传。他不是要"你"给他写"传记"吗?我相信这"传记"会很有意思。一个出身于书香门弟、饱读诗书、满腹经纶的侏儒,忍辱负重几十年,一朝凭借东风力,扶摇直上青云,他得到了金钱、名誉、地位,现在正发誓"奋遍酒国美女",在这豪言壮语的背后,隐藏着什么样的心理动机?在实现这豪言壮语的过程中,他的心理发生着什么样的变化?在实现这豪言壮语之后,他又会是一种什么样的精神状态?每一个问号后边,都会有精彩的文章可做,你为什么不小试牛刀呢?

(4)小说的开头部分,恕我直言,似乎纯属一些琅琅上口的废话,没有什么实际意义,如能全部删除,文章会更简练一些。

(5)小说中,你把那对女侏儒的父亲设计为国家级领导人,如果是正面歌颂,当然越高级越有利,但大作中经常流露出对大人物的贬辞,这样很糟糕,因为社会是一个宝塔形状,越往高处范围越小,也就越容易对号入座,一旦宝塔顶部的人跟你较起真来,那可比感冒厉害。因此,我建议你把双胞胎侏儒的门第弄得矮一些,乌纱帽糊得小一些。

拉拉杂杂写了这么多,随意走笔,矛盾百出,你看罢即去休,别太认真。世界上怕就怕认真二字,谁认真谁倒霉。

大作《驴街》还是寄给《国民文学》吧,如《国民文学》不用,再想办法往别处推荐。

我的长篇《酒国》(暂名)已写了几章,原以为醉过几次酒便能写酒事,但写起来才感到困难重重,头绪繁多。人类与酒的关系中,几乎包括了人类生存发展过程中的一切矛盾及其矛盾方面,如有大手笔,真能在这个题目上做出大文章,可惜我才气不足,所以处处窘急、捉襟见肘。希望你来信时多跟我聊点酒事,或许能激发我一点灵感。

　　祝
好运气!

莫　言

四

驴　街

　　亲爱的朋友们,不久前你们曾读过我的《酒精》、《肉孩》、《神童》,现在,请允许我把新作《驴街》献给你们,请多多原谅,请多多关照。以上这些夹七杂八的话,按照文学批评家的看法,绝对不允许它们进入小说去破坏小说的统一和完美,但因为我是一个研究酒的博士,天天看酒、闻酒、喝酒,与酒拥抱与酒接吻与酒摩肩擦背,连呼吸的空气都饱含着乙醇。我具有了酒的品格酒的性情。什么叫熏陶?这就是。酒把我熏得神魂颠倒,无法循规蹈矩。酒的品格是放浪不羁;酒的性情是信口开河。

　　亲爱的朋友们,随着我走出酒国酿造大学富丽堂皇的拱形大门,把酒瓶状的教学大楼抛弃在背后,把酒杯状的实验大楼抛弃在背后,把校办酿酒厂酒气冲天的大烟囱抛弃在背后,"放下包袱,轻装前进",跟着我走,心明眼亮,不迷方向,跨过醴泉河上玲珑剔透的杉木小桥,把淙淙的流水、水上的睡莲、莲上的蝴蝶、戏水的白鸭、水中的游鱼、游鱼的感觉、白鸭的情绪、浮萍的思想、流水的梦呓……全部都抛弃在脑后。请注意,烹饪学院香气如潮的大门在向我们施放诱惑!我的老岳母就在这所学院里工作,她最近发了疯,躲在挂着双层窗帘的屋子里,不分昼夜地写揭发检举信。我们暂且不要管她,更不要理睬从烹饪学院里飘出来的香味。"人为财死,鸟为食亡",这是千真万确的真理。在混乱和腐化的年代里,人跟鸟一样,看起来好像自由自在,实际上到处都是陷阱和罗网、弹弓与猎枪。好,我们的鼻子已被气味毒害,我们掩住鼻子,赶快把烹饪学院弃置在一侧,跟我斜刺里走,穿过狭窄的鹿街,听到呦呦鹿鸣,想象它们在食野之苹。看着街道两侧店铺门前悬挂着的鹿角,纵横交叉,犹如枪林剑丛。踏着铺着青石板的古旧道路,石板上生着苔藓,石缝里挤出绿草,石板滑溜,注意脚下,当心摔跤。我们小心翼翼,拐弯抹角,拐进驴街。脚下的路还是用青石铺成。它们历尽沧桑,饱受风吹雨打、轮辗蹄踏之苦;棱角尽失,像铜镜般光滑。驴街比鹿街略微宽阔,石板上汪着污秽的血水、铺着黑色的驴皮。驴街比鹿街更滑。街上蹒跚着漆黑的乌鸦,呱呱乱叫。行路艰难,提醒大家当心,遵守走路规范:身体要正直,脚下要生根,不许一边走道一边东张西望,像乍进城市的乡巴佬。那样要跌跤,跌跤不雅观,跌跤很糟糕,弄脏了衣服事小,跌坏了臀部事大。总之跌跤很糟糕。为了读者幸福,咱们歇歇再走。

咱酒国有千杯不醉、慷慨悲歌的英雄豪杰,也有偷老婆私房钱换酒喝的酒鬼,还有偷鸡摸狗、打架斗殴、坑蒙拐骗的流氓无赖。想当年吃花和尚拳打遭青面兽刀杀的青草蛇张三泼皮牛二都在咱酒国留下了后代,恶种连绵,再有两千年也不会断绝。此类人物聚集驴街,是咱酒国一景。你看那个口叼烟卷儿倚着门板儿,那个提着酒瓶子啃着钱儿肉,那个吹着口哨儿架着鸟笼子的,都是。朋友们仔细看,别去招惹他们,正经人不理街混子,新鞋不踩臭狗屎。这条驴街是咱酒国的耻辱也是咱酒国的光荣。不走驴街等于没来酒国。驴街上有二十四家杀驴铺,从明朝开杀,杀了一个清朝又加一个中华民国。共产党来了,驴成了生产资料,杀驴犯法,驴街十分萧条。这几年对内搞活对外开放,人民生活水平不断提高,需要吃肉提高人种质量,驴街又大大繁荣。"天上的龙肉、地上的驴肉",驴肉香、驴肉美、驴肉是人间美味。读者看官,各位来宾,各位朋友,女士们、先生们,"三揸油喂了麻汁","蜜斯特蜜斯",什么"吃在广州",纯属造谣惑众! 听我说,说什么? 说说咱酒国的名吃,挂一漏万在所难免,请多多包涵。站在驴街,放眼酒国,真正是美吃如云,目不暇接:驴街杀驴,鹿街杀鹿,牛街宰牛,羊巷宰羊,猪厂杀猪马胡同杀马,狗集猫市杀狗宰猫……数不胜数,令人心烦意乱唇干舌燥,总之,举凡山珍海味飞禽走兽鱼鳞虫介地球上能吃的东西在咱酒国都能吃到。外地有的咱有,外地没有的咱还有。不但有而且最关键的、最重要的、最了不起的是有特色有风格有历史有传统有思想有文化有道德。听起来好像吹牛皮实际不是吹牛皮。在举国上下轰轰烈烈的致富高潮中,咱酒国市领导人独具慧眼、独辟蹊径,走出了一条独具特色的致富道路。诸位朋友、先生们、女士们,人生在世,大概没有比吃喝更重要的事情了。人为什么要长着一张嘴? 就是为着吃喝! 要让来到咱酒国的人吃好喝好。让他们吃出名堂吃出乐趣吃出瘾。让他们喝出名堂喝出乐趣喝上瘾。让他们明白吃喝并不仅仅是为了维持生命,而是要通过吃喝体验人生真味,感悟生命哲学。让他们知道吃和喝不仅是生理活动过程还是精神陶冶过程、美的欣赏过程。

慢慢走,要欣赏。驴街二里长,杀驴铺子列两旁。饭店酒馆九十家,家家都用驴的尸体做原料。花样翻新,高招迭出,吃驴的智慧在这里集了大成。在驴街吃遍九十家的人一辈子可以不再吃驴。也只有吃遍驴街的人才可以拍着胸脯说:我吃过驴!

驴街像一部丰富的大辞典,我的嘴即便锋利得能够斩钉截铁也说不及说不尽说不透。说不好瞎说,说不好胡乱说,请原谅请包涵,请允许我干一杯"红鬃烈马"抖擞抖擞精神头儿。数百年来,咱驴街结果了多少驴的性命,实在无法统计,可以说咱驴街上白天黑夜都游走着成群的驴的冤魂,可以说驴街上的每一块石头上都浸透了驴的鲜血,可以说咱驴街的每一株植物里都贯注着驴的精神,可以说咱驴街的每一个厕所里都蓬勃着驴的灵魂,可以说到过驴街的所有的人都或多或少地具备了驴的气质。朋友们,驴事如烟,笼罩在驴街上空,减弱了太阳的光辉,只要我们闭上眼睛,就能看到成群结队的、形形色色的毛驴在奔跑、嘶叫。

这里有一个类似神话的传说:每当夜深人静时,便有一头极其玲珑、极其俊秀的小黑驴儿(不知道什么性别),在青石板道上往来奔驰,从街东头跑到街西头,又从街西头跑到街东头。它的俊秀的如同黑玛瑙刻成的酒盅儿般的嫩蹄子,敲打着光滑的青石板,发出清脆的响声。这响声在深夜里如同天上传下来的音乐,有几分恐怖,几分神秘,几分温柔;闻之欲哭,欲痴,欲醉,欲喟然长叹。如果是月明之夜……

那夜,矮人酒店的掌柜余一尺多吃了几杯老酒,胃肠泛热,便袒着圆圆的肚腹,像一面小鼓,举着一张竹椅,到店门外那株老石榴树下纳凉。一派月色洒下来,照耀得石板路如同明镜。已是中秋天气,

凉风习习,户外纳凉者早已绝迹,余一尺如不是酒力发作也不会出外
纳凉。人如蚁群的白天变成了现在的清凉模样,唧唧的虫鸣在各个
角落响起,如同利箭一般尖锐,似乎能穿透铜墙铁壁。凉风吹拂肚
皮,生出无限幸福,一尺仰望着树上那七大八小、努着花瓣般的小嘴
儿的甜石榴,正要蒙眬入睡,忽觉头皮一炸,周身爆起鸡皮疙瘩,睡意
随风飘散,整个身体已是动弹不得——如同被武林高手点了穴道一
般,当然他的思维是灵活的,他的眼睛也是灵活的。他看到一匹黑色
的小毛驴仿佛从天而降,出现在街道上。小黑驴又肥又胖,周身放
光,犹如用蜡捏成的。它在街上打了几个滚,站起来,抖擞抖擞身体,
似乎要抖擞掉那些并不存在的尘土。然后它就地蹦了个高,撅着尾
巴在街上跑起来。从街东头跑到街西头,又从街西头跑到街东头,就
这样跑了三个来回。如同一股黑烟在街上来回窜突。清脆的蹄声把
秋虫的唧唧声彻底淹没。当它停在街心不动时,秋虫鸣声又突然大
作。余一尺这时还听到了狗市上群狗的汪汪汪,牛街上牛犊的哞哞
哞,羊巷里羊羔的咩咩咩,马胡同里儿马的咴咴咴,以及远远近近的
公鸡鸣声:嘤……嘤……嘤……小黑驴站在街心,仿佛在等待着什
么,两只黑眼睛像小灯笼一样。余一尺早就听说过这头小黑驴的故
事,今日亲眼看见,心中惊悚异常,方知世界上的传说都不是凭空捏
造。现在他屏息缩身,变成一块死木头,大睁着眼睛,要看那小黑驴
的故事。

　　不知过去了几个时辰,余一尺眼睛都发了酸,小黑驴站在街心,
竟然也是一动不动,如同街心的一景雕塑。就在这时候,全酒国市的
狗都发了疯一般狂叫——当然很遥远——余一尺精神一振,就听得
一阵瓦响由远而近,随即看到一个黑色的影子从房顶上斜着飘下来,
不偏不倚,正落在黑驴背上。小毛驴立即奋蹄,驮着那从空而降的

人,一溜烟去了。余一尺虽是侏儒没能入学念书,但出身书香门第:父亲是教授,爷爷是秀才,再上几辈还出过进士翰林什么的,耳濡目染,竟也识字数千阅书博杂,适才亲眼目睹的这一幕,不由使他联想起唐人传奇故事中那位神出鬼没的侠客来,于是又想,尽管科学发展如光如电,无法解释但确实存在的事情还是有若干。他试试身体,虽然有些发僵但能活动。摸摸肚皮,湿漉漉的,竟唬出了一层冷汗。在那黑影下落过程中,借着明亮月光,余一尺发现那似乎是个身体矮小的少年,他身上有一层鱼鳞般的东西反射月光,嘴里叼着一柄柳叶状的小刀,背上驮着一个大包袱……

读者看官,你们也许要骂:你这人好生啰嗦,不领我们去酒店喝酒,却让我们在驴街转磨。你们骂得好骂得妙骂得一针见血,咱快马加鞭,大步流星,恕我就不一一对大家介绍驴街两侧的字号,固然每个字号都有掌故,固然每家店铺都有故事,固然每家店铺都有自己的绝招,我也只好忍痛不讲了。现在让我们把驴街两侧那些定眼望着我们的驴子们抛在一旁,直奔我们的目标。目标有大有小,我们的大目标是奔向"各尽所能,按需分配"的共产主义社会,我们的小目标是奔向坐落在驴街尽头、门口有一株碗口粗老石榴的"一尺酒店"。为什么叫做"一尺酒店"呢?请听我慢慢道来。

酒店掌柜余一尺实际身高是一尺五寸,就像所有的侏儒一样,他从来不对别人说自己的年龄,别人也无法猜测他的年龄。在驴街人的记忆里,这个和蔼可亲的小侏儒几十年一贯地保持着他的容貌和态度。当别人对他投去惊讶的目光时,他则回报以嫣然一笑。这一笑千娇百媚,令人心中忧伤无比,并随之生出悲天悯人的情绪。余一尺就是靠着他笑的魅力,丰衣足食地生活。由于他识字解文,家学渊博,腹中满装着五花八门的学问,所以往往出口成章妙语连珠,给驴街人带来许多乐趣,不敢设想这驴街失去了余一尺会变得何等寂寞和无聊。余一尺依靠他的天然条件,本可以优哉游哉地度完他的一生,但他心怀大志,不愿吃嗟来之食,趁着改革开放的雄风,竟然申请来一纸营业执照,从腰里拍出了不知何年攒就的一摞钱,请人改造了自家的旧房屋,办起了如今已名满酒国的一尺酒店。余一尺奇想联翩,也许是从古典小说《镜花缘》里受了启发,也许是从《海外奇闻》里得了灵感,酒店开业之后,他在《酒国日报》上登了一则启事,招聘身高不足三尺的侏儒来酒店服务,这件事情当时轰动酒国,曾引起过激烈争论。一派意见认为:侏儒开店,是对社会主义制度的侮辱,是往鲜艳的五星红旗上抹灰,随着来咱酒国市观光的外国朋友的逐日增多,一尺酒店将成为我市的巨大耻辱,不仅丢了我们的市脸,而且丢了我们伟大中华民族的族脸。另一派意见认为:侏儒的存在,是世界性客观现象。外国的侏儒靠乞讨过活,我们的侏儒靠劳动过活。这非但不是耻辱而是莫大的光荣。一尺酒店的存在,必将让国际友人认识到我们社会主义制度的无比优越性。正当两派论战相持不下时,余一尺从市府大院的阴沟里钻进了市府大院(门卫如狼似虎,他无法从正门进去),钻进了市府办公大楼,钻进了市长办公室,与市长进行了一番长谈。谈话内容不得而知。市长用自己的豪华轿车把余一尺送回驴街,市报上的争论就此平息。朋友们,女士们先生们,一尺酒店近在咫尺,这就是我们的目的地。今天我请客,我跟余一尺老先生是好朋友,经常在一起品酒吟诗,面对着万紫千红花花世界,曾吟出千奇百怪美妙乐章。他是重义气轻钱财的好哥们,优惠服务,价格八折。

诸位高朋,现在我们已经站在了一尺酒店门前。请抬头观看,那黑漆招牌上的四个镏金大字,个个生龙活虎,气韵生动;这是本市著

名书法家刘半瓶的手笔,听他的名字就该知道这是位不喝半瓶好酒
不会写字的主儿。站在门口两侧那两位身高不足二尺的袖珍小姐,
斜披着锦缎彩带,对着我们微笑。她俩是一对双胞胎,是看了《酒国
日报》上余一尺的招聘启事,坐着三叉戟喷气式飞机,从天上飞来的。
这对双胞胎出生在一个高级干部家庭,她们的父亲的大名赫赫,说出
来吓你们一跳,因此不说也罢。本来,这对姐妹依仗着父亲的权势,
完全可以锦衣玉食、在富贵乡里过一生,但是她们偏不,偏要来咱酒
国凑热闹。这对仙女的下凡,惊动了咱酒国市的党政最高领导,他们
冒着雨,亲自到离市区七十公里的桃源机场迎接这对好宝贝。陪同
这两位仙女降落的有那位老英雄的夫人,以及各种秘书。机场迎接
宾馆宴请忙忙碌碌客客气气折腾了整整半个月,才算安排妥当。朋
友们,不要以为咱酒国市在这件事上吃了亏,那是目光短浅或者说是
鼠目寸光。固然咱酒国为迎接仙女及其母亲小小地破费了一点,但
咱酒国却因此而跟那位绝对高级的首长攀上了亲戚,只要他老人家
动笔画几个圈子,咱酒国就有大大的买卖可做,就有大大的金钱可
赚。去年,他老人家来过咱酒国,抬了抬铅笔头,批给咱酒国市多少
贷款?你们猜,在去年紧缩银根的恶劣金融气候下,他老人家批给咱
酒国一亿元低息贷款!一亿元啊朋友们!咱们猿酒攻关项目的上
马、中华酿酒博览馆辉煌大楼的建设、十月份第一届国际猿酒节的召
开,都是用这一亿元。如果没有这两位仙女,他老人家怎么会到咱酒
国来住上三天?所以呀,朋友们,把余一尺先生说成是咱酒国市特大
功臣毫不过分,我听说市委已经在整理材料,报请上级,评余一尺为
全国劳动模范,并颁发"五一"劳动奖章。

　　这两位出身高贵的仙女对着我们弯腰鞠躬,脸上笑容可掬可掬。
她们容貌美丽,体态匀称,除了小巧之外,几乎没有什么可挑剔之处。

我们对她们报以微笑,由于她们的高贵出身,使我们对她们肃然起敬。欢迎光临。欢迎光临。谢谢。谢谢。

"一尺酒店",外界也称为"侏儒酒店",内部装修豪华富丽,地上铺着五寸厚的纯羊毛地毯,一脚下去,温柔陷没踝骨。壁上镶着原色的长白山桦木板,嵌着名人字画,长大的鱼缸里懒洋洋地游动着巴掌大的金鱼,几盆名贵鲜花,开得如火如荼。大厅正中,活活地站着一匹黑色小毛驴,细看才知是件雕塑。"一尺酒店"能有这番气象,自然是门口那两位仙女降临之后的事,酒国市领导不是傻瓜,怎能让他老人家的一对掌上明珠在一家寒酸的个体小酒店里上班呢?现在的事大家都明白,所以对"一尺酒店"在一年之内发生的巨大变化就不必赘述。请原谅,允许我再回头说几句,赶在他老人家的夫人回上海之前,酒国市已为两位仙女在市中心的水上公园附近,盖了一栋小巧的楼房,还为这姐妹俩每人购买了一辆"菲亚特"牌小汽车。进门时不知诸位注意到了没有,那两辆"菲亚特"就停在那株老石榴树下的空地上。

一位穿红衣戴红帽的引座员迎着我们走过来了。他身躯的大小与一位两岁左右的婴儿相仿,脸上的五官搭配得很紧凑,基本也是儿童的五官比例。他走起路来有些摇晃,踩着深厚的地毯,他的屁股扭来扭去,颇似一只在淤泥中行走的小鸭子。他引导着我们,如同一条肥胖的小狗引导着一群盲人。

我们踩着漆成酱红色的松木板楼梯,爬到楼上,小红孩推开一扇门,侧身立在门边,像指挥交通的警察叔叔一样,左臂弯曲在胸前,右臂伸直在体侧,两只手掌挺直,左掌心朝里,右掌心朝外,两只手掌指示着同一个方向:葡萄厅。

请进吧,亲爱的朋友们,不要客气。我们是贵宾,葡萄厅是雅座。

在你们只顾打量从天花板上悬垂下来的穗穗葡萄时,我偶然看了一眼这引座的小家伙,他那双一直是笑眯眯、傻哈哈的眼睛,正对着我们放射毒辣的光芒,这光芒似喂饱了毒汁的箭头,射到哪里哪里腐烂,我的双眼一阵刺痛,一时间就像瞎子一样。

在短暂的黑暗中,我不由地心惊肉跳,在《肉孩》和《神童》中我虚构出来的那位包裹在红旗里的小妖精,竟活脱脱地站在了我的面前,并且还用那双阴鸷的眼睛看着我。就是他,就是他。细细的眼睛,又大又厚的耳朵,鬈曲的头发,二尺左右的身躯。我在《神童》里,详细描述了他在烹饪学院特别食品收购部里策划、领导暴乱的全部过程,在那篇文章里,我几乎把他写成了一个小小的阴谋专家、一个运筹帷幄的天才。我只写到他领导着孩子打死看管他们的"秃鹰"、四散躲藏在校园内便搁了笔,按照我的构思,一起参加暴动的孩子们,一无遗漏地被捉拿归案,送到我岳母领导的烹调研究中心里去,等待着被烹、被蒸、被红烧。惟有小妖精从烹饪学院的阴沟里钻了出来,落在一群从阴沟里打捞食物充饥的乞丐手中,然后再开始他的传奇生涯。可是他并不服从我的调遣,他从我的小说里叛逃出来,加入了余一尺领导的侏儒队伍,他穿着猩红的呢绒制服,脖子上扎着洁白的蝴蝶结,头上扣着猩红的呢绒船状小帽,足登着黑油油的漆皮鞋,出现在我的面前。

无论发生什么变故,我也不能冷落客人,压制着内心深处的狂涛巨澜,我让笑容挂在脸上,与你们一起入座。柔软的坐椅,洁白的桌布,夺目的鲜花,轻松的音乐,占有了我们的感觉。有必要插一句:这侏儒酒店的桌椅很矮,矮得令人舒适。一位小鸟般的女服务员端着一盘消过毒的方块毛巾走过来。她身体柔弱。端着一盘毛巾显得很吃力,令人心生怜爱。这时,小妖精不见了,他完成了任务应该走,应该去为新来的客人引座,这本是情理中事,但我总认为他的消失暗藏着险恶的阴谋。

朋友们,为了实现"价格八折",请你们坐等一会,我去见见我的老朋友余一尺。你们在这里,可以抽烟喝茶听音乐,可以透过一尘不染的玻璃,观看后院的情景。

读者诸君,我原本想与你们一起共进丰盛驴餐,但店小人多,坐在葡萄厅里的只有九位,真是抱歉万分。但我们的一行一动,都应该公开,否则便是心怀鬼胎。我在这店里是轻车熟路,找到余一尺十分容易。推开办公室的门,才知道来的不是时候——我的老朋友余一尺,正站在他那张办公桌上,与一位丰臀高乳的女人接吻——对不起,十分对不起,我连声道歉着,对不起,我忘记了敲门求进的起码礼仪。

余一尺从办公桌上跳下来,动作轻捷,宛若一只狸猫。看着我的窘态,他幽默生动的小脸蛋子绽开笑容,尖声尖气地说:

"酒博士,是你这个小家伙,那猿酒研究得怎么样了?可别误了猿酒节,你那个老丈人也是个糊涂虫,跑到猴山去和猴子住在一起……"

他的话滔滔不绝,令人厌烦,但由于我是来求他,只能耐着性子听,脸上还要装出聚精会神的表情。一直等他说完,我才说:

"我约了几个朋友来吃驴……"

余一尺站起来,走到那个女人面前。他的头顶恰好齐着那女人的膝盖。那女人非常漂亮,不像黄花姑娘,一派少妇风韵,两片肥嘟嘟的唇上,沾着一些黏液,好像刚刚生嚼过一只蜗牛。他举手拍拍她的屁股下沿,说:

"亲爱的,你先回去吧。告诉老沈尽管放心,咱余一尺是铁骨铮铮的男子汉，一向是说到做到。"

那女人也是个大方角色，不避嫌疑，弯腰，让两只喷薄欲出的大乳房沉甸甸地砸在余一尺仰起的脸上——砸得余一尺龇牙咧嘴——轻轻地把他抱起来。单纯从体积和重量的角度看，就如同母亲抱着儿子一样，当然，他们之间的关系要比这复杂得多。她几乎是恶狠狠地在他脸上亲了一下，然后，像投掷篮球一样，把他扔到贴着墙壁的长沙发上。她举起手，妖媚地说：

"小老头儿，再见了。"

余一尺的身体还在沙发弹簧上动荡着，那女人已经扭动着鲜红的屁股，消失在墙的拐角。他追着她炫目的背影喊道：

"滚吧，狐狸精！"

房间里只剩下我和余一尺。他从沙发上跳下来，走到贴在墙壁上的大镜子前，梳理头发，整理领带，还用那两只小爪子搓搓两个腮帮子，然后猛转身，衣冠楚楚、严肃认真地面对着我，俨然一副大人物的气派。如果不是刚才那一幕，我很可能被这个小侏儒唬住，而不敢跟他嘻嘻哈哈。老哥们，艳福不浅啊！您这叫黄鼠狼子日骆驼，专拣大个的，我嬉皮笑脸地说。

他阴森森地冷笑一声，脸皮胀得青紫，双眼放出绿光，双臂炸开，如同一只振翅欲飞的老雕。这模样委实可怕，我与余一尺交往日久，还从来没有见过他这副模样。想想我适才的玩笑话，也许伤害了他的自尊心，心中顿时感到十分歉疚。

"哼，小子，"他一步步逼上来，咬牙切齿地说，"连你都敢嘲弄我！"

我连连倒退着，盯着他那因激怒而微微抖动的利爪，感觉到喉咙很不安全。是的，他随时都会闪电般跃起，骑在我的脖子上，撕裂我的喉管。对不起,老大哥,对不起……我的背已经紧靠在贴着布纹壁纸的墙壁上,但我还在试图后退。后来,我急中生智,举起手来,狠狠地抽了自己十几个嘴巴,啪啪啪一串肉响,我的腮帮子火辣辣的,耳朵里嗡嗡直响,眼前飞舞着金色的星星……对不起老大哥,我该死,我不是人,我是王八蛋,我是一根黑驴屌……

在我的丑恶表演下,他的脸色由青紫转黄白,炸起的双臂也缓慢地垂下去。我的身体也随之瘫软了。

他退回到他那黑色皮革蒙面、底部装着螺丝、能够团团旋转的宝座上,不是坐着而是蹲着,从烟盒里弹出一支高级香烟,用一揿按钮便嘶嘶作响、喷出强劲火焰的强力打火机点燃,深深地吸了一口,缓缓地吐出烟雾,眼盯墙上风景,陷入沉思状态,目光深邃莫测,犹如两潭黑水。我瑟缩在门侧,痛苦地思想:昔日那个插科打诨、任人作弄的小侏儒凭借什么力量变成了这副专横跋扈、耀武扬威的模样? 我这堂堂的博士研究生,为什么会如此害怕一个身高不足一尺五、体重不足三十斤的丑八怪? 答案像子弹出膛一样蹦出来,不说也罢。

"我要睡遍酒国的美女!"他突然改蹲姿为立姿,挺在转椅上,高举着一只拳头,庄严地宣布:"我要睡遍酒国的美女!"

他的精神亢奋,脸上神采飞扬,高举起的手臂凝固在空虚中,久久地不动。我看得出他的思想的桨叶在飞速旋转,意识之船在雪白的精神浪花上颠簸。我屏住呼吸,生怕惊扰了他的遐想。

后来他终于松弛下来,扔给我一支烟,和颜悦色地问:

"认识她吗?"

"谁?"我问。

"刚才那个女人。"

"不认识……但好像有点面熟……"

"电视台的节目主持人。"

"噢,我想起来了!"我拍着脑门说,"我想起来了,她经常手握着话筒,面带着温柔华美的笑容,对我们说三道四。"

"这是第三个!"他恶狠狠地说,"这是第三个……"他的声音突然暗哑下来,眼睛里的神采也突然消失,那张保养得光洁如玉的面孔一瞬间布满了皱纹,本来就小的身躯变得更小。他萎缩在他的宝座上。

我抽着烟,痛苦地看着这位古怪的朋友,一时竟不知说点什么话才合适。

"我要让你们瞧瞧……"他呢呢喃喃地打破了沉闷,抬起头来问我,"你来找我?"

"约了一群朋友,在葡萄厅里……"我不好意思地说,"都是些穷酸文人……"

他摸起电话,对着不知什么人咕噜了几句。放话筒时他说:

"看在咱老朋友的分上,给你们开个全驴宴。"

朋友们,我们口福不浅!全驴宴!最高档次!我感激万分,对着他连连鞠躬。他的精神头儿有些恢复,由坐姿变为蹲姿,明亮的光线又从眼睛里射出,他问道:

"听说你成了作家?"

我惶恐地说:

"狗屁文章,不值一提,挣点小钱,补贴家用。"

他说:

"博士先生,咱俩做笔交易吧。"

我问:

"什么交易?"

他说:

"你给我写部自传,我给你两万元钱。"

我兴奋得心脏剧烈跳动,嘴里却说:

"我文笔拙劣,只怕难当重任。"

他挥挥手,说:

"瞎谦虚什么,一言为定,每逢星期二晚上,你到我这里来,我给你讲我的经历。"

我连声说:

"大哥,大哥,什么钱不钱的,为大哥这样的奇男子树碑立传,是小弟应尽的义务,什么钱不钱的……"

他冷笑道:

"小子,别虚伪,有钱能使鬼推磨。世上也许有不爱钱的人,但我至今未碰上一个。大哥敢扬言肏遍酒国美女,就是仗着这个,他妈妈的钱!"

"大哥的魅力也很重要。"

"呸!"他说,"去你妈的蛋!毛主席说:'人贵有自知之明',你少跟我来这一套。滚吧。"

他从抽屉里抽出一条"万宝路",对着我掷来,我接了烟,道谢不迭着,滚回葡萄厅,与朋友们女士们先生们坐在一起。

几位小侏儒倒茶斟酒,传盘递碗,脚下像装着轮子一样,围着我们团团旋转。茶是乌龙,酒是茅台,虽无地方色彩,却是国宴水平。先是十二个冷盘上来,拼成一朵莲花:驴肚、驴肝、驴心、驴肠、驴肺、驴舌、驴唇……全是驴身上的零件。朋友们,浅尝辄止,留点肚皮,根据我的经验,精彩节目还在后头。朋友们,注意,热菜上来了,那位姐们,小心别烫着!一位小侏儒。着红衣点红唇腮上涂着红胭脂,穿红鞋戴红帽,从脚红到头,犹如一根红蜡烛。她高举着一盆热气腾腾的大菜,滚动到餐桌边,小嘴一张,吐字如吐珍珠:红烧驴耳,请欣赏!

"清蒸驴脑,请品尝!"

"珍珠驴目,请品尝!"

驴目黑白分明,汪在一只大平盘中。朋友们,动筷子,不要怕,尽管它活龙活现,毕竟也是盘中餐。两只驴眼十个人,如何吃才能公平?小姐,请指点。蜡烛小姐微微一笑,捏起一柄钢叉,轻轻两点,便把那乌珠点破。满盘流动着颤颤巍巍的液体。同志们抄勺子。一勺一勺舀了吃,此菜看着险恶,吃着鲜美。我知道一尺酒店还有一道拿手好菜,名曰"乌龙戏珠",这道菜的主要原料是一根驴屌配上两只驴眼。今日大厨竟把这驴眼烹成了"珍珠驴目",看来那"乌龙戏珠"是戏不成了。也许今日我们吃了一匹母驴?

弟兄们,千万不要客气,松开腰带,放开肚皮,往死里吃。自己人聚会,我不劝酒,能喝的多喝,不要担心账单,今天我"出血"。

"酒煮驴肋,请品尝。"

"盐水驴舌,请品尝。"

"红烧驴筋,请品尝。"

"梨藕驴喉,请品尝。"

"金鞭驴尾,请品尝。"

"走油驴肠,请品尝。"

"参煨驴蹄,请品尝。"

"五味驴肝,请品尝。"

······

驴菜滚滚,涌上桌来,吃得我们肚皮如鼓,饱嗝不断,大家的脸上,都蒙了一层驴油,透过驴油,显出了疲倦之色,仿佛刚从磨道里牵出来的驴子。同志们辛苦了。我趁个空子,抓住一位小姐,问道:"还有多少道菜?"

小姐道:

"还有二十几道吧,我也不太清楚,反正他们做出来,我就端上来。"

我指指桌上的朋友,说:

"他们都吃得差不多了,能不能少上几道?"

小姐面有难色道:"你们定了一匹全驴,这才吃了多少?"

"我们确实吃不下了。"我哀求道,"好小姐,求您给厨房里通融通融,拣最有特色的上几道,其余的我们就不吃了。"

小姐说:"你们真不中用。好吧,我给您去求求情。"

小姐求情成功,最后一道菜上来:

"龙凤呈祥,请欣赏! 请品尝!"

小姐让我们先欣赏,再品尝。

那位酸溜溜、傻乎乎的女士问服务员小姐:

"这'龙凤呈祥'所用原料是驴的什么器官?"

服务小姐大大方方地回答:"是驴的性器官。"

女士脸皮红了红,但还是按捺不住好奇心,又问:"我们只吃了一匹驴,怎么会……"她对着盘中的"龙"和"凤"努努嘴。

服务小姐说:

"你们少吃了十几道菜,大厨不过意,又给你们添了一套母驴的性器官,配成了这道大菜。"

吃吧,先生们,女士们,亲爱的朋友们,不要客气,这是驴身上的两件珍宝,模样不好看,味道极鲜美,不吃白不吃,吃了也白吃,吃呀吃呀,吃,吃,吃"龙凤呈祥"。

正在大家举箸犹豫之时,我的老朋友余一尺踱进厅来。我慌忙

起立,给你们介绍:

"这就是大名赫赫的余一尺先生,一尺酒店经理,市政协常委、市作家企业家联谊会常务理事、省级劳模、候选全国劳模,今天这盛宴,是他老人家的东道。"

他笑容满面,转着圈与每个人握手,握手的同时塞给每个人一张香气扑鼻印满了密密麻麻中外文字的名片。我看出来了,大家对他满怀好感。

他瞥了一眼"龙凤呈祥",说:

"连这都上了,你们这辈子也算吃过驴了。"

一片感谢声绕着桌子,弟兄们,姐妹们,你们脸上都挂着谄媚的笑容。

"不要谢我,谢他吧。"他指着我说,"'龙凤呈祥'轻易不做,这是道缺德菜,去年有几位著名人士点名要吃这道菜都没吃成,他们不够级别,所以我可以说:诸位好口福!"

他敬了我们每人三杯黑珍珠(酒国市产著名的养胃消食酒)。此酒性格暴躁,如同绞肉机器,喝得大家腹中隆隆直响。

"腹中有动静不必害怕,这是酒博士。"余一尺指着我说,"吃呀吃呀,快,动手,吃'龙凤呈祥'凉了滋味不佳。"他夹起龙头,放到那位对驴的生殖器官极感兴趣的女士的碟子里。那女士也不客气,大口咀嚼龙头。众人一齐下筷,犹如风卷残云,把"龙凤呈祥"消灭得干干净净。

他邪剌剌地笑着说:

"今夜无法安眠!"

你们理解他的意思吗?

朋友们,女士们,先生们,这篇小说写到此处,基本上就算结束了,但我与诸位友谊深厚,总想多跟你们胡扯几句。

那天,我们一行人吃完了驴宴,跌跌撞撞走出"一尺酒店",才发现夜已三更,满天星斗,遍地凉露,驴街上泛着湿漉漉的青光,几只醉猫在人家的房顶上争风吃醋,闹得一片瓦响。凉露似霜,逼得街道两侧的树木纷纷落叶。朋友中有喝得半醉者,便高唱革命歌曲,东一句西一句,驴唇马嘴,南腔北调,声音比屋上的猫叫好听不了多少。其他丑态,不愿一一列举。正闹着呢,就听得一行清脆蹄音,从街东头传过来。顷刻,一匹蹄如盅、目如灯的小黑驴,好像一支黑箭,射到我们面前。我吃了一惊,众人也好像吃了一惊,因为唱歌的闭住了嘴巴,呕吐的也闭住了嘴巴,大家都睁大醉眼,看着那奔驰的小黑驴儿。看着它从街东头奔驰到街西头,又从街西头奔驰到街东头,如此者三后,它静静地站在驴街当中,通体黑又亮,不出半点声息,宛若一匹雕塑。我们肢体僵硬,定在各自的位置上,期待着现实证实传说。果然,一阵瓦响流过来,一个黑影飞下来,恰好落在驴背上。那确实是个少年,身背一个大包袱,裸露的皮肤上,闪烁着一层类似鱼鳞的东西,嘴里叼着一柄寒光闪闪的柳叶小刀。

五

莫言老师:

您好!

不知道如何才能表达我此时此刻的心情,敬爱的、我最敬爱的老师啊,您的来信如同一瓶美酒,如同一声春雷,如同一针吗啡,如同一颗大烟泡,如同一个漂亮妞……给我带来了生命的春天,身体的健康和精神的愉快!我不是虚伪的谦谦君子,我知道并且敢于公开宣称我的才华横溢,但一直藏在深闺无人识像杨玉环一样,一直委屈在村里拉车像千里马一样,现在,终于,李隆基和伯乐手拉手出现了!我的才华得到了您和号称"中国九大名编"之一的周宝先生的承认,我真是"漫卷诗书喜若狂",何以庆祝?唯有杜康!我从酒柜里摸出一瓶正宗杜康,用牙齿咬掉塞子,叼住瓶口,昂首向天,咕咕嘟嘟,一口气喝罄,欣欣然,熏熏然,飘飘然,驱逐笔走龙蛇,灵感如潮,孔雀开屏,百花齐放,给我敬爱的老师写信。

老师,您从百忙之中抽出时间,那么认真地看了我的拙作《驴街》,真令学生我感激涕零也就是鼻涕一把泪一把。现在,请老师允许我逐一回答老师信中提出的问题。

(1) 在我的小说中出现的那位大闹肉孩国的红衣小妖精在酒国确有其人其事。我们这里的一些混官实在是腐败透顶,竟敢冒世界之大不韪,杀食男婴。这故事是我的老岳母(原烹饪学院副教授、特食研究中心主任)告诉我的。她说在我们酒国市郊有专门生产肉孩的村庄,村里人把此事当作一般平常事看待,他们卖出肉孩,就像卖出育肥的小猪一样,并无惊天动地的悲痛。我想我岳母不会骗我,你想她骗我一不得名二不得利,她骗我干什么?所以她绝不会骗我。我知道此事关系重大,写出来可能招惹麻烦,但老师您曾教导过我,说作家要敢于直面人生,舍得一身剐,敢把皇帝拉下马。所以,我便奋不顾身地写了出来。当然,我也知道文学作品"要源于生活高于生活",要塑造"典型环境中的典型人物",因此,我在作品中也添了油加了醋撒了味精,使红衣小妖精的形象更加鲜明起来。鱼鳞小子是我们酒国市的一位神出鬼没的少侠,专干锄奸除恶、偷富济贫的好事。驴街上那些泼皮无赖都受过他的恩泽,敬之如天神爷爷。我至今无缘睹见他的庄严法相,我没见过他并不能证明他是一个虚无,驴街上许多人都见过他,酒国人都知道他,晚上他在哪里干了什么,白天满城皆知。干部们提起他咬牙切齿,老百姓提起他眉飞色舞,公安局长提起他腿肚子抽筋。老师,我们这个少侠的存在是社会发展的必然,他的侠义行为,实际上起到了安定民心、宣泄民愤,促进安定团结的作用。他的存在是对不健全的、阿贵的法律的补充。你想,酒国市的干部腐败到如此程度,老百姓竟然没有扯旗造反,原因何在?因为有了鱼鳞少年!大家都在暗中看着、等待着鱼鳞少年对那些贪官污吏实行惩罚。受到了鱼鳞少年的惩罚就等于受到了正义的惩罚,就等于受到了人民的惩罚。鱼鳞少年实际上成了正义的化身,成了人民意志的执行者,成了一个维持社会治安的减压阀。在我们酒国,如果没有鱼鳞少年,非出大乱子不可。鱼鳞少年无法制止干部的腐化行为,但鱼鳞少年却平抑了百姓的怒火。其实,鱼鳞少年帮了酒国市政府的大忙,我们的一些糊涂官竟下令让公安局捉他。

鱼鳞少年和红衣小妖精是不是一个人呢?老师,恕学生狂妄,我觉得您这个问题提得十分幼稚,他们是不是一个人与您有什么关系?是又怎么样?不是又怎么样?文学作品的基本原则就是无中生有、胡编乱造,何况我还不是完全的无中生有,完全的胡编乱造呢!实话对您说吧,鱼鳞少年和红衣小妖之间既有同一性又有斗争性,有时可以把他们一分为二,有时又可以把他们合二为一。一分为二,合二为一,分久必合,合久必分。天道尚如此,何况人乎?

您信中还说我把鱼鳞少年的技艺写得过于高超因而失去了真实性,这批评更令我难于接受,在科技发展一日千里的今天,人能在月球上种豆角,飞檐走壁算得了什么? 二十年前,我们村里放了一部电影芭蕾舞剧《白毛女》,白毛女用脚尖走路,我们看后不服:你能用脚尖走路,我们难道就不能了吗? 练! 一天不行两天,两天不行三天,三天不行四天五天行不行? 六天七天总可以了吧? 八天之后,我们村的少年除了那个极其愚笨的李二狗外,一大群毛孩子,都学会了用脚尖走路。从此后,我们的娘在缝鞋时加厚了鞋尖的厚度。我们是一群蠢材尚能如此,何况鱼鳞少年天生奇才,又加上心怀深仇大恨,为了复仇练技,岂能不事半功倍势如破竹乎?

老师说了半天武侠小说的长长短短,我连一部也没看过,更不知金庸、古龙是何许人也。我搞的是绝对的高尔基和鲁迅式的严肃文学,严格恪守着"革命现实主义和革命浪漫主义相结合"的不二法门,从不敢偷越雷池半步,为了取悦读者而牺牲原则的事咱宁死也不干。不过,既然连老师您这样的严肃小说家都被武侠所迷,学生我也一定去找几本看看,没准也会大获利益。瓢虫小姐的名声我仿佛在公厕里听说过,听说她喜欢写地里生长出一根血红的肉柱子这类的细节,性意识十分地强烈。她的小说我一篇也没读过,等过几天我有了空,就去找几篇拉屎时翻翻。米丘林在上帝的植物园里开过妓院,难道头上顶着作家桂冠的花大姐竟敢在社会主义的小说园里开妓院不成?

(2)老师您怕我那盘驴街名菜"龙凤呈祥"招徕苍蝇,学生斗胆认为老师您委实是太多虑了。这盘菜连北京来的大批评家大音乐家都急毛火促地往嘴里扒拉,何脏之有? 我们追求的是美,仅仅追求美,不去创造美不是真美。用美去创造美也不是真美,真正的美是化丑为美。这里有两层意思,老师您听我慢慢道来。一,一根驴屌,一扇驴屄,插在一起,往盘里一放,黑不溜秋,毛杂八七,糠巴拉唧,当然不美,也无人敢下筷子。但一尺餐厅里的高级厨师把那两件物事放在清水里泡三遍，放在血水里浴三遍，再放在碱水里煮三遍，然后剔除臊筋，拔尽臊毛，在油锅里熘一遍，砂锅里焖一遍，高压锅里蒸一遍，再以精细刀工，切出各种花纹，配上名贵佐料，点缀上鲜艳菜心，于是，公驴的变成一条乌龙，母驴的变成一只黑凤，一龙一凤，吻接尾交，弯曲盘缠在那万紫千红之中，香气扑鼻，栩栩如生，赏心悦目，这是不是化丑为美呢？二，驴屌、驴屄，这些字眼粗俗不堪，扎鼻子伤眼，也容易让意志薄弱的人想入非非。我们把前者易名为龙，把后者易名为凤，龙与凤是我们中华民族的庄严图腾，至高至圣至美之象征，其涵义千千万万可谓罄竹难书。您看，这不是又化大丑为大美了吗？

老师，我忽然觉得，这盘驴街名菜的加工制作过程与我们的文学艺术的创作过程何其相似乃尔。都是源于生活高于生活嘛！都是改造自然造福人类嘛！都是化流氓为高尚、化肉欲为艺术、化粮食为酒精、化悲痛为力量嘛！

老师，不管您用什么样的危言来筜听我，这盘菜我坚决不撤。

《欢乐》和《红蝗》我认为是老师您的两部力作，那些骂您的人因为吃胎盘和婴儿太多，热力上冲，把脑子烧昏了，他们的话，老师何必在意。我们酒国市作家协会那位领导人就是一位不可一日无胎盘的人，他每天都要喝一大碗胎盘与鸡蛋的混合汤，所以他写的文章"人味"浓重。

（3）老师，余一尺这个人高深莫测，我心里挺怵他。他要我为他写传记，并答应给我丰厚报酬，我心里很矛盾。既然老师鼓励我写，我就喝口大胆汤，壮着胆子去写吧。不过，我更希望老师能与我合作。您大名鼎鼎，给余一尺作传，肯定会把他乐得屁颠屁颠的。您不知道余一尺屁颠屁颠时那神情姿态是多么可爱，简直活脱脱是一匹在雪地里打滚撒欢的小巴儿狗！他这人腰缠万贯，出手大方，一掷千金，不会亏待您的。另外，老师也的确该到我们酒国来一趟，观观光，开开眼，我想这对您的创作将会大有裨益，就像吃了婴儿宴对健康大有裨益一样。老师您不来酒国，无论从哪个角度讲都是重大损失，单单为着品尝"龙凤呈祥"您也该来酒国一游。

（4）《驴街》开头部分，老师既然夸为"琅琅上口"，那"废话"又有何妨？现在我们出版了多少佶屈聱牙的废话，我的"琅琅上口的废话"为什么要"全部删除"呢？您这个建议我不愿也不能接受。

（5）那对侏儒姐妹的父亲本来就是高级领导人，您凭什么让我给他降低职务？再说，我即便想把他降到一个遥远的小山村里去当村长，他能干吗？他非跟我拼了老命不可。从另一个方面讲，文学艺术是虚构嘛，谁愿来对号入座就让谁来好了，与我有什么关系，难道他气得心脏爆炸还要我偿命不成？偿命就偿命，"士不畏死，何必以死惧之"，"砍头只当风吹帽"，"二十年后又是一条好汉"。

老师，请您代我问问周宝老师和李小宝老师，他们要不要好酒？另外，首届"酒国猿酒节"将于十月份在我市召开，这种酒坛盛会甭说在酒国就是在全中国也是首次。届时，天下美酒，供天下英雄开怀畅饮；人间佳肴，让莫言老师狼吞虎咽。欢迎老师携带宝眷一起来，我老岳父袁双鱼教授是首届猿酒节筹委会的技术副主任，一切方便，俱能提供。

敬祝
健康！

学生李一斗醉书

第五章

一

丁钩儿轻展猿臂，紧紧搂住女司机的腰。同时，他动作纯熟地把嘴巴堵在了她的嘴上。女司机摆动着脑袋想脱离他的嘴，他的脑袋随着她的脑袋摆动使她的挣扎劳而无功。在摆动的过程中，他把女司机厚墩墩的双唇全部吸到自己的嘴里。她呜呜噜噜地骂着：他妈的！你妈的！这些他妈的你妈的一无泄露地射到了丁钩儿的口腔里，被他的舌头、牙床和喉管之类组织吸收。根据经验，丁钩儿猜想这种挣扎很快就会结束，她很快就会面色潮红、呼吸急促、小肚子发热，像温顺的小猫一样躺在自己的怀里。女人都这样。但事实很快地证明，他犯了把一般与个别相混淆的错误。女司机并没被他嘴巴里施放出的麻醉放倒，她的挣扎反抗并不因嘴巴被钳住而减弱，反而愈来愈激烈，愈来愈疯狂。她用手抓丁钩儿的背，用脚踹丁钩儿的腿，用膝盖顶丁钩儿的肚子。她的小肚子像燃烧的火炭一样灼人，她嘴巴里的味道像烈酒一样醉人，丁钩儿兴奋异常，宁愿皮肉受苦，也不愿把嘴巴撤下来。他甚至伸出舌头，试图撬开她紧咬的牙关。丁钩儿吃亏就在这时。

他想不到她的牙齿狡猾地启开是一个阴谋，竟然迫不及待地把舌头伸到她的嘴里去。女司机把上下牙咯噔一错,侦查员发出了一声哀鸣。一阵尖利的疼痛由舌尖迅速传遍全身,丁钩儿的双臂疾速地从女司机腰际跳开。他闪到一边,感到满嘴都是腥甜味儿,一股热辣辣的液体盈满了嘴。他捂住嘴巴,心中暗暗叫苦。坏了,他悲哀地想,舌头被咬掉了。在侦查员的风流史上,这是一次惨痛的失败。他妈的,这个婊子养的!他心中暗骂着,一低头,吐出一口鲜血。天上星光灿烂,地上模模糊糊,他确凿地知道自己吐出了一口鲜血,但却看不到鲜血的颜色。他现在最关心的是舌头,用牙齿和上唇轻轻地试探着,发现舌头基本完好,只是似乎在舌尖上,有一个黄豆大的窟窿,血就是从那里涌出。

舌头没被咬掉,丁钩儿减轻了许多思想负担。这一吻付出的代价相当沉重,丁钩儿心中十分懊恼。他想教训一下她,但心中烦乱,不知如何动手。

她与他面对面站着,近在咫尺。他清晰地听到她沉重的呼吸,着衣单薄的上体感受到了她身体上散发出来的热量。她昂着头,瞪着眼,手里不知何时多出了一柄虎头扳手。借着愈来愈明亮的星光,他看清了那张因生气而显得格外生动的面孔。她的脸上有许多顽皮孩子的神情。他不由地苦笑一声,含含糊糊地说:

"好快的牙齿。"

她呼呼哧哧地喘着气,说:"我还没敢用劲咬呢!我的牙能咬断十号钢丝。"

侦查员的心情因为与她对话而骤然好转,舌上的痛苦变得麻木迟钝。他伸出手,想拍拍她的肩膀。她警惕地跳开,高举着扳手,喊道:"你敢,你敢动我就打死你。"

他缩回手,说:

"姑奶奶,我不敢动你,绝对不敢。咱俩讲和好不好?"

她放下扳手,气哼哼地命令:

"往水箱里灌水!"

夜气渐渐深重,丁钩儿感到肩背冰凉。他顺从地提起水桶往水箱里灌水,发动机散出来的热量包围着他,使他感到温暖。水流进水箱时发出咕咕嘟嘟的响声,好像一位渴极了的牛在饮水。流星划过银河,虫鸣声四起,远处传来海水冲刷滩涂的哗哗声。

坐进驾驶楼后,他看着前方酒国市区辉煌的灯火,突然感到自己孤孤单单,好像一只失群的羔羊。

坐在女司机家舒适的沙发上,丁钩儿心醉神迷。此时他身上那些散发着汗臭和酒臭的衣服已经被抛弃在阳台上,对着浩渺的夜空继续散发它们的气味,一件宽大、松软、温暖的睡袍包裹着他的肉体。他那柄小巧玲珑的手枪连同几十粒嵌在弹夹里的子弹躺在茶几上,枪身闪烁着蓝幽幽的光芒,子弹闪烁着金灿灿的光芒。他仰在沙发上,眯缝着眼睛,倾听着澡堂中哗哗的水声,想象着莲蓬头里喷出的热水从女司机肩膀上、乳房上缓缓流下的情景。舌头被咬之后发生的一切都像梦境。他爬上驾驶楼后再也没有说话,女司机也没说话。他认真地、机械地听着发动机均匀的隆隆声、车轮与地面摩擦的沙沙声。汽车风驰电掣,酒国扑面而来。红灯,绿灯。左拐,右拐。车从旁门驶入酒国酿造大学,停在煤场上。她下车他跟着下车。她走他也走,她停他也停。事情虽然荒唐,但显得非常自然,他像她的丈夫、或是关系亲密的朋友一样,堂堂正正地走进了她的家门。现在他的肠胃愉快地消化着她烹调出来的可口饭菜,坐在她的沙发上,呷着她的葡萄酒,欣赏着她布置得舒适华丽的房间,等待着她从澡堂中出来。

舌头上的伤口阵发性的刺痛偶尔唤醒他的警惕,也许这是个更大的阴谋,这个明显地生活过男人的房子里也许突然会冒出一个凶猛的男人——即使冒出两个男人,我也决不离开。他喝干了那杯爽利的葡萄酒,让自己沉浸在柔情蜜意中。

她披着一件米黄色的浴衣,趿拉着一双红色塑料坡跟拖鞋,从洗澡间走出来。这家伙走得风流佻佻,屁股一蹿又一蹿地,好像在跳舞。木板"阁阁"地响。金黄的灯光照耀着她。她的头发贴在头皮上。脑袋圆圆,如同葫芦头。葫芦头闪着光,漂浮在浴衣与灯光造成的黄色暖流中。"一手抓繁荣,一手抓扫黄!"他莫名其妙地想起了这个流行的口号。她叉着腿在他面前站着,浴衣带子系着很松的活扣。雪白的大腿上有块黑色的胎记,宛若一只警惕的眼睛。半个胸脯也很白。胸脯上那两坨肉很大。丁钩儿眯缝着眼睛,不动手,只欣赏。他只要一抬手,拉开那在脐间的浴衣带子,女司机便会襟怀坦荡。她不像个女司机。她像个贵妇人。侦查员研究过房子和房子里的摆设,知道她的丈夫不是盏省油的灯。他又点了一支烟,像一只狡猾的狐狸研究圈套上的食物一样。

女司机愠恼地说:

"光看不动,算什么共产党员!"

丁钩儿说:

"地下党对付女特务都用这种方式。"

"真的?"

"在电影里。"

"你是演员?"

"学着演。"

她轻轻地解开衣带,双臂一振,浴衣滑落在脚下。亭亭玉立!侦查员立刻想到一个形容词。

她用手托着乳房说:"怎么样?"

侦查员说:

"不错。"

"下一步该怎么办?"

"继续观察。"

她抓起侦查员的手枪,熟练地推上子弹,往后退一步,与侦查员拉开一点距离。灯光愈加柔和。她的身体上仿佛镀了一层金,当然不是全部。她的乳晕是暗红色的,她的乳头则是两点鲜红,好像两粒红枣。她缓缓地举起枪,瞄准了侦查员的头颅。

侦查员微微一震,目不转睛地盯着那闪烁着蓝色光泽的枪身和黑洞洞的枪口。他总是用枪瞄准别人的脑袋,总是用猫的态度观察着处于利爪之下的老鼠的表现。那些老鼠们面对着死亡,绝大多数都战战兢兢、屁滚尿流;只有极少数能够故作镇定,但颤抖的指尖或是抽动的嘴角却将他们内心的恐怖暴露无遗。现在,猫变成耗子,审判者变成了被审判者。他仿佛从来没见过手枪似的端详着自己的这支手枪。它的瓦蓝色光泽像陈年佳酿的淳厚气味一样迷人,它流畅的线条呈现出一种邪恶的美丽。此刻它就是上帝它就是命运它就是勾命的黑无常。她的又白又大的手紧紧地抓住带凸纹的枪柄,细长的食指压住了硬弹性扳机,使它处于一种一触即发的状态。根据自己的经验,他知道处于这种状态的枪已经不是一块冰凉的铁,而是一个生命。它有思想有感情有文化有道德,它身上潜伏着一个骚动的灵魂。它的灵魂也就是持枪人的灵魂。遐想使侦查员紧张的心情不知不觉地松弛下来,他不再去单单注意那随时都会射出子弹的枪口。枪口淹没在枪的整体之中。他甚至是悠闲地吸了一口烟。

院子里有秋风吹拂,丝质的窗帘微微摆动。洗澡间顶板上的由蒸气凝成的冷水珠儿响亮地跌在澡盆里。他看着握枪的女司机,就像在美术馆里观赏一幅油画。他很吃惊地发现,一位赤身裸体的年轻女人手持一支手枪准备射击竟然如此富有性的挑逗意味。此时的手枪已不是简单的手枪,而是一件发起性进攻的器官,一支蓬勃的性手枪。丁钩儿从来就不是一个见了女人就闭眼的侦查员,如前所述,他有一个性欲如火的情人。现在补充,他还有几次蜻蜓点水式的艳遇。如果是往常,他早就会像下山猛虎一样,把这个小母羊抱在怀里。这次令他踌躇不前的原因,一是因为来到酒国后,如同陷进迷宫里,心神恍惚,疑虑重重;二是因为舌头上的窟窿还在痛疼。面对着这只性格怪戾的妖蝴蝶,他不敢轻易动手,尤其是自己的头颅正对着黑洞洞的枪口。谁敢保证这个妖精不扣扳机呢?扣扳机比张嘴咬人要容易得多,又文明又现代又富传奇浪漫色彩。这家伙,住着这样宽敞、漂亮的房子,干着那样辛苦的工作,这么大的反差,令人费解。我吻她一下差点丢了舌头,要是……谁敢保证两腿之间那件宝贝是安全的呢?侦查员克制住自己的"资产阶级淫乱思想",鼓舞起"无产阶级的凛然正气",稳如泰山地坐着。面对着光屁股女人和黑色枪口,他坐得那样端庄,他脸上神色那样安详,的确是壮烈的英雄,人世间少有。他静观变化。

女司机面皮越来越红,乳头因激动而哆嗦,像两只小兽的尖吻。侦查员恨不得扑上去把它们咬下来,舌尖一阵剧痛,他继续坐着。

她轻轻地叹一口气,说:

"我投降。"

她把枪扔在桌上,夸张地举起双手,说:

"我投降……我投降……"

她举着双臂,又开双腿,能打开的门户全部打开了。

"你真的不想吗?"她懊恼地问侦查员,"你嫌我难看吗?"

"不,你很好看。"侦查员懒洋洋地说。

"那为什么?"她嘲讽道,"是不是被人阉了?"

"我怕你咬掉我的。"

"公螳螂都死在母螳螂身上,可公螳螂决不退缩。"

"你甭来这一套。我不是公螳螂。"

"你妈的个孬种!"女司机骂一句,转过身去,说,"你给我滚出去,我要手淫!"

侦查员飞身跃起,从后边搂住了她,一手攥住她一只乳。她仰在他怀里,歪回头,咧着嘴对他笑。他情不自禁地把嘴凑上去,嘴唇刚刚触到她的灼热的嘴唇,舌尖便暴发一阵刺痛。噢啦啦! 他惊叫一声,立刻把嘴躲开了。

"我不咬你……"她说着,转过身伸手解他的衣扣。

侦查员的衣服一件件被她剥下来。他举着手配合她,像一个单身行路人碰上了剪径的女强盗。她剥掉披在他身上的睡袍,一扬手,扔到墙角上,又剥掉他的裤衩、背心,扔到悬挂在天花板上的枝形吊灯上。他抬头望望它们,心里突然产生了把它们摘下来的愿望。这愿望十分强烈,促使他来了一个"立地拔葱",跳起三十厘米高,右手的手指尖刚触到了它们,但双脚已经落在地毯上。当他再次跳起时,女司机来了一个扫堂腿,打得他四爪朝天摆在地毯上。

没及侦查员清醒过来,女司机便纵身骑在了他的肚子上。她双手拽着他两只耳朵,屁股上蹿下跳,墩出一片脆响。丁钩儿感到五脏六腑都被震荡了。他忍不住地嚎叫起来。女司机伸手摸过一只臭袜子,塞到他的嘴里。她的动作凶狠野蛮,没有半点儿女性温柔。丁钩儿嘴里奇臭难消,心里暗暗叫苦。这哪里是做爱? 分明是杀猪。他

的意识刚想命令双手动作把这女屠户推下去,谁知她如有先见之明
的猎手一般,伸出两手,按住了他的手腕。丁钩儿此时的心情十分矛
盾,既想挣扎,又不想挣扎。想挣扎的原因如上所描述;不想挣扎的
原因是分明感觉到他的身体的下半部分正在接受一场血与火的考
验。他索性闭上眼睛:听上帝判决。

后来发生了这样的事情:正当他感到女司机浑身汗湿,像一条泥
鳅在自己肚腹上滚动时,几声冷笑从高处传来。丁钩儿一睁眼,正碰
上一缕灿烂的镁光炸开,随即便听到照相机快门噼啪一声微响,接着
又听到照相机自动倒卷的沙沙声。他猛地虎坐起来,对准女司机热
情澎湃的脸就是一拳。这一拳打个正着,只听到啪一声响,镁光连连
闪烁着,她往后缓缓而倒,双肩恰好落在了他的双足上,肚皮朝天,显
出很多隐秘。镁光闪烁,他与女司机创造的前无古人的姿态都被阴
谋家摄入了镜头。

"好吧,侦查员丁钩儿同志,现在,我们应该好好谈谈了。"金刚钻
把胶卷装进口袋里,跷着二郎腿,舒适地靠在沙发上,嘲讽地说。他
说话时故意抽动着右腮的肌肉,这动作引起丁钩儿对他的极度厌恶。

丁钩儿把懵懵懂懂的女司机从身上推开,试图站起来,但腿脚麻
木,行动失灵,竟像瘫痪了一般。

"好极了!"金刚钻抽动着腮上的肌肉说,"肩负重任的侦查员因
纵欲过度,下肢瘫痪。"

丁钩儿盯着那张保养得极好的漂亮面孔,一股怒火在胸中熊熊
燃烧,灼热的血液流遍全身,冰凉的双腿里似有千万只小虫在爬行。
他双手撑动,一努力,歪歪斜斜地站起来。阻塞的血管畅通了。他一
边行动着,一边替自己的行动解说:

"侦查员站起来了。他活动着手脚,扯过一条毛巾,擦拭着身上的冷汗,还擦拭着酒国市委宣传部副部长金刚钻的妻子或者情人分泌到他的肚皮上的黏稠液体。他一边擦拭,一边为适才的惊恐而后悔。我没有犯罪,只不过陷入了罪犯们布置好的陷阱。"

他扔掉毛巾,毛巾轻飘飘地落在金刚钻的眼前。金刚钻腮上的肌肉抽搐得十分厉害,脸皮变青。丁钩儿说:

"你的女人很有味道,只可惜跟了你这个混蛋。"

他等待着、期望着金刚钻发怒,然而,金刚钻竟朗声大笑起来。他笑得突兀古怪,竟让丁钩儿惶惶不安起来。

"你笑什么?"他说,"你以为笑就能掩盖你内心的虚弱吗?"

金刚钻止住笑,掏出一方手帕擦拭着眼泪,说:

"丁钩儿同志!究竟是谁内心虚弱?你闯入私人住宅,强奸我的老婆,证据确凿,"他拍拍衣袋里的胶卷,继续说,"身为执法人员,知法犯法,罪加一等,"他一抽嘴角,嘲弄道,"谁内心虚弱?"

丁钩儿咬着牙根说:

"是你老婆强奸了我!"

"真是千古奇闻!"金刚钻抽着腮肉说,"一个武艺高强、手持枪械的壮年男子,竟被一个手无寸铁的女人强奸了!"

侦查员把视线移到女司机身上。她仰在地板上,目光迷离,如痴如醉,鼻孔里流出两股鲜红的血。丁钩儿的心哆嗦起来,女司机灼热的腹部留给他的美好感觉不可遏止地涌上心头,使他的眼睛一阵酸辣,眼泪几乎要涌眶而出。他蹲下去,扯起狼藉在地的睡衣袖子,擦去女人鼻子和嘴巴上的鲜血。他后悔自己下手太重。手背上有两滴米黄色的水珠,大颗粒的眼泪从她的眼里噼噼啪啪地跳出来。

丁钩儿抱起女司机,放到床上,拉过一条被子盖住了她。然后,他跳起来,扯下了悬挂在吊灯上的背心短裤,穿好。又拉开门,从阳台上取回自己的衣裤,穿好。伸手拿过桌上的手枪——金刚钻抽着腮肉看着他——退掉顶门火,把枪挂在腰带上,坐下。他说:

"咱俩摊牌吧!"

金刚钻说:

"摊什么牌?"

丁钩儿说:

"你装什么糊涂?"

金说:

"我不糊涂,我痛心。"

丁说:

"你痛心什么?"

金:

"我痛心我们党的干部队伍中竟然出了你这样的败类!"

丁:

"我是败类,我勾引你的妻子,是败类,可有的人,竟然烹吃儿童!连人都不是!是野兽!"

"哈哈哈……"金刚钻抚掌大笑,笑停后说,"这真是天方夜谭,酒国市确有一道充满想象力和创造力的名菜,上级首长也吃过,你也吃过。如果我们是吃人野兽,那么,你也是吃人野兽了!"

丁钩儿冷笑道:

"如果心中无鬼,何必设置这样的美人计来赚我?"

金刚钻怒道:

"只有你们检察院的那些混蛋才会有这种邪恶的想象力!现在,我向阁下转达我们市委、市府领导的意见:欢迎高级侦查员丁钩儿来我市调查,我市愿意提供一切方便。"

丁钩儿说:

"你其实可以阻止我的调查的。"

金刚钻拍拍衣袋,说:

"其实准确地说,你们二位是勾搭成奸,你虽然行为下流,但没有触犯法律。尽管我可以让你立刻像狗一样爬回去,但个人利益服从整体利益,我不阻止你继续执行你的任务。"

金刚钻拉开酒柜,提出一瓶茅台酒,拧开盖子,倒了两大杯,恰好瓶干。他推到丁钩儿面前一杯,自己端起一杯,说:"为了你的调查胜利干杯!"说完,用自己的杯碰了碰丁钩儿那杯,一仰脖,把那半斤茅台酒一饮而尽。他举着空杯,抽着腮肉,双目炯炯,盯着丁钩儿。

丁钩儿见到他腮肉抽动,不由得怒火上冲,端起酒杯,不管死活,咕嘟嘟灌下去。

"好!"金刚钻欢呼着,"这才是个男人!"他从酒柜里抱出了一堆酒,全是名牌。他指点着这些酒说:"我与你分个高低!"他极为麻利地开瓶倒酒,酒花在杯中翻腾,酒香四溢。"谁不喝谁是婊子养的!"他抽动着腮肉,把儒雅风度丢掉,一脸酒痞神气,"敢不敢喝?"他挑战地问,腮肉抽动、仰脖干尽,"有的人宁愿落个婊子养的也不敢喝!"

"谁说我不喝?"丁钩儿端起杯,咕嘟嘟灌下。他的头盖骨上开了天窗,意识化成妖蝴蝶,如团扇般大,在灯光下旋舞,"喝……操你们的妈,喝干你们酒国……的……"他看到自己的手大如蒲团,生着密密麻麻的指头,伸向那酒瓶,酒瓶小得如一枚铁钉,如一根绣花针,又忽然放大若干倍,如铁桶,如棒槌。灯光变幻,蝴蝶翻飞。只有那抽动的腮肉看得真切。喝! 酒浆如蜂蜜般润滑。舌头和食道的感觉美妙无比,难以用言语表达。喝! 他迫不及待地把酒吸进去。他看到清明的液体顺着曲折的褐色的食道汩汩下流,感觉好极了。他的感觉沿着墙壁飞翔。

金刚钻在灯光中缓缓游动,突然又加速成流星一般。他的神采如利刃一般把满室的金黄色劈出道道缝隙,他在这些缝隙中宛转自如地游动。然后他消失了。

那只彩色蝴蝶似乎疲倦了,它的翅膀越来越沉重,仿佛被露水打湿了。终于,它落在吊灯的金属支架上,悲伤地抖动着触须,看着它的躯壳沉重地跌在地板上。

二

莫言老师:

好久没接到您的回信,心中忐忑不安。是不是因为我在上封信里得意忘形,口出狂言,惹得您不高兴呢? 如果真是这样,学生诚惶诚恐,战战兢兢,汗不敢出,罪该万死。老师您"大人不见小人的怪,宰相肚里跑轮船",千万不要和我小孩儿一般见识,无论如何,我都不愿失去老师对我的厚爱。今后,我一切听从老师就是,再也不敢强辞夺理,再也不敢胡搅蛮缠了。

如果您认为那盘"龙凤呈祥"带有自由化倾向,我立刻把它从《驴街》中撤掉便是。我还可以去一尺餐厅找找余老板,让他从菜谱上抠掉这道菜。前几天,我跟他说起了您,他的眼睛一下子就亮了。他问我:是写《红高粱》那位吗? 我说是的,就是他,我的老师。他说:你这位老师是个"言行一致的真流氓",我很看重他。我说你这个家伙,怎么敢说我的老师是流氓呢？他却说：这是我对他的高度评价。在“道貌岸然的伪君子”布满世界的时代里，“言行一致的真流氓”就像金子一样珍贵。老师，对不寻常之人，不能以寻常之理论之，这位一尺先生，稀奇古怪，神鬼莫测，他的话唐突粗莽，望您不要见怪。

我跟他说了请您帮他作传记的事，他非常高兴，说：只有莫言才配给我作传。我问为什么，他回答说：我与莫言是一丘之貉。我反驳道：莫言老师是名重一时的青年作家，你一个小侏儒怎敢与他相提并论？他冷冷一笑道：说他跟我一丘之貉，是大大地抬举了他。多少人想跟我一丘之貉还捞不到呢。

老师，我希望您不要跟他一般见识，这年头，什么都是七颠八倒的，连我们酒国市那位号称“酒国第一美人”的电视台节目主持人都去找他睡觉，可见他很有能耐。他有钱没名，你有名没钱，正好互补一下。老师不必假清高，正好跟他做笔交易。他说只要您给他作传记，他绝不会亏待您。老师，学生劝您把活儿揽下来，先赚它几万元人民币，改变一下贫穷落后面貌再说。何况，余一尺不同凡响，您对他又很感兴趣。一个身高尺余的丑八怪，竟发誓要“肏遍酒国美女”并且也真是差不多肏遍了，这里边的玄奥趣味无穷而且发人深省，以老师您的汪洋恣肆的天才笔法，《余一尺传》肯定能成为不朽著作。余一尺说，只要您乐意为他作传，请到酒国来，他愿意提供一切方便，高级饭店任您住，琼浆玉液任您喝，美味佳肴随您吃，名烟任抽，名茶任啜，他甚至还鬼鬼祟祟地对我说：他如有别的方面的爱好咱也尽量满足。老师，您如果嫌采访辛苦，学生我愿意代劳。这样的好事打着灯笼也难找，请老师莫要再犹豫了。

老师，为进一步调动您的积极性，让您感到余一尺是个具有典型意义的好坯子，我特意写了一部题名《一尺英豪》的纪实小说，供老师批判。老师如果决意来酒国为他作传,此小说就不必往外推荐了,学生受您大恩,无以为报,此文就算我献给您的一个小小礼物吧。

　　敬祝
笔健!

学生:李一斗

三

一斗兄:

　　来信及"纪实小说"《一尺英豪》收到。

　　你上次的信坦率得很,我很欣赏,所以你不必多虑。回信晚了些,因为我去了一趟外地。你的几篇小说还没有消息,望耐心等待。

　　"龙凤呈祥"不过是一道菜,并没有阶级属性,更不存在"自由化"问题。所以既不必从《驴街》中撤掉,更不必从一尺餐厅的菜谱上抠掉,有朝一日我去了酒国,还想去品尝这道盖世佳肴呢,抠掉了怎么得了! 另外,这些东西既然有那么高的食用价值,不吃掉多么可惜多么愚蠢,而既然要吃,大概没有比"龙凤呈祥"更文明的吃法了。即使你想从菜谱上抠掉它,余老板也不会同意。

　　余一尺这个人物,越来越让我感兴趣。为他作传,我原则上同意。关于报酬,由他随意就是。他多给,我多要;他少给,我少要;他不给,我不要。吸引我为他作传的,并不是金钱,而是他的传奇般经历。我隐隐约约地感觉到，这个余一尺，是你们酒国市的灵魂，在他身上，体现了一种时代的精神。他一半是个天使，一半是个魔鬼，揭示出这个人物的精神世界，也许是我对文学的一大贡献。你可转告一尺先生，让他知道我对他的先入为主的评价。

大作《一尺英豪》，实在不敢恭维。你说这是一篇纪实小说，我觉得这是一堆杂碎，像一尺酒店的驴杂碎一样。这里边有你写给我的信，有《酒国奇事录》，有余一尺的胡言乱语。太天马行空了，太漫无节制了。几年前人们就批评我的不节制，但与你的不节制比较起来，我太节制了。现在是一个严守规范的时代，写小说也是如此，所以我想此稿就不往《国民文学》送了——送也是白送——暂留我处，等我去酒国时还你。文章中的材料，我会参考的，谢谢你的美意。

另外，《酒国奇事录》你那里有吗？如有，请速寄我看看，如怕丢失，你可复印一份给我，复印费我会寄给你。

即颂

时绥！

莫　言

四

一尺英豪

酒博士,你坐下,咱俩拉拉知心话。他蹲在那把能够载着他团团旋转的皮椅子上,亲切而油滑地对我说。他脸上的神情和说话的腔调犹如天上的云霞,璀璨奇谲,变幻多端。他像个妖精,像个武侠小说中所描述的那种旁门左道中的高级邪恶大侠一样,令我望之生畏。我紧张着屁股坐在与他对着面的那张豪华的沙发上。他嘲弄地说,你这小子,什么时候跟莫言那个臭小子臭味相投拜了兄弟?我像只哺雏的金丝燕妈妈一样呢呢喃喃地不是哺雏是辩解道:他是我的老师,我跟他是文字之交,至今未能谋面,真是遗憾至极。他哼哼哼地奸笑一会,道:那姓莫的小子其实不姓莫,他本姓管,自吹是管仲的七十八代孙,其实是狗屁不沾边。他现在成了什么作家,牛皮哄哄,自以为了不起,其实呀,他那点老底儿,我全知道。我惊讶地问道:你怎么能知道俺老师的老底儿?他说,要想人不知,除非己莫为。那小子从小就不是个好东西。六岁时他点了一把火烧了生产队里的仓库。九岁时迷上了一位姓孟的女教师,一天到晚围着人家的屁股转,十分讨人厌。十一岁时去偷西红柿吃被人逮住挨了一顿好打。十三岁时偷萝卜被捉住当着二百多民工的面向毛主席的宝像请罪,这小子记性不错,背书一样,把人逗得乐哈哈,回家被他爹臭揍一顿,腚都打肿了——不许你侮辱我尊敬的老师——我大声抗议——侮辱?这都是他自己在文章里写着的呀!他奸邪地笑着说,让这个坏东西为我作传，真是再合适也没有了，只有他这种邪恶的天才，才能理解我这种邪恶的英雄。你写封信催催他，让他快点到酒国来，老子亏待不了他。他拍着胸脯说。他拍着胸脯说完，身体发力，使那极端高级的皮椅子风车般旋转起来。我迅速地看到他的脸又迅速地看到他的后脑勺。脸、后脑勺，脸、后脑勺，脸上生动的奸诈，后脑圆溜溜赛葫芦，里边满是智慧。在团团旋转中他升高了。

我说，一尺先生，我已给莫老师写了信，但他还未回信，只怕他未必愿意为您作传。

他冷冷一笑，道：放心吧，他会愿意的。这个小子一爱女人，二嗜烟酒，三缺钱花，四喜欢搜罗妖魔鬼怪、奇闻轶事装点他的小说，他会来的。世界上只怕没有第二个人，能像我这样了解他了。

他又在团团旋转中降低，刻薄地说：酒博士，你算什么博士？你知道酒是什么？酒是一种液体。屁！酒是耶稣的血液。屁！酒是昂扬的精神。屁！酒是梦的母亲、梦是酒的女儿。这还有点沾边，他咬牙瞪眼地说，酒是国家机器的润滑剂，没有它，机器就不能正常运转！懂不懂？看你那张崎岖不平的脸我就知道你不懂。你是不是打算与莫言那个小兔崽子一起来写我的传记？好，我成全你们，我配合你们。其实，写传的高手绝对不去采访什么，采访得来的东西百分之九十都是假的，你们要去伪存真，透过假话看到真理。

告诉你吧，小子，也请你转告莫言那个小子，余一尺今年已经八十五岁，高龄了是不是？我闯荡江湖讨生活那时节，你们这俩小畜生还不知在哪个地方呢！你们也许在玉米棵子里，在白菜帮子里，在萝卜咸菜里，在黄瓜秧子里，等等。你说莫言那小子正在写《酒国》？简直是狂妄，不知天高地厚。他喝了多少酒就敢写《酒国》？老子喝的酒比他喝的水还要多！你们知道每当月明之夜，在这驴街上纵驴驰骋的鱼鳞小子是谁吗？那就是我、那就是我！不要问我从哪里来,我的家乡在那阳光灿烂的地方。怎么,你看着我不像？你怀疑我有飞檐走壁的绝妙身手？好,老子露一手,让你小子开开眼。

敬爱的莫老师,接下来发生的事令人瞠目结舌:这个貌很惊人的小侏儒的眼睛里突然精光四射,犹如两道剑芒。我眼睁睁地看到他在那皮转椅上把身体一缩,一道飘忽的黑影,轻盈盈地飞了起来。皮转椅团团旋转着,啪,到了螺丝杠的尽头。我们的朋友,本文的主人公,已经贴在天花板上了。他的四肢乃至他的全身,仿佛都生着吸盘。他像一只庞大的、令人恶心的壁虎,在天花板上轻松愉快地爬行着。他的瓮瓮的声音从高处传下来:小子,看到了吧？这没有什么了不起的。我的师傅能在天花板上贴一天一夜,而且纹丝不动。说罢,他从天花板上落下来,轻飘飘的,宛若一片黑色的落叶。

现在,他蹲在椅子上,得意地问我:怎么样？相信我的本事了吧？

他的贴壁绝技惊得我遍体汗津,恍惚如在梦境中,想不到那英雄的骑驴少年竟是这小侏儒。我的心里疙疙瘩瘩的,偶像被打破,满肚皮充满失望的气体。老师,如果你还记得我在《驴街》中对那鱼鳞少年的描写:那皎皎月色、那黑色神奇小驴、那一片的瓦响、那少年口叼柳叶小刀的英姿……您同样会感到失望。

他说:你不相信、也不愿意那鱼鳞少年就是我——我看出来了——但这是客观存在。你要问我这身功夫是从哪里学来的,这我不能告诉你。其实,人只要把自己的性命看得比鸿毛还轻,就没有学不会的事情。

他点上一支烟,也不真抽。他把烟一圈圈吐出来,然后再吐一根烟的柱把那些烟的圈穿起来。烟柱套着烟圈,在空中久久不散。他的手脚一分钟也不肯停闲,像一只蹲在猴山上的小公猴。他旋转着说:小子,我给你和莫言讲个关于酒的故事,这可不是胡编乱造——胡编乱造是你们的事。

他说:

从前,咱这驴街上有一家酒店,雇了一个又干又瘦、年约十二岁左右的小伙计。这小伙计细长的脖子上挑着一颗大头,两只大眼睛黑洞洞的,一眼看不见底。小伙计很勤快,打水、扫地、抹桌子,样样都干,干得挺好,掌柜的很满意。可紧接着怪事儿就来了:自打这小伙计进店之后,酒缸里的酒就卖不出个数来了。几个大伙计和掌柜的都挺纳闷。有一天,店里拉来十几篓酒,把几口大缸都灌得满满的。夜里,掌柜的埋伏在酒缸旁看动静。前半夜过去了,一切正常。到了后半夜,掌柜的又疲又倦,正要去睡的时候,听到了一阵细微的声响,好像一只猫儿在走路。掌柜的竖起耳朵,打起精神,准备看个究竟。一个黑影子过来了。掌柜的在暗夜里呆久了,眼睛习惯了,所以,看到了那黑影子是店里的小伙计。他那两只眼睛绿幽幽的,像猫眼一样。那小伙计揭开酒缸的盖子,兴奋地呼呼喘气,随即把嘴扎到缸里,滋滋地吸起来。缸里明晃晃的酒眼见着落下去。掌柜的暗暗吃惊,沉住气,不惊动他。小伙计把几只大缸里的酒都喝了一遍,蹑手蹑脚地走了。掌柜的心里明白,一声没吭,回去歇了。第二天清晨,掌柜的看到,那几口大缸里都下去了一尺酒。如此海量,世所罕见。掌柜的是个饱学之士,知道这个小伙计腹中有一宝物,名曰"酒蛾"。如能搞一只来放在酒缸里,这缸里的酒永远干不了,而且酒的质量也将大大提高。掌柜的让人把小伙计捆起来,放在酒缸边,饭不给他吃,水不给他喝,只是让人不停地搅动酒缸里的酒,搅得酒香四溢,馋得小伙计哀哭嚎叫,遍地打滚。就这样一直熬了七天。掌柜的让人松了他的绑。他扑到酒缸边,低头张嘴就想痛饮,只听得"扑通"

一声,一只红脊背、黄肚皮、小蛤蟆形状的东西掉到酒缸里去了。

你知道那小伙计是谁吗?余一尺阴沉沉地问我。我看着他满脸的痛苦表情,迟疑地问:那小伙计,是你?

他妈的,不是我是谁?就是我!要不是掌柜的把我腹中的宝贝偷走,我这辈子很有可能成酒仙。

你现在也不错了。我安慰他,你有钱、有势,该吃的吃了,该喝的喝了,该玩的也玩了,神仙也没有你逍遥。

屁!他把我的宝贝偷走后,我的酒量从此就完了蛋,要不,哪里轮得上金刚钻这小子横行霸道。

金副部长肚里大概也有只酒蛾,我说,他也是千杯不醉的主儿。

屁,他哪有酒蛾?他肚子里有一堆酒蛔虫。酒蛾在腹,可成酒仙;酒蛔虫在腹,顶多是个酒鬼。

你再把那酒蛾吞到腹中不就行了?

你不知道,嗨,那酒蛾在我腹中渴急了,一入酒缸,竟给活活呛死了。说着,他的眼圈儿都红了。

一尺大哥、你告诉我那人是谁,我去把他的酒店给砸了吧。

余一尺哈哈大笑起来,他笑罢道:懵懂小子,你还真信了?这都是我编来骗你的。世界上哪里有什么"酒蛾"呢?这是我在酒店当伙计时,听掌柜的讲过的故事。开酒店的人,都盼着酒缸里的酒永不枯竭,这是梦想。我在酒店里当了几年小伙计,因为个子太矮,干不了重活,掌柜的嫌我饭量大,还嫌我眼珠子太黑,就把我给撵了出来。后来我就四处流浪,有时讨口吃,有时帮人干点小活挣口吃。

你吃过了苦中苦,今日才变成人上人。

屁屁屁……他喷出了一串"屁"之后,恶狠狠地说:你这些话都是套话,糊弄老百姓可以,糊弄我不行。世界上吃苦受罪的人成千上万,但最终能成为人上人者犹如凤毛麟角。这要靠运气,看骨头,生着一身叫花子的骨头,只能做一辈子叫花子。算了,不跟你说这些,对你说这些犹如对牛弹琴,你学问太小,理解不了。你除了懂一点酿酒的皮毛知识外,别的什么都不懂。就像莫言一样,除了懂得一点小说的皮毛什么都不懂。你们师徒二人,是一对狗屁不通的混账王八羔子。我请你们两个为我作传,看重的是你们俩都有一肚子乌七八糟的坏念头。小子,洗耳恭听,老祖宗再给你讲个故事。

他说:

从前,有一个饱读诗书的小男孩,在街头上,观看两个杂技艺人的演出。那杂技艺人中,有一位奇俊的大闺女,年纪在二十岁左右。另一位是个又聋又哑的老头儿,看情形是那闺女的爹爹。所有的节目都是那闺女一人来表演,聋哑老头呆呆地蹲在一旁,看着道具行头什么的。其实看不看都无所谓,老头纯属多余。但没有了老头整个杂耍班子立刻就不完整了,所以,老头是必不可少的,他是那美貌女郎的陪衬人。

她先玩了一些诸如变鸡蛋、变鸽子、大搬运、小搬运之类的把戏儿。看客渐渐多了,围成了一个密不透风的圆圈。她抖抖精神,说:各位看官,奴家的衣食父母,下面表演种桃。种桃之前,让我们共同学习语录:我们的文学艺术,是为工农兵服务的。她从地上捡起一个桃核,埋在浮土中,喷上一口水,说:出!果然就有鲜红的桃树芽儿从浮土中钻出来,眼见着长,一会儿就成了树。接着就开花、结果。桃子熟了,一个个青白色,努着红红的嘴儿。女郎摘了桃,分给众人吃,无人敢吃。唯有那小男孩接过桃子,大口小口地吃了。问味道如何,他说好极了。女郎再次邀请众人吃桃,众人大眼瞪着小眼,还是不敢吃。女郎叹一口气,一挥手,桃树和桃子都没有了,只有一地浮土。

玩艺耍完,女郎和老头收拾摊子要走,小男孩恋恋不舍地看着她。她会意地笑了笑,唇红齿白,面若桃花,端的是勾魂摄魄。她说:小兄弟,只有你敢吃我的桃子,可见咱俩缘分不浅呐。这样吧,我给你留个地址,什么时候想我了,就按着这个地址去找我。

女郎摸出一支圆珠笔,找了一方白纸,唰唰唰,写了几行字,递给小男孩。小男孩如获珍宝,把那张纸收藏了。女郎和老头子起行了,小男孩痴痴迷迷地跟着走。不知送出几多里路,女郎驻足道:兄弟,回去吧,咱们后会有期。男孩憋了两眼泪,哗哗地流出来。女郎掏出一块红绸手帕,给男孩擦干泪。突然她说:小兄弟,你爹娘找你来了!

小男孩一回头,果然看到爹娘跌跌撞撞地追上来,且挥手张嘴,似乎在呼唤,小男孩什么声音也听不到。一回头,那女郎与聋老头已经无影无踪。再回头,爹娘也无影无踪。他仆倒在地,呜呜地哭起来,哭了半天,累了,便坐在地上发呆。发够了呆,又仰面朝天躺在地上,看着头上的海蓝色天空,和一片片懒洋洋的白云。

回到家里后,这男孩便得了相思病,不吃饭,不说话,每天只喝一杯水,慢慢瘦脱了形,只剩下一张黄皮包着一副骨头架子。他睁着眼看不到东西,一闭眼就感到那美貌女郎站在自己身边,口吐香麝,眉目传情,他高叫着:好姐姐,想死我了!运动身体扑上去,睁眼却是虚空。男孩眼见着就不中用了。爹娘十分着急,把舅舅请来想办法。舅舅是个饱学之士,目光锐利,胸有城府,远见卓识,处事果断。一看男孩模样,就知道他得病的根由。舅舅叹一口气,说:姐姐,姐夫,外甥这病,药石不能奏效,这样拖下去,白白送了一条性命,倒不如"死马当成活马医",索性放他出去,找到了,也许成就一段良缘,找不到,也让他死了这份心。爹娘流了一些眼泪,万般无奈,只好依从了舅舅的建议。

三个人一起来到男孩床前。舅舅说：孩子，我跟你爹娘说妥了，让你去找那个女人。

男孩从床上一跃而起，对着舅舅叩起头来。也许是因为激动，那张黄蜡蜡的脸皮上，竟然浮起了一片红润。

爹娘说：孩子，你人小心大，我们低估了你。现在，我们接受你舅舅的建议，放你去找那个魅人的女妖精，让家中的老仆王宝陪着你，找到更好，找不到就早早地回转，省了爹娘牵肠挂肚。爹和娘在家给你寻个大户人家的俊俏闺女，这个世界上，两条腿的蛤蟆难找，两条腿的女人遍地都是，你不要非在一棵树上吊死不可。

男孩坚决反对爹娘的建议，说九天仙女也不要，只要那位会耍魔术的姑娘。

男孩的爹根据自己的亲身经验开导儿子：儿呀，你是被那女妖精迷了心窍。其实，包子有肉不在褶上，女人好坏不在脸上，什么俊，什么丑，一闭眼都一样。

男孩自然是执迷不悟，这一个情字好生了得！爹娘如何拉得转？无奈何，只得喂饱了毛驴，备了够吃半月的口粮，千叮咛万嘱咐了老仆王宝，然后，哭哭啼啼，牵牵扯扯，磨磨蹭蹭，送男孩出村，上路。

男孩骑在驴上，晃晃悠悠，如同腾云驾雾，心想不久即可与女郎相见，竟然得意忘形，在驴背上手舞足蹈起来，旁人看在眼里，只道是这孩子痴了。

走了不知多少天，所带干粮早已吃光，身上盘缠业已花尽，那西风山杏花洞无人知道在何方。老仆劝回，他哪里肯听？执意西行。王宝偷偷开溜，讨着饭回了家乡。毛驴也死了。男孩独自一人前行，日暮途穷，坐在一块大石上啼哭，但思念女郎之心无一丝一毫减弱。忽听一声巨响，石落地陷，男孩随之下落，睁眼一看，已在那女郎的温柔怀抱之中。他幸福地昏了过去……

这个男孩就是我！余一尺狡猾地笑着说，我在杂耍班子里待过，我练过吞剑、走索、吐火……杂耍艺人的生活讲究很多，神奇而浪漫，为我作传，此节应用浓笔重彩涂抹。

莫老师，这余一尺是个想象力丰富的怪杰，他适才讲述的故事，我总感到耳熟，似乎在《聊斋》《搜神》之类书籍中见过。不久前翻阅《酒国奇事录》，发现了如下的文字，抄录，供您参考：

民国初年，酒香村来一杂技艺人，女，容貌姣好，恍若月宫仙子。村民围观。中有余氏少年，名一尺，小字巴狗儿。此子系村中大户余氏夫妇四十岁时所得，视若掌上明珠。是时此子年方十三，天资聪颖，美若冠玉。见女对己莞尔，不觉心驰神荡。女始玩呼风唤雨，又演喷云吐雾，观者喝彩不迭。后又出一盈指小瓶，举而示众曰：此瓶中系神仙洞府，谁敢伴我进瓶一游？众环顾，目光交错，皆以为狼亢身躯，盈指小瓶，何能两人携手共进？是为妖言惑众也。一尺为女姿色所迷，踊跃出列，曰：某愿随卿进瓶。观者皆笑其痴。女曰：君骨格清奇，体有异香，卓然于凡夫俗子之群，与君入瓶，可谓三生有缘矣。女遂举指做兰花状，缕缕轻烟，自指尖蓬勃涌起，观者俱如流波月影，破碎摇曳，难以定形。一尺觉手腕被女捉住，指若绵，肤若绸，柔若无骨。女附耳曰：君随我来，嘤嘤燕语，口脂香麝。女将瓶望空抛出，但见霞光万道，瑞气千条，瓶口旋转扩大，顷刻高有丈余，俨然一月亮门户。一尺随女姗姗而入。鲜花镶径，绿杨成阴，珍禽异兽，嬉戏其间。余如醉如痴，春心如炽，反捉女手，牵拉入怀，欲行于飞之乐。女嗤嗤一笑，曰：君不畏村老耻笑乎？举手一指，即见众人在瓶外举颈探视。余心中惊骇，中间一点，顿时萎靡。心中终不舍，意急喉窘，难以成语。女曰：君情深意切，妾心感动，如不嫌妾出身微贱，容貌丑陋，请于明年今日,来西风山杏花洞相会,是时妾将扫榻以待郎君。余心潮翻卷,舌墙唇垣。女一举手,复见丽日晴空,盈指小瓶,置于掌上。余犹闻衣襟沾染奇异花香。

初,女捉余手腕,观者即见其身体渐缩,女身亦缩,竟如两只蚊蚋,游飞入瓶。瓶则浮于半空中,团团旋转,宛若宝器。观者无不骇绝。

女取一葫芦籽埋于浮土,口唾香津,曰:出!即见芽出成蔓,叶叶相迭,顷刻即有数丈。那枝蔓犹自上升,盘旋弯曲,犹如青烟。女肩挑行囊,踏叶上行,至丈高时,对余莞尔曰:郎君勿负前约。言毕,飞身上升,绿叶翻动,顷刻不见踪影。一架葫芦藤蔓,萎靡于尘埃。良久,众人无言而散。

余归,思女芳容月貌,饮食俱废,昼夜僵卧床上,口出谵语,见鬼见魅。父母惊惶,多方延医,但病如泰山,药如轻云,余形销神脱,奄奄待毙。父母相对垂泪,无计可施。忽闻门外马铃叮咚,呼曰:母舅来矣!言甫毕,一雄壮男子,排闼而入。抱拳长揖,曰:姐夫姐姐别来无恙!母视其高鼻阔嘴,黄须蓝眼,大异于国人,惶惶不能语。男大步至余榻前,曰:甥所患刻骨相思之症,药石焉能奏效?昏聩二老,直欲断送吾甥性命也!余病日久,闭目敛息,形同死人,早不能应人呼唤。客俯身延颈,察颜观色,叹曰:鲜嫩灵肉,憔悴至此,吾甥不喜也。遂出红丸三枚,置余口中。俄顷,余面上红色洇漶,气息粗重。客拍掌三响,呼曰:痴儿,去年之约期近,吾甥企盼日久,汝尚不思蹀程赴约乎?余双目睁开,光华熠熠,自榻上一跃而起,以手加额,曰:若非阿舅援手,几误阿姐大事。客曰:速行,速行。言毕,昂首而出。余不顾衣衫肮脏,跣足蓬发,逐客而去。父母涕泣呼唤,终究不顾。

客勒马伫立道旁,候余至,猿臂轻舒,将余提携上马,如提鸡雏。

遂加鞭，马长嘶腾起，去如疾风。余坐马上，双手紧捉马鬃，耳边但闻风响。忽闻客曰：吾甥开目。余睁眼，见身处荒凉戈壁，四顾枯草萋萋，乱石密布，渺无人烟。客不语，拍马疾去，宛若黄烟，俄顷踪影消逝。

余独坐哭泣，忽觉身下石陷，耳边劈雷声响，眼前金光万道，大骇，昏厥。忽觉有纤手抚摸面颊，馨香扑鼻，开目即见女郎，大喜过望，涕泪交流。女曰：妾候郎君久矣。（此处删去五百字）携手漫步，见园中奇木异花众多。有一株大木，叶如蒲扇，枝叶间结子无数，皆鲜活男童形状。午膳，盘中一金黄男婴，栩栩如生，生骇绝，不敢下箸。女曰：郎君五尺男儿，何懦弱至此？女举箸猛击男童鸡头，砉然而碎。女挟一童臂食之，啮咬之态如虎狼。余心中益惊。女冷笑曰：此童非童，童形之果尔，郎君忸怩作态，妾不喜也。余勉从之，挟食一耳，入口即化，甘美无比。遂放胆大食，狼吞虎咽，女掩口胡芦而笑，曰：不知味怯如羊，知味狠如狼！余急食不顾回言，满腮油污，状甚滑稽。女又进蓝酒一坛，香醇无匹。女言此酒系山中猿猴采集百果酿成，世间难求……

莫老师，我想你已经看够了，我也抄够了。应该提请您注意的是：这篇不伦不类的文章里，提到了吃男婴，饮猿酒，这两件事，现在也正是酒国市的重大事件，或者是解开酒国之谜的两把钥匙。《酒国奇事录》作者不详，从前我也没听说过这本书。此书近年来在民间以手抄本的形式流传，据说市委宣传部已发文收缴。所以，我猜测，此书的作者是一个现代人，还生龙活虎地活着，在酒国市。文中的主人公竟然也叫余一尺！所以，我怀疑这本《酒国奇事录》的作者就是他。

余先生，您把我彻底搞糊涂了。您一会儿是酒店的小伙计，一会儿是神出鬼没的鱼鳞少侠，一会儿是杂耍班子里的小丑，现在您又是威风凛凛的酒店经理——真真假假,变化多端,您的传记怎么写?

他朗声大笑起来。谁也想象不到从他那侏儒的鸡胸脯里,还能发出如此响亮、清脆的笑声。他敲打着电话机上的按键,使它内部的小电脑头晕目眩;他把一只景德镇出产的细瓷茶杯高抛到天花板上,让茶杯和茶水获得重力加速度抛洒跌落在富贵堂皇的羊毛地毯上。他从抽屉里抽出一摞彩色照片,扬起来,照片飘飘摇摇,犹如一群彩蝶。你认识这些女人吗?他得意地问我。我捡起那些照片,贪婪地阅读着,脸上挂上了虚伪的羞涩。一个个美女,裸体,面孔都似曾相识。他说:反面有名字。照片反面,写着她们的工作单位、年龄、姓名、与他发生性关系的时间。全是我们酒国市的。他的豪言壮语差不多实现了。

怎么样,酒博士,一个丑八怪,小侏儒,能干出这样的业绩,该不该树碑立传?让姓莫的小子快点来,晚了,我也许就要自杀了。

我,余一尺,年龄不详,身高七十五厘米。少时贫苦,流落江湖。中年发达。市个体户协会主席。省级劳模。一尺酒店总经理。与酒国市八十九名美女发生过性关系。有常人难以想象的精神状态,有超乎常人的能力。还有极其丰富的传奇经历。我的传记,是世界上的第一本奇书。你让莫言那小子快下决心,写还是不写,放个干脆屁!

第六章

一

丁钩儿感到,镶着金色边角的地狱之门,发着隆隆的巨响打开
了。他惊奇地发现,地狱并不像传说中那样黑暗无光,而是金碧辉
煌。红色的太阳和蓝色的月亮同时放射光芒。一群群身披铠甲的、
饰着艳丽条纹的、生着柔软腕足的海洋生物在他的飘摇不定的身体
周围游荡。他感到有一只尖吻的彩鱼在温柔地啄自己的痔疮,把那
些腐败的组织清除掉,像肛肠医院的医生,麻利地进行着手术。脱离
躯体良久的意识之蝶钻进脑壳,他感到头脑冰凉。沉醉良久的特别
侦查员睁开眼睛,看到女司机赤裸裸地坐在自己身边,正在用擦车的
丝棉沾着一种酸溜溜的液体擦拭身体。他发现自己也是赤身裸体。
躺在光可鉴人的柚木地板上。过去的事情缓慢地涌上心头。他想爬
起来,却爬不起来。女司机仔细地擦着双乳,神情专注,旁若无人,好
像一个准备为孩子哺育的母亲。渐渐地,晶莹的泪水盈出了她的眼
眶,汇成两条小溪,缓缓下流。一种神圣的感情从侦查员心底泛起。
他想说话,女司机扑上来,用嘴唇堵住了他的嘴。然后他又感到成群
结队的鱼儿在空中浮游,空气中充满了鱼腥。他感到自己体内蓬勃
的酒气汹涌地灌输到她的体内去。他醒了。她怪叫一声,瘫软在

地上。

侦查员摇摇晃晃爬起来，头晕目眩，手扶着墙壁才免于跌倒。他感到空前虚弱，五脏空空，只剩下一张皮。女司机周身冒着雪白的蒸气，好像一条刚出锅的蒸鱼。蒸气过后，是清亮的汗水，从她身上溢出，在地板上流淌。她昏迷在地，十分可怜。怜爱之心像毒草一样迅速滋长，但她的毒辣凶狠也令侦查员难以忘怀。丁钩儿想泄她一身小便，像野兽一样，邪恶的念头，打消。想起金刚钻，想起神圣使命，咬牙切齿，走！跟你老婆睡觉是生活作风问题，你们烹食婴儿是罪大恶极。他看看女司机，感到她是金刚钻的肉靶子。我已经穿透了肉靶子，正义的子弹继续飞行。他拉开衣柜，选择了一套藏青色毛料西装穿在身上。衣服很合身，就像量着他的身材裁成的。他想，我睡了你的女人，穿了你的衣裳，最终还要要你的命。从自己的脏衣服里找到手枪，装进兜里。拉开冰箱，吃了一根黄瓜。喝了一大口张裕葡萄酒。酒液柔滑，犹如美女肌肤。他刚要走，女司机从地上爬起来，双膝跪地，双手撑起，好像一只青蛙，好像一个婴儿。她的眼睛里流溢着可怜巴巴的神情。他突然想起儿子，父爱在心中泛滥。他走过去，弯腰摸了一下她的头。说：

"小宝贝，可怜的小宝贝。"

她伸出双臂抱住了他的腿，温柔地望着他。

他说：

"我走了，我不会放过你的丈夫。"

她说：

"带我走。我恨他，我帮你。他们吃婴儿。"

她站起来，匆匆穿好衣服，从柜子里掏出一只瓶子，瓶中装着一些焦黄的粉末。她问：

"知道这是什么?"

侦查员摇摇头。

她说:

"这是婴儿粉,大补,他们都吃。"

侦查员问:

"怎样制作?"

她说:

"市医院特别营养科制作的。"

"活着的?"

"活着,哇哇地哭哩。"

"走,去医院。"

她从厨房里拿了一把菜刀,提在手里。

他笑了,夺过菜刀,扔在桌子上。

女司机突然发出"格格"的清脆笑声,好像刚下蛋的母鸡,好像一架木轮子车在石板路上滚动。笑着,好像一只蝙蝠,她又一次扑到他的身上。她的柔软的双臂箍住了他的脖颈,同样柔软的双腿盘在了他的胯骨上。他费了很大力气,把她从身上撕扯下来。而她一次次地扑上来,像一个难以摆脱的噩梦。侦查员跳来跳去,躲避着她的进攻,像只老猴子一样。他气喘吁吁地说:

"你再敢乱扑我就毙了你!"

她怔怔地望了他一会,突然歇斯底里地大叫起来:

"你毙了我吧! 毙吧,你这个忘恩负义的东西,你毙吧!"

她撕扯着胸前的衣服,一粒紫色的有机玻璃扣子弹射出来,清脆地落在地板上,像只小动物一样,滴零零地滚动,从东滚到西,从西滚到东,不知道是什么力量如此缠绵,地球的吸引和地板的摩擦仿佛都无可奈何它。侦查员恨恨地踩了它一脚,感到它在脚底下钻动,痒痒,脚心,隔着袜子和厚厚的皮鞋底。

"你到底是个什么人? 是金刚钻指示你这样干的吧?"因为肌肤之亲而对她产生的眷恋之情从侦查员心中渐渐消失,柔软的心脏开始变硬,并逐渐呈现出钢铁的颜色,他冷冷地说,"这么说你是他们的同谋,也吃过婴儿。金刚钻指示你缠住我,破坏我的调查。"

"我是个不幸的女人……"她呜呜地哭起来,真哭,泪水很多,肩膀抽动,"我怀过五次孕,每次怀到五个月时,就被他送到医院去流产……流下来的孩子,被他吃了……"

她悲恸欲绝,晃晃,看着要立仆,侦查员忙伸手,她就势扑到他怀里,嘴巴触到他的脖子,轻轻地喋一下,紧接着狠狠地咬了一口。侦查员一声怪叫,对准她的肚子捅了一拳。打得她像青蛙一样,呱,叫一声,仰面朝天跌倒。她的牙齿锋利,丁钩儿已经领教过。他用手摸了一下脖子,沾了两手指血。她躺在那儿,睁着眼。侦查员抽身便走。她打着滚扑过来。噢噢叫着,哥呀哥,别扔了我,我亲你……侦查员灵机一动,从阳台上扯出一根尼龙绳子,将她捆在椅子上。她手抓脚踢地挣扎着,嚷着:

"负心贼负心贼! 咬死你咬死你!"

侦查员掏出一根手绢,勒住她的嘴,在脖子后打了一个死结。然后,像逃命一样,离开了女司机的家,并响亮地拉死了房门。他隐隐约约地听到椅子腿敲击地板的咯咚声,生怕这个难缠的女强盗带着椅子追出来,他飞快地跑,水泥的台阶啪啪地响着,声音震耳欲聋。他记得女司机家楼层很低,但楼梯却拐来拐去,仿佛通向地狱。在一个拐弯处,他与一个快速跑向楼梯的老女人撞了一个满怀。他感到她臃肿的肚皮像一个装满了液体的革囊,弹性几乎没有但流动感很强。随即他看到,她挥舞着又粗又短的胳膊,跌倒在楼梯上。她的脸非常大,非常白,像窖藏了半冬的大白菜。侦查员暗暗叫苦,脑子里猝然生长出一簇毒蘑菇。他跳到楼梯转折处的平坦地面上,慌忙伸手去扶那老人。她闭着眼呜叫着,声调宛转而凄凉。侦查员感到内疚。弯下腰去,双手抄着她的腰,把她拉起来,她的身体沉重,何况还滚动着,累得侦查员头上的血管随时都可能爆炸,被女司机咬破的脖子像针扎着一样痛。后来幸亏那老女人双手搂住他的脖子配合了一把,他才把她拉起来。她的黏腻的手指正抓住了他脖子上的伤口,痛出了他一身冷汗。他闻到她的嘴巴里喷出一股腐烂苹果的味道。他无法忍受这味道便松了手,老女人随即软在楼梯上,宛若一麻袋颤抖不止的绿豆凉粉,但她的手却牢牢地揪住了他的裤子。他看到她的手上沾着十几片亮晶晶的鱼鳞。两条装在塑料袋里的活鱼——一条鲫鱼一条鳝鱼——挣脱出来,鲫鱼弯曲着身体,在台阶上猖狂地跳动着,鳝鱼则黄着脸,青着眼,竖着两根钢丝一样的胡须,鬼鬼祟祟地、艰涩地爬行着。塑料袋里的水缓慢地淌下来,湿了一级台阶,又湿了两级台阶。他听到自己干涩地问:

"老大娘,你要紧吗?"

老女人说:

"我的腰断了,肠子也断了。"

听到老女人如此准确地报出了伤处,侦查员知道无穷无尽的麻烦又一次降落到自己倒霉的头颅上。甚至比那条鲫鱼还要倒霉,当然更不如那条鳝鱼处境优悠。在一瞬间,他想挣脱了老女人跑走,但他却弯下腰,说:

"老大娘,我背你去医院吧!"

老女人说:

"我的腿断了,肾脏也受了重伤。"

他感到有一股恶毒的气体在腹中膨胀。那条鲫鱼蹦到脚面上,他飞脚,鲫鱼飞起,撞在楼梯的铁栏杆上。

"你赔我的鱼哇!"

他又踩了那只游过来的鳝鱼一脚,说:

"我背你去医院!"

老女人双手搂住他的腿,说:

"休想!"

他说:

"老大娘,你腰也断了,腿也断了,肠子也断了,肾也破了,不去医院,在这儿等死吗?"

"死我也要拽着你垫底!"老女人斩钉截铁地说。说话的同时,他感到她的双手使足了力气。

侦查员绝望地叹了一口气。他看看楼梯,看看垂死的鲫鱼和鳝鱼,看看破碎的玻璃外边那一片灰暗的天空,不知如何是好。一股浓烈的酒糟味从外边涌进来,还有当啷啷敲打铁皮的声音。他感到浑身发冷,非常想喝酒。

这时,从他和老女人头上,传下来一阵冷笑。随着咯咯噔噔的鞋跟声,女司机身体挺得笔直,背后带着椅子,一小步一小步地,从楼梯上走下来。

他对着她尴尬地笑了笑。她的出现并没有让他感到害怕,甚至有些欣慰。与其被一个老女人缠住,不如让一个小女人缠住,他想,所以他笑了。一笑就轻松,仿佛绝望的阴霾天空露出一块希望的太阳。他看到她已经把那根勒嘴的手绢咬断,不由地更加佩服她牙齿的锐利。因为身体上绑着椅子,她走得很慢。下台阶时椅子的后边两条腿磕碰着台阶的边缘。他对着她点点头。她也对着他点点头。她停在老女人身边,身体一晃,像老虎摆尾一样,把椅子甩到老女人身上,他听到她恶狠狠地说:

"松手!"

老女人抬头望望她,嘴里嘟嘟哝哝,好像在骂人,但手却松开了。侦查员立即退了几步,与老女人拉开了距离。

她对老女人说:

"你知道他是谁吗?"

老女人摇摇头。

"他是市长!"

老女人急忙爬起来,手扶着楼梯栏杆,浑身哆嗦。

侦查员心中不忍,忙说:

"老大娘,我带你去医院检查。"

女司机说。

"你给我松绑。"

他为她松绑。椅子落在地上。她活动着胳膊。侦查员转身就跑。他听到她在后边追赶。

侦查员跑出楼门洞子时,被停放在那儿的自行车挂住了衣服。自行车"稀里哗啷"倒了,衣服"嗤啦啦"破了,女司机从背后抛过来绳子,套住了他的脖子。她把绳子一紧,他立刻呼吸紧张。

她牵着他走出楼洞,像牵着一条狗或是一只别的什么畜生。天上下着蒙蒙细雨,打湿了他的眼皮,使他的眼前蒙蒙眬眬。他用手攥着绳子,防止被勒死。一个圆溜溜的物体从他面前飞过去,吓了他一跳,随后他看到跑过来一个光脑袋的半大男孩,浑身湿漉漉的,沾满泥巴,去追他的足球。他歪着头,求饶道:

"小姑奶奶,放开我吧,让人看见,多不雅观……"

她一顿绳子,绳扣立刻又紧了,说:

"你不是能跑吗?"

"不跑了不跑了死也不跑了。"

"你发誓不甩掉我,让我跟着你。"

"我发誓我发誓。"

她松开绳子,侦查员摘出了头颅。刚要发怒,却听到她温柔的脸上的那个嘴里放出了动听的乐曲:

"你呀,整个一个毛孩子,没有我保护你,谁都可以欺负你。"

侦查员心中一震,温暖的感情在肚子里回旋,他感到幸福像毛毛雨一样铺天盖地地落下来,不单濡湿了他的眼皮,而且还濡湿了他的眼球。

细雨霏霏,编织着软绵绵的稠密罗网,笼罩楼房、树木、一切。他感到她伸出一只手挽住了自己的胳膊,还听到一声脆响,一把粉红色的折叠伞在她的另一只手里弹开,举起来,罩住了头。他很自然地伸手揽住了她的腰,还抢过了那把伞,像个尽职尽责、体贴温存的丈夫一样。他想不出来这把雨伞的来处,满腹狐疑。但这狐疑立即就被幸福的感觉挤出去了。

天阴沉沉的,分不清是上午还是下午。他的手表早被那小妖精偷走,时间丧失。细雨打在柔软的伞布上,发出细微的声音。这声音甜蜜而忧伤,像著名的艺甘姆堡白葡萄酒,缠绵悱恻,牵肠挂肚。他把搂着她腰的胳膊更紧了些,隔着薄薄的丝绸睡衣,他的手感觉到她的皮肤凉森森的,她的胃在温暖地蠕动着。他们依偎着走在酿造大学狭窄的水泥路上,路边的冬青树叶亮晶晶的,像美女的指甲涂了橙色的指甲油。煤场上高大的煤堆蒸腾着乳白色的热气,散出一缕缕燃煤的焦香。高大的烟囱冒出的狰狞黑烟被空气压下来，化成一条条乌龙，在低空盘旋、纠缠。

就这样他们走出了酿造大学，沿着那条蒸腾着白气、散发着酒香的小河边上的柳阴路漫步。下垂的柳条不时拂动着伞上的尼龙绸面，伞棱上的大雨珠落下。路上铺着一层湿漉漉的金黄枯叶。侦查员突然收了伞，看着那些青黑的柳条，问：

"我来到酒国多长时间了？"

女司机说：

"你问我，我问谁？"

侦查员道：

"不行，我要立即开始工作。"

她抽动着嘴角，嘲讽道：

"没有我，你什么也调查不到！"

"你叫什么名字？"

"你这家伙，"她说，"真不是东西，觉都跟我睡了，还不知我的名字。"

"抱歉，"他说，"我问过你，你不告诉我。"

"你没问过我。"

"我问过。"

"没问，"她踢他一脚，说，"没问。"

"没问，没问，现在问，怎么样？"

"甭问了，"她说，"你是亨特，我是麦考儿，咱俩是搭档，怎么样？"

"好搭档，"他拍拍她的腰，说，"你说我们该去哪儿？"

"你想调查什么？"

"以你丈夫为首的一伙败类杀食婴儿的罪行。"

"我带你去找一个人,酒国市的事情他全知道。"

"谁?"

"你亲我才说……"

他轻描淡写地吻了一下她的腮。

"我带你去找一尺酒店的老板余一尺。"

　　他们搂搂抱抱地走到驴街上时,天色已经很暗,凭着生物的特有感觉,侦查员知道太阳已经落山,不,正在落山。他努力想象着日暮黄昏的瑰丽景象:一轮巨大的红太阳无可奈何地往地上坠落,放射出万道光芒,房屋上、树木上、行人的脸上、驴街光滑的青石上,都表现出一种英雄末路、英勇悲壮的色彩。楚霸王项羽拄着长枪,牵着骏马,站在乌江边上发呆,江水滔滔,不舍昼夜。但现在驴街上没有太阳。侦查员沉浸在蒙蒙细雨中,沉浸在惆怅、忧伤的情绪里。一瞬间他感到自己的酒国之行无聊透顶,荒唐至极,滑稽可笑。驴街旁边的污水沟里,狼藉着一棵腐烂的大白菜,半截蒜瓣子,一根光秃秃的驴尾巴,它们静静地挤在一起,在昏暗的街灯照耀下发着青色、褐色和灰蓝色的光芒。侦查员悲痛地想到,这三件死气沉沉的静物,应该变成某一个衰败王朝国旗的徽记,或者干脆刻到自己的墓碑上。天很低,细雨出现在黄色的灯光里,宛若纷飞的蚕丝片断。粉红色的雨伞像株鲜艳的毒菌。他感到又饥又冷,这感觉是在他看了路沟里的脏物之后突然产生的。同时他还感到自己臀部和裤管早已被雨水打湿,皮鞋上沾满污泥,鞋旮旯子里积存着雨水,一走路唧唧地叫,好像淤泥里的泥鳅,脚。紧接着这一连串奇异的感觉,他的手臂被女司机冰凉的身体冻僵了,他的手掌试到了她肠胃的狼狈不堪的鸣叫。她只穿着一件粉红色的睡袍,脚上套着一双长毛绒面的布底拖鞋。踢踢沓沓,拖泥带水,不像是她在走路倒像两只癞猫驮着她走路。他想起男人和女人漫长的历史实际上就是类似阶级斗争的历史,有时男人胜利,有时女人胜利,但胜利者也就是失败者。他想自己和这女司机的关系有时是猫与鼠的关系,有时又是狼与狈的关系。他们一边做爱一边厮杀,温存和残暴重量相同,维持着天平的平衡。他想这个东西一定冻僵了而且他也感觉到她冻僵了。他摸了摸她的一只乳房,感到那原先暄腾腾的富有弹性的东西,变成了一只冰凉的铁秤砣,一个半熟的青香蕉苹果在冰柜里存放了很久。

"你冷吗?"他说了一句不折不扣的废话,但他紧接着说,"要不我们暂时回你的家,等暖和的日子到来,再去调查。"

她的牙齿"的的"地颤抖着,僵硬地说:

"不!"

"我怕冻坏了你。"

"不!"

神探亨特携着他的亲密战友麦考尔的手,在一个阴雨绵绵的寒冷秋夜在驴街上悄悄行走……侦查员的脑海里闪过了这样的话语,字变清晰,像"卡拉 OK"录像带上的字幕,他孔武神勇,她桀骜不驯,但有时也温柔多情。驴街上空空荡荡,坑洼里的积水像毛玻璃一样,闪烁着模模糊糊的光芒。来到酒国不知多少日子之后,他一直在城市的外围转圈子,城市神秘,夜晚的城市更神秘,他终于在夜晚踏入了神秘的城市。这条古老的驴街令他联想到女司机的双腿之间的神圣管道。他批评自己的怪诞联想。他像一个患了强迫症的苍白的青春期少年一样,无法克制那触目惊心的喻指在脑海里盘旋。美妙的回忆翩翩而来。他模模糊糊地意识到,女司机是他的命运中注定了要遇到的冤家,他与她的身体已经被一条沉重的钢链拴在一起。他感到自己已经糊糊涂涂地产生了一种对于她的感情,有时恨有时怜有时怕,这就是爱情。

街灯稀疏,街两边的店铺大多已关门。但店铺后边的院子里,却灯火升腾。一阵阵扑扑腾腾的声音不在这个院子里响就在那个院子里响,他猜不到人们在干什么。女司机及时地提醒他:

"他们趁夜杀驴。"

路面仿佛在一秒钟内变得滑溜溜了,女司机跌了一个屁股墩。他去拉女司机时自己也滑倒了。他们共同砸折了雨伞的龙骨。她把雨伞扔到路沟里。细小的雨点变成了半凝固的冰霰,空气又潮又冷。他的牙缝里有冰凉的小风儿钻动。他催促她快些走。狭窄的驴街阴森可怖,是犯罪分子的巢穴。侦查员携着他的情人深入虎穴,字迹清晰。迎面来了一群黑油油的毛驴,挡住了他们的去路,恰好在他们看到了驴街一侧的霓虹灯照亮了一尺酒店的大招牌的时候。

毛驴的队伍拥挤不堪。他粗略地数了一下,驴群由二十四或者二十五头毛驴组成。它们一律黑色,一根杂毛也没有。雨水打湿了它们的身体。它们的身体都油光闪闪。它们都肌肉丰满,面孔俊秀,似乎都很年轻。它们似乎怕冷,更可能是驴街上的气息造成的巨大恐怖驱赶着它们拥挤在一起。它们都拼命往里挤,当后边的挤进去时,中间必定有驴被挤出来。驴皮相互摩擦的声音,像一根根芒刺,扎进了他的肌肤。他看到它们有的垂着头,有的昂着头。晃动着夸张的大耳朵,这一点是一致的。它们就这样拥拥挤挤地前进着。驴蹄在石板上敲击着、滑动着,发出群众鼓掌般的声响。驴群像一个移动的山丘,从他们面前滑过去。他看到,有一个黑色少年跟在驴群后边,蹦蹦跳跳。他感到这黑色少年与偷窃自己财物的鱼鳞少年有几分相似。他张开嘴巴,刚要喊出一句什么话时,就看到那少年把一根食指噙在嘴里,打了一个响亮的呼哨。这一声呼哨像锋利的刀片一样拉破了厚重的夜幕,并且引起了群驴的昂扬鸣叫。在侦查员的经验里,驴鸣叫时总是驻足扬头,专心致志,这群驴却在奔跑中鸣叫。怪异的现象使他的心脏紧缩起来。他松开攥住女司机手腕的手,奋勇地往前扑去。他的目的是想抓住赶驴的黑色少年,但他的身体却沉重地摔在地上。坚硬的青石与他的后脑勺猛烈碰撞,"嗡",一声怪响在双耳里膨胀,眼前还有两大团黄光闪动。

等到侦查员恢复了视觉后,驴群和赶驴少年已经无影无踪,只剩下一条寂寞、清冷的驴街在面前横着。女司机紧紧地抓着他的手,关切地问:

"跌得严重吗?"

"不严重。"

"不,跌得非常严重,"她呜咽着说,"你的大脑肯定受了严重的挫伤……"

经过她的提醒,侦查员也感到头痛欲裂,眼前的景物都像照相的底片一样。他看到女司机的头发、眼睛、嘴巴像水银一样苍白。

"我怕你死……"

"我不会死,"他说,"我的调查刚刚开始,你为什么要咒我死呢?"

"我什么时候咒你死过?"她愤怒地反驳着,"我是说我怕你死。"

剧烈的头痛使他失去了说话的兴趣,他伸出手,摸摸她的脸,表示和解。然后他把胳膊搭在她的肩上。她像一名战地护士,搀扶着他横过驴街。一辆身体修长的高级轿车突然睁开眼睛,从路边鬼鬼祟祟地蹿出来,车灯的强烈光芒罩住了他们。他感到谋杀即将产生。他用力推搡女司机,她却更紧地搂住了他的身体。但事实上根本没有什么谋杀,轿车拐上马路后,飞也似的溜过去,车尾的红灯照耀着车底废气管里喷出的白色热气,显得十分美丽。

一尺酒店就在眼前。店堂里灯火通明,仿佛里边正在举行什么盛大的庆典。

摆满花朵的大门两侧站着两个身高不足一米的女侍者。她们穿着同样鲜红的制服,梳着同样高耸的发型,生着同样的面孔,脸上挂着同样的微笑。极端地相似便显出了虚假,侦查员认为她们是两个用塑料、石膏之类物质做成的假人。她们身后的鲜花也因为过分美丽显得虚假,美丽过度便失去了生命感觉。

她们说:

"欢迎光顾。"

茶色的玻璃门在他们面前闪开了。他在大庭的一根镶嵌着方玻璃的柱子上看到了一个苍老、丑陋的男人被一个肮脏的女人支撑着。当他明白了那是自己与女司机的影子时,顿时感到万念俱灰。他想退出大厅,一个身穿红衣的小男孩,看起来步态蹒跚、但其实速度极快地滑过来,他听到小男孩用尖细的嗓音说:

"先生,太太,是用饭还是喝茶? 是跳舞还是卡拉OK?"

小家伙的脑袋刚好与侦查员的膝盖平齐,所以在谈话时他们一个仰着脸一个则弯着腰俯着脸。一大一小两张脸相对着,使侦查员的精神居高临下,暂时克服掉一部分灰暗情绪。他看到那小男孩的脸上有一种令人脊梁发凉的邪恶表情,尽管他像所有的训练有素的旅店服务生一样脸上挂着不卑不亢的微笑,但那些邪恶的东西还是洇了出来。像墨水洇透了劣质的草纸一样。

女司机抢先回答:

"我们要喝酒、吃饭,我是你们经理余一尺先生的好朋友。"

小家伙鞠了一躬,道:

"我认识您,太太,楼上有雅座。"

他在前边引路。侦查员感到这小东西跟《西游记》里那些小妖一模一样。他甚至觉得他那条肥大的灯笼裤裆里窝着一条狐狸的或者是狼的尾巴。他们的鞋被光洁的大理石地板反映得愈加肮脏。侦查员自惭形秽。大厅里有一些花枝招展的女人搂着一些红光满面的男人跳舞。一个穿黑衣扎白蝴蝶结的小家伙蹲在一张高凳上弹钢琴。

他们跟随着小家伙盘旋着上升,走进了一间雅致的小屋。两个矮小的女孩端着菜谱跑上来。女司机说:

"请你们余经理来,就说九号到了。"

在等待余一尺的过程中,女司机放肆地脱掉拖鞋,在柔软的地毯上擦着脚上的泥。可能是屋子里暖洋洋的气息刺激了她的鼻腔,她响亮地、连续地打着喷嚏。当某个喷嚏被阻碍时,她便仰起脸来,眯缝着眼,咧着嘴,寻求灯光的刺激。她这副模样侦查员不喜欢,因为她这副模样与发情的公驴闻到母驴的尿臊味时的模样极其相似。

在她的喷嚏的间隙里,他见缝插针地问:

"你打过篮球?"

"啊啾——什么?"

"为什么是九号?"

"我是他的第九个情妇,啊啾——!"

二

莫言老师：

您好！

我已经把您的意思转达给余一尺先生，他得意洋洋地说："怎么样？我说他会为我作传，他就果然要为我作传。"他还说一尺酒店的大门随时对您敞开着。不久前市政府拨了一大笔款装修了一尺酒店，那里一天二十四小时营业，珠光宝气，美轮美奂，谦虚点说也达到了三星半级水平。他们最近接待了一批日本人，打发得小鬼子们十分满意，他们的团长还写了一篇文章发表在《旅游家》杂志上，对一尺餐厅做了高度评价。所以，您来酒国，住在一尺酒店，分文不掏，即可享尽人间至福。

关于我寄给您的纪实小说《一尺英豪》，里边游戏之笔很多。我在给您的信上也说明了，此文是我献给您的礼物，供您撰写他的传记时参考。但老师对我的批评我还是极为虚心地考虑了，我的毛病就是想象力过于丰富，所以常常随意发挥，旁生枝杈，背离了小说的基本原则。我今后一定要牢记您的批评，为能写出符合规范的小说卧薪尝胆、呕心沥血。

老师，我十二万分地盼望着您早日启程来酒国，生在地球上，不来酒国，简直等于白活一场。十月份，首届猿酒节隆重开幕，这是空前绝后的酒国盛会，要整整热闹一个月，您千万不要错过这个机会。当然，明年还会举办第二届猿酒节，但那就没有首届的隆重和开辟鸿蒙的意思了。我老岳父为研制猿酒，已经在城南白猿岭上与猴子一起生活了三年,到了走火入魔的程度,但非如此造不出猿酒,就与非如此写不出好小说同理。

您所要的《酒国奇事录》我前几年在我岳父那儿看过,后来又找不到了。我已给市委宣传部的朋友打了电话,让他们无论如何为您搞一本。这本小册子里有很多恶毒影射的文章,无疑是现在的人所作,但是否是余一尺所作则有疑。正如您所说,余一尺是个半神半鬼的家伙。他在酒国也是毁誉参半,但由于他是个侏儒,一般人也不跟他真刀真枪争斗,所以,他几乎是无所顾忌、为所欲为,他把人的善和人的恶大概都发挥得淋漓尽致了吧。学生我才疏学浅,把握不了这个人物的内心世界,此地有黄金,就等着老师前来采掘了。

我的那几篇小说,给《国民文学》已有很久了吧,敢请老师去催问一下。也请您告诉他们,欢迎来参加首届猿酒节,食宿问题,自然有我尽力安排,我相信慷慨的酒国人会使他们满意的。

随信寄出小说一篇,题名《烹饪课》,老师,这篇小说我是认真阅读了时下流行的"新写实主义"小说家的几乎全部作品,吸收了他们的精华,又有所改造而成。老师,我还是希望您帮我把这篇小说转给《国民文学》编辑部,我坚信这样不间断地寄下去,就能够感动这些居住在琼楼玉阁里,每日看着嫦娥梳头的上帝们。

敬颂
撰安!

学生:李一斗

三

烹 饪 课

我的岳母在没发疯之前,是个风度翩翩的美人——半老徐娘。在某个时期里,我感到她比她的女儿还要年轻、漂亮、富有性感。她的女儿就是我的老婆,这是废话,但不得不说。我的老婆在《酒国日报》专题部工作,曾写过好几篇反响强烈的专访,在酒国这个小地方,也算是个有头有脸的人物。我的老婆又黑又瘦,头发焦黄,满脸铁锈,嘴巴里有一股臭鱼的味道。我的岳母则肌肉丰满,皮肤白嫩,头发黑得流油,嘴巴里整天往外释放着烤肉的香气。我的老婆与我的岳母站在一起所形成的反差让人十分自然地想起了阶级和阶级斗争。我岳母像一个保养良好的大地主的小老婆,我老婆像一个饥寒交迫的老贫农的大女儿。为此我老婆和我岳母结下了深深的冤恨,母女俩三年没说一句话。我老婆宁愿在报社院子里露宿也不愿回家。我每次去看我岳母都会引发我老婆的歇斯底里,她用难以写到纸上的肮脏语言骂我,好像我去拜见的不是她的亲娘而是一个娼妓。

坦率地说,在那些日子里,我确实对我岳母的美色产生过一些朦朦胧胧的企羡,但这种罪恶的念头被一千条粗大的铁链捆绑着,绝对没有发展、成长的可能。我老婆的詈骂却像烈火一样烧着那些锁链。所以我愤怒地说:

"假如有一天我跟你妈睡了觉,你要负全部责任。"

"什么?!"我老婆气汹汹地问。

"如果不是你的提醒,我还想不到,闺女女婿还可以跟岳母做爱,"我恶毒地说,"我跟你妈妈只有年龄上的差异而没有血缘上的联系,而且,最近你们日报上登载过一条趣闻,美国纽约州的男青年杰克跟老婆离婚后旋即与岳母结婚。"

我老婆怪叫了一声,翻着白眼跌倒,昏过去了。我慌忙往她的身上泼了一桶凉水,又用一根生锈的铁钉子扎她的人中,扎她的虎口,折腾了足有半点钟,她才懒洋洋地活过来。她睁着大眼躺在泥水中,像一根僵直的枯木头。她的眼睛里闪烁着破碎的光芒、绝望的光芒,使我感到不寒而栗。泪水从她的眼睛里涌出,顺着眼角,流向双耳。我想此刻唯有一件事情可做,那就是真诚地向她道歉。

我亲切地呼唤着她的名字,并强忍着厌恶,吻了一下她那张腥臭逼人的嘴巴。吻她的嘴巴时我想到了她妈妈那张永远散发着烤肉气味的嘴巴,应该喝一口白兰地吻一下那张嘴巴,那是人间最美的佐肴,就像喝一口白兰地咬一口烤肉一样。奇怪的是岁月竟然无法侵蚀那嘴唇上的青春魅力,不涂口红也鲜艳欲滴,里边饱含甜蜜的山葡萄汁液。而她女儿的嘴唇连山葡萄皮儿都不如。她用细长的声音说:

"你不要骗我了,我知道你爱我妈妈不爱我,因为你爱上了我妈妈所以你才同我结婚,我只是我妈妈的一个替代物,你吻我的嘴唇时,想着我妈妈的嘴唇,你同我做爱时,想着我妈妈的肉体。"

她的话尖利无比,像剥皮刀一样,剥掉了我的皮。但我却恼怒地说——我用巴掌轻轻地拍了一下她的脸绷着自己的脸说:

"我打你! 不许你胡说八道。你这是想入非非,你是癔想狂,别人知道了会笑死你。你妈妈知道了会气死。我酒博士是个堂堂正正的男子汉,再无耻也不会去干那种禽兽不如的勾当。"

她说:

"是的,你没有干,但是你想干!也许你一辈子都不会干,但你一辈子都想干。白天不想干你夜里想干,醒着不想干你梦里想干,活着你不想干,死了你也想干!"

我站起来,说:

"你这是侮辱我,侮辱你妈妈,也侮辱你自己!"

她说:

"你甭发火。即便你身上有一百张嘴,即便你的一百张嘴里同时吐出甜言蜜语,也蒙蔽不了我。哎,我这样的人,还活着干什么?活着充当挡脚石?活着惹人讨厌?活着找罪受?死了算了死了算了,死了就利索了……"

"我死了你们就可以随心所欲了。"她挥舞着那两只驴蹄子一样结实的小拳头,擂着自己那两只乳头,是的,当她仰着的时候,她那干瘪的胸脯上只有两颗黑枣般的乳头,而我的岳母那两只乳房竟像少妇般丰满,丝毫没有疲软、滑坡的迹象,即便她穿着粗线厚毛衣,它们也挺成勇敢的山峰。岳母和妻子肉体上的颠倒,把一个女婿推到了罪恶深渊的边缘上。这能怨我吗?我忍无可忍地吼叫起来。我没有怨你,我怨我自己。她松开拳头,用鸡爪样的双手撕扯衣服,撕崩了纽扣,露出了乳罩,天,就像一个没有脚的人还要穿鞋一样,她竟然还戴着乳罩!她瘦骨棱棱的胸膛逼歪了我的头。我说:

"够了,不要折腾了,你死了还有你爹呢!"

她双手按地坐起来,双眼放着凶光,说:

"我爹不过是你们的挡箭牌,他只知道酒,酒酒酒!酒就是他的女人。如果我爹正常,我何必这样担心?"

"真没见过你这样的女儿。"我无奈地说。

"所以,我请求你杀了我,"她双膝跪地,用那颗坚硬的头颅连连撞击着水泥地板，说，"我跪着求你，我磕着头求你，杀了我吧。博士，厨房里有一把从没用过的不锈钢刀，快得像风一样，你去拿了它来，杀了我，求求你杀了我。"

她昂起头，仰着脖子，那脖子细长像拔光了毛羽的鸡脖子，颜色青紫，肌肤粗糙，有三颗黑痦子，蓝色的血管子鼓胀起来，迅速地跳动着。她半翻着白眼，嘴唇松弛地耷拉着，额头上沾满灰尘，渗出一些细小的血珠子，头发凌乱，像一只喜鹊的巢穴。这女人哪里是个女人？这女人竟是我的老婆，说实话我老婆的行为令我感到恐惧，恐惧过后是厌恶，同志们，怎么办？她嗤嗤地冷笑着，她的嘴像一个胶皮轮胎上的切口，我担心她发了疯，我说好老婆常言道一日夫妻百日恩，百日夫妻比海洋深，咱俩夫妻了好几年，我怎么忍心下手杀死你？杀你我还不如去杀只鸡，杀只鸡咱可以熬锅鸡汤喝，杀了你我要吃枪子，我还没傻到那种程度哩！

她摸着脖子，轻声细语地说：

"你真的不杀我？"

"不杀，不杀！"

"我劝你还是杀了我吧，"她用手比划着，好像她的手里已握住了那把锋利的、风一样快的钢刀，说，"嗤——只要这么轻轻地一拉，我脖子上的动脉血管就会断开，鲜红的血就会像喷泉一样涌出来，半个小时后，我就变成了一张透明的人皮，那时候，"她阴险地笑着说，"你就可以跟那个吃婴儿的老妖精睡到一个被窝里去了。"

"放你妈的狗臭屁！"我粗野地骂道。同志们，让我这样一个文质彬彬的书生骂出这样的脏话不容易，我是被我老婆气疯了。我惭愧。我骂她："放你妈的……凭什么要我杀你？我为什么要杀你？好事情你不找我，这样的事情偏来找我！谁愿意杀你谁杀你，反正我不杀你。"

我愤怒地走到一边去。我想惹不起你难道还躲不起你吗？我拿起一瓶"红鬃烈马"，咕咕嘟嘟往嘴里灌。往嘴里灌酒时我没忘记用双眼的余光观察着她的动静。我看到她懒洋洋地爬起来，微笑着向厨房走去。我心里一怔，听到自来水管子哗哗的流水声。我悄悄地跟过去，看到她把脑袋放在强硬的水柱下冲激着。她双手扶着油腻腻的洗碗槽边缘，身体折成一个直角，撅起的屁股干巴巴的，我老婆的屁股像两片风干了三十年的腊肉，我不敢拿这两片腊肉去与我岳母那两扇皮球屁股比较，但脑子里晃动着她的皮球屁股的影子。我终于明白了我老婆的嫉妒并不是纯粹的无理取闹。雪白也一定是冰凉的水柱滋到她的后脑勺上，粉碎成一簇簇白浪花，发出很响的声音。她的头发变成一片片棕树皮，泛起白色的泡沫。她在水里哽咽着，发出的声音，像急食被噎的老母鸡。我很怕她感冒。一瞬间我心中洋溢着对她的怜悯之情。我觉得我把一个瘦弱的女人折磨成这模样是犯了深重的罪孽。我走上前去用手掌抚摸她的脊梁，她的脊梁冰凉。我说行了，别折腾了，我们不要干这种让亲者痛让仇者快的蠢事。她猛地直起腰来，火红的眼睛直盯着我，没说话，三秒钟，我胆寒，倒退走。忽见她从刀架上唰啦一声抽出那柄新从五金店买来的白色钢刀，在胸前划了半个圆，对准自己的脖子割了下去。

我奋不顾身地冲上来攥住了她的手脖子，把刀夺出来。我对她这种行为厌恶极了。混蛋，你这是要我的命嘛！我把刀死劲劈在菜墩子上，刀刃吃进木头，足有二指深，想拔出来要费很大的劲。我用拳头砸墙壁，墙壁回响，邻居大喊：干什么？！我愤怒得像一只金钱豹子，在铁笼子里转圈。我说，过不下去了，这日子没法他妈的过下去了。我转了几十圈后想了想这日子还得跟她过下去，跟她闹离婚等于去火葬场报到。我说：

"咱今天非把事情搞清楚不可！走吧，去找你的爹和娘，让他们评评理。你也可以当面问问你妈，我和她究竟是怎么回事。"

她用毛巾擦了一把脸，说：

"去就去，你们乱伦都不怕，我还怕什么！"

"谁不去谁是乌龟王八蛋。"我说。

她说：

"对，谁不去谁是乌龟王八蛋。"

我们拉拉扯扯往酿造大学走，路上碰到了市政府迎接外宾的车队，头前开路的摩托车上端坐着两个簇新的警察，都戴着墨晶眼镜，手上的手套雪白。我们暂时停止了争吵，像树木一样立在路边的槐树旁。阴沟里泛上来浓郁的腐烂牲畜尸体的臭气。她的冰凉的手胆怯地抓紧了我的胳膊，我蔑视着外宾的车队，心里对她的冰冷的爪子感到厌恶。我看到她的拇指长得不成比例，坚硬的指甲缝里隐藏着青色的污垢。但我不忍心摔开她的手，她抓住我是寻求保护，完全出于下意识，就像溺水的人抓住稻草一样。狗娘养的！我骂了一声。躲避威风车队的人群中有一位秃头的老女人歪过头来看我一眼。她穿着一件肥大的对襟毛衣，胸前缀着一排白色的塑料扣子，很大的扣子。我对很大的白色塑料扣子充满了生理上的厌恶，这种厌恶产生于我生腮腺炎的童年，有一个胸前缀有很大的白色塑料扣子的臭鼻子医生用章鱼腕足一样的黏腻手指摸过我的腮，我随即呕吐了。她肥胖的头蹲在双肩上，面孔浮肿，一嘴黄铜的牙齿。她歪头一看使我周身的筋都抽搐起来。我转身要走了她却小跑步地逼上来。原来她是我老婆的一个熟人。她亲热地抓住我老婆的手，使劲地摇晃着，她一边摇晃我老婆的手一边往上耸动着那肥胖的身体，两个人就差点拥抱亲嘴了。她简直就像我老婆的亲娘。于是我非常自然地想起我的岳母,竟然生出这样一位女儿我岳母简直是胡闹。我独自一人向酒国酿造大学走去,我想立刻去问问我岳母,她的女儿是不是从孤儿院抱养的弃儿,或者是在妇产科医院生产时被护士们给调了包。如果真是那样我该怎么办?

我老婆追了上来,她嘻嘻地笑着——似乎把适才拿脖子抹刀的事忘了——说:

"哎,博士,知道这个老太太是谁吗?"

我说不知道。

"她是市委组织部胡部长的丈母娘!"

我故作清高地哼了一声。

"你哼什么?"她说,"你不要瞧不起人,不要以为天下只有你聪明,告诉你,我马上就要当报社的文化生活部主任。"

我说祝贺你,文化生活部主任,希望你能写文章介绍一下撒泼的体会。

她惊愕地站住,说:

"你说我撒泼?我是天底下最善良的女人,换了别人,看到自己的丈夫跟丈母娘勾搭连环,早把天戳穿了!"

我说快走吧,让你爹和你妈来评判吧!

"我真傻,"她站住,如梦初醒般地说,"我凭什么要跟你一起去?去看你跟那个老风流眉目传情?你们可以不顾羞耻但我还要脸皮。天下男人像牛毛一样多,数也数不清,我就那么稀罕你?你愿跟谁去睡就跟谁去睡吧,我撒手不管了。"

说完话她很潇洒地走了。秋天的风摇晃着树冠,金黄的树叶飘飘摇摇地落下来,无声无息地落下来。我的老婆穿行在秋天的诗歌里,黑色的身影与清秀建立起某种联系。她的大撒手竟使我产生了一丝丝怅然若失的感觉。我老婆芳名袁美丽,袁美丽与秋天的落叶构成一首忧伤的抒情诗,味道像烟台张裕葡萄酒厂生产的"雷司令"。我注目着她,她却始终没有回头,这就叫义无反顾。其实,也许我希望她能回头看我一眼,但即将上任的《酒国日报》文化生活部主任没有回头。她上任去了。袁美丽主任。袁主任。主任。

主任的背影消逝在海鲜巷的白墙青瓦建筑群里。一群杂色的鸽子从那里直冲到蓝天上去。天上飘着三只杏黄色的大气球,气球拖着鲜红的飘带,飘带上绣着白色的大字。一个男人痴痴地站着,那是我,酒博士,李一斗。李一斗你总不至于跳到冒着气泡、洋溢着酒香的醴泉河里去寻短见吧?怎么会呢?我的神经像用火碱和芒硝鞣过的牛皮一样坚韧,是撕不烂、扯不断的。李一斗,李一斗,昂首挺胸往前走,转眼进了酿造大学,站在丈母娘家的门口。

我想我非把事情弄个明白不可。也许我会破釜沉舟地跟丈母娘——也许根本就不是——干一场。这对我的个人生活无疑将是一次倒海翻江的革命。门上贴着一张纸条:

上午烹饪课,在学院特食中心实习教室。

早就听说我的丈母娘技艺超群,是烹饪学院的一颗明星,但我一直未见过她上课时的模样。李一斗决定去听丈母娘讲课,去看丈母娘的英姿。

我穿过酿造大学的小后门进入烹饪学院校园。酒香犹在,肉香又扑鼻而来。院子里栽种着许多奇异花木,在植物面前酒博士浅薄无知,它们骄傲地斜视着我,用眼睛似的叶片。十几个身穿深蓝色制服的校警在院子里懒洋洋地活动着,看到我时都像发现猎物的猎狗一样抖擞起了精神,薄饼状的耳朵耸立起来,鼻孔里喷出粗重的气息。但是我不怕他们。我知道只要说出我丈母娘的名字他们立刻就会恢复懒散。校园结构复杂,与苏州的拙政园相仿。一块巨大的猪肝色巨石莫名其妙地矗立在道路中央,石上黄漆漆着"秀石指天"字样。我征得了校警同意迂回曲折地找到特食研究中心,穿过道道铁栅栏,把饲养肉孩的精巧建筑甩在一边,把假山和喷水池甩在一边,把珍禽异兽驯化室甩在一边,进入一个幽暗山洞,盘旋而下,至灯火辉煌处。这里已是闲人免进的地方。一位小姐送给我一套工作服让我换上。她说你们的人正在给副教授录像。她错把我当成了市电视台的记者。我戴上那顶圆筒状白色工作帽时,嗅到了一股清新的肥皂味儿。这时小姐也认出了我。她说我跟你家袁美丽大姐是中学时同学,那时我的学习成绩比她好得多,可是,人家成了大记者,我却成了看门人,她沮丧地说,并用仇恨的目光看着我,好像是我毁了她的锦绣前程一样。我抱歉地向她点头,她立即把沮丧的脸变成了洋洋得意的脸,耀武扬威地说:我有两个儿子,都聪明绝顶。我狠毒地说:你不打算把他们卖给特食部吗?她的脸飞快地涨成紫红色。我可再也不愿看紫红色的女人脸,大步向实习室走去,我听到她在后边咬牙切齿地说:总有一天会有人出来收拾你们这些吃人的野兽。

女守门人的话让我的心灵感到一阵震颤,谁是吃人的野兽?难道我也是吃人野兽队伍中的一员吗?酒国市政府要员们在那道著名大菜上席时的话涌上我的心头:我们吃的不是人,我们吃的是一种经过特殊工艺制成的美食。这美食的发明者就是我的美人岳母。她此刻正在那间宽敞、明亮的实习教室里教授着她的学生们,她站在讲台上,被明亮的灯光照耀着,我已经看到了她那张像瓷花瓶一样光洁明亮的圆月大脸。

果然有市电视台的记者在录像,其中一个尖嘴猴腮的姓钱,是专题部主任,我曾跟他在一个桌上喝过酒。他扛着摄像机在课堂里转悠,他的副手,一个小白胖子,举着强光灯,拖着黑电线,遵照着他的命令,把白炽的灯光忽而打在我岳母的脸上,忽而打在我岳母面前的案板上,忽而还打在聚精会神听讲的学生堆里。我选择了一个空位坐下来,我感觉到我岳母那双灰褐色大眼睛里的慈爱光芒在我脸上停留了两秒钟,我有些怕羞地低垂下头颅。

用刀子深深地刻在课桌上的四个字跳进我的眼睛:我想操你。宛若四块石头投进了我的脑海,激起了飞溅的浪花。我周身酥麻,像被微弱的电流刺激着的雄性青蛙一样四肢颤抖,中间一点,十分不安……我岳母的不紧不忙的悦耳话语像潮水一样,由远而近地涌上来,使我的身体包裹在巨大的暖流里,一阵阵的快感在脊髓里迅跑,迅跑……

……亲爱的同学们,你们想过没有,随着四个现代化的迅猛发展,随着人民生活水平的不断提高,吃,已经不仅仅是为了饱腹,而是一种艺术欣赏。因此,烹调已不仅仅是一门技术同时还是一门高深的艺术,一个合格的烹调家,应该有一双比外科医生还要准确、敏感的手,有比画家还要敏锐的对于色彩的感受,有比警犬还要灵敏的鼻子,有比蛇还要灵活的舌头。烹调家是诸家之综合。与此同时,美食家的水平也愈来愈高,他们口味高贵,喜新厌旧,朝秦暮楚,让他们吃得满意并不容易。但是,我们必须刻苦钻研,翻新花样,尽量满足他们的要求。这关系到我们酒国市的繁荣昌盛,当然也关系到你们各位的远大前程。在今天的正课之前,我先推荐给你们一个珍馐——

她捏起电子笔,在磁性黑板上写上了五个龙飞凤舞的大字:清炖鸭嘴兽。她写字时侧脸对着学员，礼貌待人，风姿绰约。她扔下笔，按了一下教桌下的电钮，墙上便有一块幕布缓缓拉开，好像将军揿按电钮闪出作战地图一样。幕布后边原来是一个很大的水柜，几只皮毛油滑、四肢生蹼的扁嘴小兽在水中焦虑不安地游动着。她说，下边我把配料及具体的制作方法告诉你们，你们可以做笔记。这种貌不惊人的小兽，曾经使无产阶级的伟大导师、博学多才的恩格斯陷入尴尬境地，它是生物进化史上的一个特异现象，它是现在能够知道的地球上唯一的产卵的哺乳动物。鸭嘴兽是货真价实的珍稀动物，所以我们烹调时应格外小心，万不能因为我们的操作错误而暴殄了天物。所以，我建议大家在做鸭嘴兽前，多做些甲鱼，以便获得感觉。下面我介绍具体做法：

取鸭嘴兽一只，宰杀后倒挂起来，用半个小时左右把血控干。注意，宰杀时应用银刀，从嘴下刺进，要使刀口尽量小。控净血后，用75℃左右的热水褪毛，然后，小心翼翼地取出内脏，肝脏、心脏、蛋（如果有的话），取肝脏时要格外小心，不要把苦胆弄破，否则这只兽就变成了难以入口的废料。把肠子掏出来，翻过来用碱水漂干净。用滚水冲烫嘴和四趾，搓掉嘴上的硬壳和趾上的粗皮，注意要特别保护趾间的蹼膜完整无缺。冲洗干净后，把内脏放在滚油里过一下，塞入腹腔，然后加上盐、大蒜、姜丝、辣椒、小磨香油等调料——切记不要加味精——放在微火上清炖，直到变成暗红色并散发出一种奇特的香味为止。一般情况下，蛋与内脏同时过油填入腹中，如果有较大较多的成形蛋，则可单独做成一道佳肴，具体操作方法可仿照红烧乌龟王八蛋的方法。

介绍完了鸭嘴兽的烹调方法，她拢了拢头发，像要宣布一件重大决定的首长一样，注视着学员们，每一个学员都感到她亲切的目光在抚摸着自己的脸,我感到我的岳母在抚摸着我的灵魂。她一板一眼地说:下面,我们开始讲授红烧婴儿的烹调方法。我感到仿佛有一根生满铁锈的锥子在我心脏上戳了一个眼,一股股冰凉的液体流到我的胸腔中潴存起来,压迫得我内脏紧张,惶惶不安。手心里涌出了又黏又冷的汗水。我岳母的学生们一个个涨红了脸,兴奋的情绪加速了他们的心脏跳动,就像一群医学院的学生第一次参加解剖人体生殖器官,他们尽量装作无所谓的样子,但欲盖弥彰,几分惶乱几分激动的心情通过那些抽动的腮部肌肉,通过那些不自然的咳嗽声,淋漓尽致地表现出来。我岳母说:这是我们烹饪学院的压轴好戏,由于货源奇缺,价格昂贵,所以不可能让每个人都得到动手的机会,我仔细操作,你们认真看,回去后可用猴子或乳猪作为练习的代用品。

她首先特别明确地强调,厨师是铁打的心肠,不允许滥用感情。我们即将宰杀、烹制的婴儿其实并不是人,它们仅仅是一些根据严格的、两厢情愿的合同,为满足发展经济、繁荣酒国的特殊需要而生产出来的人形小兽。它们在本质上与这些游弋在水柜里待宰的鸭嘴兽是一样的,大家请放宽心,不要胡思乱想,你们要在心里一千遍、一万遍地念叨着:它们不是人,它们是人形小兽。她很潇洒地抓起藤条教鞭敲了敲水柜的边缘,又一次重复着:它们在本质上与鸭嘴兽没有区别。

她抓起挂在墙上的电话,对着话筒发布命令。她放下电话,对学生们说:这当然是一道总有一天会震惊世界的名菜,所以我们的制作过程中的每一个环节都来不得半点马虎。一般说来,家畜遭杀前精神上的巨大压力会影响肉中糖原的含量,由代谢差造成成品后的香气差。因此,有经验的屠夫总是喜欢采用闪电般的动作结束动物的生命,借以提高动物尸体的质量。肉孩较之一般家畜,是智慧更高一些的动物,因此,为了保证这道大菜的原料高质量,必须想办法使他们保持精神愉快。传统的方式是采用一棍打昏的方法,但这样势必造成原料的软组织淤血甚至骨头破碎,严重影响成品的外观。近年来,一棍打昏的方法被逐渐淘汰,代之以乙醇麻醉。酿造大学新近研究出一种味道甜美不辣、酒精含量却奇高的新型酒浆,为我们创造了条件。经验证明,用酒精麻醉后宰杀的肉孩,由于酒精分子渗入细胞组织,有效地减弱了过去肉孩烹制过程中最令人头痛的奶腥味,而且经过化验证明,采用酒精麻醉后宰杀的肉孩所含营养价值也大幅度提高。她又一次摘下墙上的话筒,说:

送来吧。

我岳母对着话筒轻描淡写地说了一句,五分钟后,就有两位身穿雪白大褂、头戴雪白四角帽的年轻女子用一副特制的小担架把一个赤裸裸的肉孩抬进教室。两个女人的模样都还算秀丽,但她们惨白的脸却让我感到很不舒服。女人把担架放在案板上,就垂着手退到一边去。我岳母俯首看看那粉红的肉孩,用纤嫩的食指戳了戳他的胸脯,满意地点了点头。她直起腰,再一次严肃地提醒:你们千万不要忘记,这只是个人形的小兽,她的话犹未尽,担架上的人形小兽就打了一个滚,学员们发出一声压抑的惊呼,他们,包括我在内,都以为这小家伙要爬起来呢。但幸好他没有爬起来,他仅仅是打了一个滚就把香甜的小呼噜均匀地播满了教室。他的圆圆的、胖嘟嘟的、红扑扑的小脸正好侧对着学员们。自然也侧对着我。我们分明看到这是一个美丽、健康的小男孩。他的头发乌黑,睫毛长长,蒜头小鼻子,粉红的小嘴。粉红的小嘴巴嗒着,仿佛正在梦中吃糖果。我跟我老婆结婚三年还没有孩子,我很喜欢孩子,我真想跑到教室前头的案板上去抱起这个小家伙,亲亲他的脸,亲亲他的肚脐,摸摸他的小鸡巴,咬咬他的小脚丫。他的脚胖胖的,腿脚相接处胖出了几圈罗纹。从学员们,尤其是那些女学员们如痴如醉的眼神里,我猜测到她们的心中此刻也正在荡漾着温暖的爱情,对小人儿的爱。于是我岳母突然变得冷冰冰的声音又在教室里回响起来,压住了小家伙均匀的鼾声。我明确地告诉你们,一定要把心中的不健康的感情清除干净,否则我们这课就上不下去了。她扯住他的胳膊,把他的身体翻转了一百八十度,让他的脸朝向了玻璃柜中的鸭嘴兽,让他的两瓣屁股对着学员们的脸。我岳母戳着他的屁股说:他不是人,不是。

小家伙却像对她的话提抗议一样,放出了一个与他的身体不相称的大屁,学员们怔了怔,互相观望着,十几秒钟后,教室里突然爆发了一阵大笑。我的岳母紧绷着脸,终于绷不住,也咧开嘴陪伴着学生笑起来。

她敲敲桌子,努力平息了众人的笑声。她说:这小东西,什么本事都会哩。学生们又要笑,遭到了她的制止。她说不许再笑了,这是你们四年学校生活中最重要的一课,只要掌握了肉孩的烹调方法,走遍天下都不怕。你们不是盼着出国吗? 只要掌握了这道超水平大菜,你们就等于领到了永久签证,你们就能征服洋人,无论是美国佬、德国佬还是别的什么佬。

她的话看起来击中了学员们的要害,他们重新聚精会神,一手拿笔,一手按本子,双眼望着我的岳母。她说,在这种幸福的休眠状态中,无论我们干什么,肉孩都不会知晓,更不能提出反抗,他始终沉醉在幸福中。她招了一下手,让那两位站在教室的边角上等候吩咐的白衣女人过来,帮助她,把肉孩抬进一个特制的、鸟笼形状的架子上,架子上端有一个挂钩,可以与操作案板上方的吊环相连。在两个白衣女的帮助下笼架子悬空了,肉孩在笼中,身体被禁锢着,只有一只又白又胖的小脚,从笼架下伸出来,显得格外可爱。我岳母说,第一步,是放血,有必要说明,在一段时期内,个别同志认为不放血会使肉孩的肉味更加鲜美、营养价值更高,他们的主要理论根据是高丽人烹食狗时从不动刀放血,经过反复的试验、比较,我们觉得,放血后的肉孩,比不放血的肉孩,味道要鲜美得多。这一步的目的很简单:放出肉孩体内的血,放得越干净,肉的色泽愈好。放血不彻底的肉孩,制成成品后,色泽晦暗,腥味较重。所以大家不要轻视这一步。我岳母伸刀攥住了肉孩的小脚,肉孩在笼架上嘟嘟哝哝地说了一句什么话,学员们都竖起耳朵,辨别着那句话的内容。我岳母说,选择切口的位置,是为了保持肉孩的完整性,一般采用从脚底切口,暴露出动脉血管,然后切断引流。她说着,手里便出现一柄银光闪闪的柳叶刀,对着肉孩的小脚……我慌忙闭上了眼睛,我似乎听到那小家伙在笼架中大声啼哭,教室里的桌椅噼噼啪啪乱响,学员们好像都嚎叫着蹿了出去。睁开眼睛后,我才知道方才的一切都是幻觉,肉孩不哭也不叫,刀口已切开,一线宝石一样艳丽的红血,美丽异常地悬挂下来,与他脚下的那只玻璃缸连系在一起。教室里也安静异常,男生和女生们都睁着圆溜溜的眼睛,盯着肉孩那只脚,脚下那线血。市电视台的摄像机也盯着那只脚,脚下那线血,强光照耀,那线血晶莹极了。渐渐地我听到了学员们的呼吸声如同沉闷的潮汐声,血流注到玻璃缸中的声音清脆悦耳,宛若深涧中的溪流。我岳母说,大概一个半小时后,肉孩的血被控干;第二步,要尽可能完整地取出内脏;第三步,用70℃的水,屠戮掉他的毛发……

　　我实在懒得再去描述我岳母无聊的、令人恶心的烹饪课了,我想在夜幕降临的时候,酒博士奇想联翩的大脑,应该在酒精的刺激下,去构思一部题名《采燕》的小说,他不应该在吃人的宴席上浪费才华。

第七章

一

　　女司机的话像一把钢刀,扎进了侦查员的心脏。他捂着胸腔,像一个热恋中的青年一样,痛苦万端地弯下了腰。他看到她的粉红色的脚在地毯上翻来覆去地擦着,比手还要灵活。邪恶的激情在他的心里泛滥。"婊子!"他咬着牙根骂了一句,转身往门外走去。他听到女司机在背后大声喊叫着:"嫖客,你别走!欺负女人,你算个什么东西!"但他还是大踏步地向门走去。一个银光闪闪的玻璃杯带着风声,擦着他的耳朵飞过去,碰在门上,反弹回来,落在地上。他回过头,看到她敞着胸腔,大口喘息着,眼睛里盈满泪水。他心中一时百感交集,压低嗓门说:"想不到你是这样无耻,竟跟一个侏儒睡觉,为了钱吗?"她呼噜呼噜地哭起来,哭着,哭着,突然把声音拔高,沙哑又尖利,震动得磨砂吊灯周围的金属饰片叮叮当当响。她撕扯着胸前的衣服,用拳头捶打乳房,用指甲抠脸,用手撕头发,用头撞乳白色的墙,在疯狂自虐的同时,她歇斯底里的大叫几乎震破了侦查员的鼓膜:

　　"滚——滚——你滚——"

　　侦查员吓坏了。他从来没见过这种阵势。他感到死神正在摸自己的鼻子,用凉森森的、涂着红指甲的手。一股股的尿液濡湿了大腿,尽管他清楚地知道尿湿了裤子很不雅观、很不舒服,但还是任由它们奔涌而来,非如此就要崩溃。在尿裤子的过程中他获得解除巨大精神压力后的愉悦,他哀求着:

"求求你不要这样……求求你……"

女司机并不为他的哀求、他的小便失禁感动而停止自虐、降低哭嚎的调门。她脑袋撞墙的动作更加猛烈,每一下都让墙壁发出沉闷的回响,脑浆迸出的情形随时都会发生。侦查员扑上去抱住了她的腰。她打了一个挺,从搂抱中蹿出去。蹿出去不撞墙了,改换了自虐方式,凶狠地啃手背,像啃猪蹄一样,真啃,不是装模作样吓唬人,几口下去便血肉模糊。侦查员既是情急生智又是无可奈何,双膝一软跪在地上,连连地磕着头,说:

"亲娘,我叫你亲娘还不行吗?亲亲的娘,您大人不见小人的怪,宰相肚里撑轮船,权当我放了一个屁,一个臭屁。"

这一招果然有效,她停止了啃手,闭着眼,咧大嘴,哇哇地哭。侦查员挺起腰,像电影里常见到的流氓无赖一样,抡起双臂,一左一右地扇自己的脸,一边扇一边骂:

"我不是人,我是畜生,是土匪,是流氓,是狗,是粪缸里的长尾巴蛆,打、打死你这个王八蛋……"

第一巴掌扇到脸上时,有一点火辣辣的感觉;三五巴掌过后,就像扇在牛皮上一样,没有痛楚,也没有了火辣辣,只剩下麻酥酥。继续扇下去,连麻酥酥也消失了,只剩下"呱唧呱唧"的瘆人声响,好像不是在扇自己的脸,而是在扇着一个褪毛猪的尸体,或是一个死女人的腚。他就这样一下狠似一下地扇下去。心里竟莫名其妙地产生了报仇雪恨般的快感。打到后来,他的嘴停止了对自己的詈骂。他把说话的力气省下来运到手上,以便增加巴掌的力道。于是巴掌接触皮肉的响声便愈加响亮了。他看到她闭拢了嘴巴,停止了哭泣,傻呆呆地看着自己。侦查员心中暗暗得意。又凶狠地抽了自己几个嘴巴后,停下了手。这时他听到门外的走廊里有嘈杂的人声。他小心翼翼地说:

"小姐,你不生我的气了吧。"

她呆着不动。瞪着眼咧着嘴,脸上凝固着令侦查员毛骨悚然的表情,宛若一尊狰狞的雕像。侦查员缓缓地站起来,嘴里说着暗藏着愤怒的甜言蜜语,双脚偷偷地朝门口挪动。你千万不要再生气,千万,我这个人生来就是一张臭嘴,不是肛门,胜似肛门。我这辈子吃亏就吃在嘴上,屡教不改,他的屁股触到了门。我真对不起你,衷心地向你道歉。他的屁股向门板施加压力,门声嘎吱,震耳欲聋。我真他妈的不是个东西,我简直就是从牛羊的百叶胃里反刍出来的东西,我简直就是从猫狗的肚子里呲出来的东西,恶心极了恶心极了,真的,恶心极了……他喋喋不休地嘟哝着,终于感到冰冷的空气扑在了背上。他看了她最后一眼,便从门缝中侧身溜出来,门随即合拢,把她挡住了。侦查员顾不上多想,迈开大步向走廊的尽头跑去,惶惶胜过丧家之犬,忙忙超出漏网之鱼,迎着面,有一个衣冠楚楚的小男人在一个女侍者的引领下匆匆走来,他一个箭步,几乎是从两个小矮人的头上跨越过去。不理睬那女侍者惊讶的喊叫声,侦查员已经跑到了走廊的尽头。他顺着走廊拐弯,推开一扇油腻的门,甜酸苦辣的味道扑鼻,热嘟嘟的蒸气包围上来。蒸气中有些小人们在忙碌着,影影绰绰,匆匆忙忙,都像小鬼一样。他看到那些小人们有操刀的、有拔毛的、有洗碗的、有调料的,看似乱七八糟,实则井井有条。脚被什么东西绊了一下,低头看竟是一坨子冰冻在一起的黑色驴屌,大概有三五十根。他马上想起"龙凤呈祥",想起全驴大宴。几个小人儿停止了工作,好奇地打量他。他抽身退回去,往前跑,找到了楼梯,按着扶手旋下去,听到一声女人的惨叫,残余的尿液又呲了一下子。女人惨叫一声后即无声无息,不祥的念头在脑海里一闪,随她去吧! 他不顾一切冲开"莱阳红"大理石铺地的大厅里红男绿女们的翩翩舞姿,公然破坏着优美音乐的舒缓节拍,像一匹挨了棍棒的臊气冲天的癞皮狗,宛若一发黑色的炮弹,冲出了射出了灯红酒绿的一尺餐厅。

跑到一条阴暗的小巷子里,他才想起来,适才在门口,那一对双胞胎小侏儒被自己吓出了尖叫声。他背靠在墙上,大口喘息着,回望一尺餐厅的灿灿灯火。大门上的霓虹灯变幻着颜色,使斜飞的雨珠忽红忽绿忽黄,他意识到自己站在初冬的一个寒冷雨夜里,背靠着冰冷的石墙。只有公墓的围墙才会有这样的湿度,他想,在酒国与噩运结下了不解之缘,今晚算不上死里逃生也算得上虎口脱险。优美的音乐从一尺餐厅里透出来,散布在窸窸窣窣的夜空里。他谛听着音乐心里竟泛起一股酸滋味,几滴凉森森的眼泪可怜巴巴地滚出眼睑。一时间他把自己美化成一个落难的公子,但没有贵族小姐来拯救。空气又潮又冷,根据手脚的痛疼他知道气温已降到零度以下,酒国的天气突然变得冷酷无情,斜飞的雨丝在降落过程中变成了冰珠,落在地上跌碎,跌碎无数又凝结,于是地上就有了一层冰壳。远处,被路灯照耀着的街道明晃晃一条,一辆孤独的汽车歪歪扭扭地爬行。一群黑色毛驴跑过驴街的情景像古老的梦境一样被回忆起来,这样的事情真的发生过吗? 真有那样一位稀奇古怪的女司机存在吗? 真的有一位名叫丁钩儿的侦查员前来酒国调查吃婴儿的大案吗? 真有一个人叫丁钩儿? 难道我就是丁钩儿? 他摸摸墙壁,墙壁冰冷;跺跺土地,土地坚硬;咳嗽一声,胸膛疼痛。咳嗽声传出去很远,消逝在黑暗中。他证明了一切都是真实的,沉重的感觉无法消除。

他感到半凝固的冰雨点儿打着腮,凉森森的很惬意,宛若小猫爪子挠痒痒。他猜到脸很烫,想起自己打自己耳光的无赖行径。麻酥酥的感觉来了。火辣辣的感觉来了。女司机狰狞的面孔随着麻酥酥火辣辣的感觉来了,驱赶不去,在眼前晃动;女司机可爱的面孔随着狰狞的面孔来了,驱赶不走,在眼前晃动;女司机与余一尺的形象并着膀子来了,愤怒和嫉妒并着膀子来了,混合在一起,像古怪的劣酒,毒害着他的心灵。他比较清醒地意识到:最糟糕的事情发生了——自己已经爱上了这个魔鬼一样的女人,好像一根线上拴两个蚂蚱一样。

侦查员用拳头打着是公墓、或者是烈士陵园的石头围墙,嘴里骂着:婊子!婊子!臭婊子!为了一块钱就脱裤子的臭婊子!手上的剧痛竟然减轻了心里的痛苦,于是他把另一只手也攥成拳头擂打石墙,于是他把额头也频频地向石墙上撞去。

一道雪亮的光柱照住了他。两个夜间巡逻的警察严厉地逼问:

"你是干什么的!"

他慢慢地转回身,抬手遮住眼睛,一时感到舌头僵硬,失去了说话的能力。

"搜搜他。"

"搜什么? 一个疯子。"

"不许吵闹,听到没有?"

"回家去吧,再闹就送你去派出所!"

警察走了,侦查员眼前一片漆黑。他感到又冷又饿,他感到头痛欲裂。理智在黑暗中恢复,警察的盘问唤起了他过去的荣耀。我是谁?我是省检察院大名鼎鼎的侦查员丁钩儿。丁钩儿是个在风月场上打过滚的中年人,不应该为一个和侏儒睡觉的女人发疯。荒唐至极!他低声嘟哝着,掏出一条手绢捂了捂流血的额头,啐了几口血唾沫。我今天的丑态传回去能把哥儿们的门牙笑掉。他摸了摸腰间,那块铁硬邦邦的还在,心里安定了许多。去,找家旅馆,吃点东西,休息一夜,明日干活,非把这帮家伙的尾巴揪住不可。他命令自己往前走,撇开这闹神闹鬼的一尺餐厅,不要回头。

沿着幽暗的小巷,侦查员往前走,刚一迈步便跌了一个仰八叉。后脑勺子着地,嗡一声响。手按地时感到地上冰滑冰凉。小心爬起来,一步三趔趄,小巷的路面崎岖,结冰后格外难行,侦查员从没走过这样艰难的路。偶然一回头,灯火辉煌的一尺餐厅扑进了他的眼,刺痛了他的心。像中了弹的野兽一样,他呻吟着扑倒在地上,蓝色的火苗在脑子里燃烧着,热血一阵阵冲上头来,脑袋像膨大的气球,随时都会爆炸,痛苦撬开了他的嘴,他想嚎叫,嚎叫声便冲出喉咙,像装着木头轮子的运水车,在石头的巷道里,"格格"地滚动着。在声音的驱使下,他的身体也不由自主地滚动起来,滚动着追赶着木轮子,滚动着逃避木轮子的碾压,身体滚动成木轮子,与木轮子粘在一起,随着木轮子的隆隆转动他看到街道、石墙、树木、人群、建筑物……一切的景物,都在转动,翻来覆去,从零角度到三百六十角度,永不停息地转动。在转动中他恍惚感到有一件硬硬的东西硌着腰,疼痛难忍。他想起了枪,便掏出了枪。摸到枪柄熟悉的轮廓时,他的心脏一阵怦怦乱跳,过去的荣耀又一次涌到眼前。丁钩儿,你怎么能堕落到这种程度?你像一个酒鬼一样遍地打滚,为了一个跟侏儒睡过觉的女人你把自己糟蹋成一堆城市垃圾,值得吗?不值得太不值得!爬起来,站起来,像个堂堂正正的男子汉一样!他手扶着地站起来,感到头晕得很厉害。侧对面一尺餐厅的灯光又在诱惑他。只要一看到那灯光,绿色的火苗便在他脑子里熊熊燃烧,理智之光便被蒙蔽。他强迫自己不去看那邪恶的灯光,那灯光照耀着吸毒和纵欲,罪恶滔天,吸引力巨大,像一个巨大的漩涡,人像漩涡边缘上的一棵草。他用枪管子在自己大腿的暄肉上拧了一下子,让尖利的痛楚驱赶心猿意马,他呻吟了一声,一步步走进黑暗中。

幽暗的小巷仿佛永无尽头,没有灯火,但晦暗的天光显示出了小巷两侧石墙的轮廓。愈来愈密集的半雪半雨的颗粒在晦暗中降落下来,发出一片神秘动人的声响。通过声音他猜到石头墙里默默地肃立着无数的青松翠柏,象征着当年牺牲在这座小城里的无数英魂。成千上万的先烈,为了人民的利益,牺牲了自己的生命,活着的人还有什么痛苦不能抛弃呢? 他默念着、篡改着这条著名的语录,心中的痛苦渐渐减轻。一尺酒店的灯光已被层层叠叠的建筑物吞噬,石墙夹峙的巷道被胡思乱想吞噬,时间流逝,黑夜在凌乱的冻雨声中向前挺进,一阵模模糊糊的犬吠增添了暗夜里这小城的神秘色彩,他已经不知不觉地走出石头巷子,一盏嗤嗤作响的瓦斯灯在前边迎接他,他奔向了那灯火,就像投奔光明的飞蛾。

一个馄饨担子热气腾腾在瓦斯灯光圈里。他看到炉子里的炭火放射着金黄的光芒,听到燃烧的木炭噼啪作响,看到炸裂出的火星,嗅到散发出焦豆的香气,还听到馄饨在锅中翻滚的声音,更嗅到它们勾魂摄魄的味道。他想不起自己有多长时间没有吃东西了。胃肠绞动,发出咕噜噜的鸣叫;双腿酸软,支持不住身体;浑身哆嗦,额头上汗珠密布。他瘫倒在馄饨担子前。

卖馄饨的老汉拉住他的胳膊,把他拖起来。他说:

"老大爷,我要吃馄饨。"

老汉把他安顿在一个"马扎子"上坐下,端一碗馄饨过来。他接了碗、勺,不知凉热,片刻工夫,便吃喝干净。一碗下肚,饥饿感更深。连续四碗灌下去,似乎还不饱,但一低头时,一只馄饨便从胃里返上来。

"还吃吗?"老汉问。

"不吃了,多少钱?"

"您就别问了,"老汉用怜悯的目光看看他,说,"如果手头方便,就给我四分钱;手头不方便,就算我老汉请客。"

侦查员的自尊心受到了巨大的伤害,他幻想着衣袋里能有一张百元大票,崭新的,边角锋利,像小刀一样,手指一弹波波响,甩给那老汉,轻蔑地看他一眼,转身便走,嘴里吹着呼哨,哨声如利刃,划破茫茫无边的暗夜,给他留下深刻的印象,让他终生难忘。但侦查员口袋里没有一文钱。他在吞咽馄饨时就吞咽下了尴尬与狼狈。馄饨一个接一个地涌上来,他咀嚼了它们再咽下去,现在他才品尝到馄饨的味道。他悲哀地想到:我变成了反刍动物。他愤怒地想起偷走了自己的钱包、手表、打火机、证件、剃须刀的鱼鳞小妖,想起油头粉面的金刚钻,想起性格乖戾的女司机,想起大名赫赫的余一尺,想起余一尺,想起余一尺时女司机结实、丰满的肉体便横陈在眼前,绿色的邪火又燃烧起来。他赶快把自己从危险的回忆中解救出来,使自己面对着吃了人家馄饨无钱付账的狼狈境地。只要四分钱,简直像奚落叫花子一样。一文钱难住了英雄好汉。摸遍了口袋没有一分钱。裤衩和背心悬挂在女司机家的枝形吊灯上,从她家里出来形同逃窜。寒冷的夜气侵入骨缝。万般无奈他掏出了手枪,轻轻地放在一只白瓷青花碗里。钢蓝色的手枪在碗里放射光芒。他说:

"老大爷,我是省里来的侦查员,碰上了坏人,抢去了财物,只余下一把手枪,手枪可以证明我不是混吃白食的人。"

老汉慌忙弯下腰,双手捧着盛枪的碗,连声说:

"好汉,好汉,您能来吃馄饨是老汉的造化,快收起您的家什,俺害怕。"

丁钩儿拿过枪,说:

"老汉,你只要四分钱,是你早就看出我不名一文;你看出我不名一文还煮馄饨给我吃你并不情愿;忍受你的误会我也不情愿。这样吧,我给你留下个姓名地址,碰到难处时你可去找我——有笔吗?"

"老汉是个卖馄饨的粗人,大字不识,哪来什么笔?"老汉道,"领导,好领导;长官,好长官,俺第一眼看到您就知道您是大人物,微服私访来了,体察民情来了,老汉不要您留姓名地址,只求您老人家放老汉一条生路。"

丁钩儿苦笑一声,道:

"微服私访个屁!体察民情泡屎!我是世界上的头号倒霉鬼。这馄饨我不能白吃你的,这样吧——"

他拍了一下手枪,抽出弹匣,抠出一颗金光闪闪的子弹,递给老汉,说:

"送给你做个纪念。"

老汉连连摆着手,说:

"不敢呐,不敢呐,首长,几碗烂馄饨,算得了什么?碰上您这大仁大义的人,是小老儿三辈子前修下的福气,不敢呐,不敢……"

侦查员不愿让他无穷无尽地哆嗦下去,抓住他摇晃的手,硬把那颗子弹拍进去。他感到老汉的手烫得像火炭一样。

这时候背后一声冷笑响起,宛若猫头鹰在墓碑上鸣叫,吓得他撮肩缩颈,下面又窜出一股尿。

"好一个侦查员!"他听到一个苍老的声音说,"分明是个越狱逃出的罪犯!"

他战战兢兢地背转身,看到粗大的法国梧桐树干下,站着一位身披破旧军大衣的干瘦老汉。他双手端着一支双筒猎枪,身边蹲着一只遍体虎纹的长毛大狗,它不动声色地蹲着,双目炯炯,如同两道激光,显示出大将风度,狗比人更让侦查员胆寒。

"丘大爷,把您老人家惊动了……"卖馄饨老汉低声下气地说。

"刘四,我说你多少遍了,不许可你在这儿摆摊子,你偏要在这摆摊子!"

"丘大爷,惹您生气了,家里穷,老闺女要学费,没法子,为子女做马牛,闹市不敢去,被人抓住罚款,罚一次半个月挣不回来……"

丘大爷晃晃猎枪,严厉地说:"你,把枪扔过来!"

丁钩儿乖乖地把手枪扔到丘大爷脚下。

"举起手来!"丘大爷命令着。

丁钩儿缓缓地举起手。他看到被卖馄饨老汉称为丘大爷的瘦老头一手平端着猎枪,腾出另一只手——双腿弯曲,上身保持着随时可以射击的姿势——把那支"六九"式公安手枪捡起来。瘦老头丘大爷掂量着那支手枪,鄙夷地说:"一支破橹子!"丁钩儿抓紧机会奉承道:"听这话您是个玩枪的行家里手。"瘦老头脸上顿时焕发出煜煜的光彩,嗓门拔高,沙哑高亢,富有感染力量:"你算是说对了,老子玩过的枪,没有三十支也有五十支,捷克式、汉阳造、俄式花机关、汤姆式、九连珠……这是长的;短的有德造大镜面、西班牙大腰鼓、日本王八匣子、鸡腿匣子左轮子、狗牌橹子枪牌橹子马牌橹子,这枪——"他把丁钩儿的枪往空中一抛,又伸手接住,动作敏捷,手爪准确,与他的年龄不大相称。他头颅奇长,细眼鹰钩鼻,没有眉毛,也没有胡须,满脸皱纹,面色乌黑,如同一节在炭窑里烧过的树干。"这枪,"他轻蔑地说,

"是娘们儿的玩意儿!"侦查员不冷不热地说:"这枪准头还不错。"瘦老头端详了一下手中的枪,颇有把握地说:"十米之内准头不错,十米之外屁用不管。"丁钩儿道:"老大爷,真有你的。"瘦老头把丁钩儿的手枪插进腰里,哼了一声。

馄饨老汉说:

"丘大爷是老革命,咱酒国市烈士陵园管理处处长。"

丁钩儿说:

"怪不得呢。"

"你是干什么的?"老革命问。

"我是省检察院的侦查员。"

"你的证件呢?"

"被小偷偷去了。"

"我看你像个逃犯!"

"是像个逃犯,但我不是逃犯。"

"怎么证明你不是逃犯?"

"你可以给你们市委书记、市长、公安局长、检察长打电话,问他们知不知道一个名叫丁钩儿的高级侦查员。"

"高级侦查员?"老革命嘻嘻地笑着说,"有你这熊样的高级侦查员吗?"

"我栽在一个女人手里。"丁钩儿说。他本来想自嘲一句,没想到话一出口竟引起了绞心的痛苦,他不由自主地蹲在馄饨摊子前,用血迹斑斑的拳头捶打着血迹斑斑的额头,声嘶力竭地喊道:"我栽在一个女人手里,栽在一个和侏儒睡觉的女人手里……"

老革命走过来,用冰凉的枪口戳戳丁钩儿的脊梁,大声说:

"你给我滚起来!"

丁钩儿站起来,泪眼婆娑地看着老革命那颗乌黑的长头,好像他乡遇到了故交,也像部下见到了首长,更像儿子重逢了亲爹——他感情冲动地抱住老革命的腿,哭着说:"老前辈,我窝囊啊,我竟栽在这样一个女人手里……"

老革命抓住丁钩儿的衣领,把他提拎起来,两只闪烁着磷光的小眼,死死盯着他,约有半袋烟工夫,然后,啐了一口,从腰里摸出手枪,扔在他面前,转过身去,一声不吭,摇摇晃晃地走了。黄毛大狗跟随着他,同样一声不吭,狗毛上挑着一些水珠,亮晶晶的,宛若粒粒珍珠。

卖馄饨老头把那颗金光闪闪的子弹放在他的枪旁,匆匆忙忙收拾了担子,关掉瓦斯灯,担起担子,一声不吭地走了。

丁钩儿僵在黑暗中,目送着人影消逝。远处有昏暗的灯光像鬼火一样闪烁;头上,法国梧桐的庞大树冠,阻碍着千万颗雨滴,沙沙沙一片响,人走灯灭,树上的响声被放大了许多倍。他六神无主地爬起来,没忘记摸起枪弹。空气又冷又潮,周身疼痛难挨,置身陌生市井,仿佛末日来临。

老革命那两只恶狠狠的眼睛里,隐藏着恨铁不成钢的意思,丁钩儿产生了对他倾诉衷肠的愿望。是什么力量,在短短的时间内,把一个吃钢丝屙弹簧的男子汉变成了一条丢魂落魄的癞皮狗?难道一个相貌平平的女司机会有这么大的力量?不可能,把全部责任推到一个女人头上是不公道的,这里边定有奥妙,而这个率狗夜巡的老人就是洞察所有奥妙的人,他那颗长长的头颅里,积蓄着丰富的智慧。丁钩儿决定去找老革命。

丁钩儿挪动着僵硬的腿脚,朝着老人与狗逝去的方向。他听到遥远里有夜行列车通过铁桥的声音,钢铁撞击,铿铿锵锵,增添着夜的深沉与神秘。道路起伏,一个大下坡,他蹲着哧溜下去。抬头看到一盏路灯,照着一堆碎砖头,砖头上白茫茫,似乎蒙上了一层霜。又走了几步,一个古老的大门口出现在侧面。门楼垛子上,亮着一盏电灯,照着花格子大铁门,照着挂在门楼垛子上的白漆木牌,照着牌上的红漆大字:酒国市烈士陵园。他扑上去抓住门的铁棍,像囚犯一样,铁棍粘手,揭掉了手上的皮。黄毛大狗咆哮着扑上来,他没有退缩。老革命沙哑、高亢的嗓门在门垛子后边响起,震慑住大黄狗不叫不跳垂头摆尾巴。老革命闪出身来,猎枪挎在肩上,大衣上的黄铜扣子威风凛凛。

"你想干什么?"他严厉地问。

丁钩儿吸溜着鼻子,用哭腔说:

"老前辈,我真的是省里派来的侦查员。"

"你来干什么?"

"调查一桩重大案件。"

"什么重大案件?"

"酒国市一些灭绝人性的干部烹食婴儿案件!"

"我毙了他们!"老革命怒吼着。

"老革命别发火,让我进去慢慢说。"

老革命打开大门上的一扇小门,说:

"钻进来吧!"

丁钩儿犹豫了一下,因为他看到小门的边角上,挂着一缕缕黄色的细毛。

"你想不想进来?"

丁钩儿一哈腰钻了进来。

"你们这些饭桶,哪里能比得上我的狗?"

跟随着老革命,丁钩儿进了大门左侧的传达室。他想起了市郊罗山煤矿的传达室,罗山煤矿守门人那一头狗毛似的乱发在他的脑海里浮现着。

传达室里灯光明亮,墙壁雪白,一铺火炕占去了房间一半。炕头上立着一堵与坑同宽的墙,墙外垒着一个灶,灶上支着一口锅。灶里插着松木劈柴,火光很旺,松脂味很香。

老革命摘下猎枪挂在墙上,脱掉大衣扔在炕上,搓搓手,说:"烧劈柴,睡火炕,这是我的特殊化。"他看着丁钩儿问:"我革命几十年,拳大的疤落了七八个,搞这点特殊化应该不应该?"

丁钩儿沉浸在融融暖意里,睡意蒙眬地说:

"应该,太应该了。"

"可是那狗养的杂种俞科长硬要把松木劈柴换成槐木劈柴!老子革命一辈子,鸡巴头子都让鬼子的机枪打掉了,断子绝孙了,烧点松木劈柴算什么? 老子八十岁了,尽着烧还能烧几棵松树? 我说,你就是天王老子下凡也挡不住我烧松木劈柴!"老头子越说越激动,双臂挥舞起来,嘴角冒出泡沫,"你刚才说什么来着? 他们吃婴儿? 吃人? 野兽! 是谁? 老子明天就去毙了他! 先斩后奏,大不了再给我个处分,老子这辈子杀了几百号子人,老子专杀坏人,叛徒,反革命,侵略者,到老了再杀几个吃人野兽!"

丁钩儿身上奇痒,衣服冒着水汽,水汽里包含着浓重的灰垢味。他回答老革命的问话:

"我正在调查这件事。"

"调查个屁!"老革命说,"拉出去毙了就行了,调查个屁!"

"老前辈,现在是法制健全的时代,没有确凿的证据,怎能随便毙人?"

"那你快去调查,还蹲在这里干什么? 你的阶级觉悟哪里去了? 你的工作热情哪里去了? 敌人在吃人,你却在这里烤火! 我看你是个托派! 是个布洛乔亚! 是个帝国主义的走狗!"

丁钩儿被老革命一顿痛骂,如同狗血淋头,蒙眬睡意尽消,胸中热浪翻滚。他大咧咧地剥下衣服,赤条条一根,脚下穿着破鞋,蹲在灶前,拨拨火,添几根油汪汪的松木劈柴进去,焦香的白烟冲进鼻腔,打一个舒服的啊啾,用劈柴架起衣服就着灶火烘烤,衣服嗞嗞响,像臭驴皮一样。火烤着皮肉,有痛有痒,搓着挠着,越搓越挠越舒服。

"你他妈的是不是生了疥?"老革命说,"老子当年睡稻草窝长了疥,全排都长了疥,那个痒啊,挠,抓,血淋淋的皮肉了,还是痒,钻心拱肺地痒,丧失了战斗力,非战斗减员,八班副马山想了个办法,买大葱,买大蒜,石头砸得稀巴烂,加上盐,加上醋,一把一把抓着往身上糊,辣辣的,麻麻的,长爪子挠狗蛋,说不出有多舒坦! 那么多的疥,竟给狗日的治好。偏方治大病,病了公费治疗,老子把脑袋挂在裤腰带上闹革命,公费治疗理应该……"

丁钩儿从老革命的话里听出了辛酸与牢骚,听出了一部艰难困苦的革命史。他原想对老头儿倾诉衷肠,竟变成了老头儿对他发泄不满。他感到失望,明白了这世界上谁也救不了谁的道理,人人都有烦心事,说出来不充饥不解渴。他抖抖衣服,搓搓干泥巴,抽抽打打,穿在身上,热乎乎的衣服烫着皮,舒服到云彩眼里去了。肉体沉浸在舒坦里,精神的痛苦又缓缓生长,赤裸裸的女司机与鸡胸驼背罗圈腿的小侏儒同床共枕的情形清晰地出现在眼前,生动如画,如同他曾从钥匙孔里窥视过一样。越想越生动,越想越丰富。女司机肤色金黄,如同一条肉滚滚的母泥鳅,身上生着黏膜,滑溜溜、腻滋滋,散发着淡淡的腥味;余一尺像一只癞蛤蟆,满身疥疙瘩,用四只生蹼的爪子抓挠着她,一片片的泡沫,一阵阵瓮声瓮气的蛤蟆叫……他的心脏像风中的树叶一样哆嗦着,他想撕开胸膛,把心脏挖出来砸在她的脸上……婊子婊子臭婊子! 他仿佛看到——确凿地看到威严如大理石雕像的侦查员丁钩儿用穿着大皮鞋的脚踹开了乳白色的房门,一张大床——只有一张床出现在面前,床上惊呆了女司机和余一尺——他像癞蛤蟆一样翻到床下——肚皮上布满深红色的丑陋斑点——站在墙角上瑟瑟发抖——鸡胸、驼背、罗圈腿或者 X 腿,大得不成比例的头,白色的眼球,弯弯曲曲的鼻梁,没有嘴唇的嘴,稀疏的黄板牙,嘴像一个黑洞,喷出化脓般的恶臭,两扇又大又薄像豆腐皮一样干巴抽搐半透明的黄色耳朵,两条黑猩猩的胳膊——前肢——几乎触到地面,身上生着乱糟糟的绿毛,变形的多趾的脚,还有那根黑不溜秋的毛驴生殖器——你怎么能跟这样一个丑八怪睡觉? 侦查员大声地、不由自主地吼叫着——你说什么? 你他妈的说什么? 老革命丘大爷糊糊涂涂地问——大黄狗耸动着颈上的毛呜呜发威——她惊叫一声,手忙脚乱地拉起被单子蒙住了身体,像电影里常见的那样——她的身体在被单下哆嗦——就在那一瞬间他看到了那熟悉极了的肉体……那丰满的……结实的……芳香的……犹如万箭穿心,空前的悲壮——他的眼睛里闪烁着蓝色的光芒,脸色铁青,线条僵硬,冷冷一笑,寒彻肌肤——举起手枪,食指插在扳机护圈里,轻轻一摇,手枪潇洒转动,然后,瞄准,啪! 一声枪响,余一尺身后的大镜子迸然炸裂,亮晶晶的玻璃碎片哗啦啦地响着落在地上——余一尺瘫在地上——侦查员插枪入套,一语不发,转回身——绝对不回头——大踏步地走出一尺酒店——原谅我吧原谅我吧她哀嚎着裹着被单跪在地上——绝对不回头——走在酒国市阳光灿烂的大街上,街道两侧站满了人,都用崇敬中含着几分畏惧的目光盯着他,有男人,女人,老头,老太太,那位老太太酷似自己的母亲,眼睛里含着泪光,翕动着苍老的嘴唇,说:孩子,我的孩子——一个身穿洁白长裙,披散着金黄色长发的姑娘,分拨着挡在她面前的重重叠叠的人群,眼睛里含着晶莹的泪花,浓密的睫毛翻卷着,高耸的胸脯剧烈地起伏着,喘息着分拨着层层叠叠层出不穷的人群喊叫着带着娇滴滴的哭腔喊叫着:丁钩儿——丁钩儿——丁钩儿没有回头,连眼珠也没有转动一下,迈着坚定的、落地有声的步伐,迎着太阳走去,迎着万道霞光走去,走去,最后,与那轮鲜红的太阳融为一体……

老革命坚硬的大手按住了丁钩儿的肩膀。与太阳融为一体的侦查员打了一个哆嗦,好不容易清醒过来。他的心还在怦怦乱跳,眼里夹着悲壮英勇的泪水。

"你他妈的发什么魔怔?"老革命鄙夷地问。

侦查员慌忙用衣袖沾掉眼里的泪花,不好意思地干笑了几声。

经过一番汹涌澎湃的幻想,他感到郁闷的胸腔有了些许缝隙,但劳累过度的脑袋却有些沉重,耳朵眼里有蜜蜂飞行般嗡嗡声。

"我看你个狗日的是感冒了!"老革命说,"瞧你那个脸,红得像个猴腚一样!"

老革命转身,从炕洞里摸出一个白瓷红标签的酒瓶子,晃晃,说:"老子给你治治感冒,喝酒,灭菌,杀毒。酒是良药,包治百病。当年老子四渡赤水,两次路过茅台镇,老子发疟疾掉队,跳到酒窖里去藏着,白匪在外边打枪,吓得我直哆嗦,喝酒吧,压压惊,咕咕咚咚,一口气喝了三大碗,心也定了,胆也壮了,也不哆嗦了,摸起一根棍子,冲出酒窖,打死两个白匪,抢了一支钢枪,追上了毛泽东的队伍。那时候,毛泽东、朱德、周恩来、王稼祥,都喝过茅台酒。毛泽东一喝茅台,满脑子神机妙算,要不,那么几个兵,早给人家灭了。茅台酒为中国革命立过大功。你以为选茅台酒做国酒是胡乱选的?是纪念!老子革命一辈子,喝点茅台理应该。俞科长那鬼崽子想断了我的茅台,用什么'红鬃野马'来顶替,他奶奶个熊!"

老革命把酒倒在一个遍体伤疤的搪瓷缸子里,仰脖灌下一大口,说:"你也闹一口,这是正宗茅台,不掺一滴假。"看到丁钩儿泪汪汪的眼睛,他轻蔑地说:"不敢喝?只有叛徒、内奸才不敢喝酒,他们怕酒后吐真言,泄露了秘密。你是叛徒吗?你是内奸吗?不是,不是为什么不敢喝酒?"他又是仰脖一大口,酒流经咽喉时发出呼噜噜的声响。"你不喝,老子还不舍得给你喝呢!你以为老子弄点茅台容易吗?老子被那个托洛茨基分子俞科长卡得死死的,落时凤凰不如鸡,虎落平川遭犬欺!"

酒香洋溢,吸引着丁钩儿的欲望;感情澎湃激荡,正是饮酒的大好时光。他一伸手把老革命手里的搪瓷缸子夺下来,嘴含住缸子沿,一憋气吸了个底朝天,片刻后,肚子里倒海翻江,眼前盛开了朵朵粉红色的莲花,在飘袅的薄雾中焕发着发人深省的光芒。那就是茅台的光芒,那就是茅台的精神。一时间他感到世界变得极端美好,包括天,包括地,包括树木,包括喜马拉雅山顶上的皑皑白雪。老革命嘻嘻地笑着,把搪瓷缸子夺过去,往缸子里倒酒,酒液涌出瓶口时发出"卟咚卟咚"的声响,激得他耳膜轰鸣,口腔里涌出唾液。他看到老革命的面孔变得那般慈祥,慈祥得难以形诸语言。他伸出手,他听到自己伸着手说:给我,我还要喝。老革命在他面前跳跃着——那么灵巧地跳跃着,说:不给你喝,老子弄点酒也不容易。我要喝,他吼着,我要喝,你把我的馋虫勾出来了,为什么又不给我喝?老革命把缸子触到嘴边,灌下去,很猛烈。他恼怒地扑上去,抓住了那缸子也抓住了老头子硬邦邦的手指。他听到了牙齿碰撞缸子沿的声音,感觉到润滑的、凉森森的酒液濡湿了手上的皮肤。在抢夺缸子的过程中他逐渐生长起恼怒的情绪,膝盖回忆起格斗的技巧,它弯曲着,顶在敌手的小腹上。他听到老革命哎哟了一声,缸子便到了手中。他迫不及待地把缸子里的酒倒进喉咙,意犹未尽,他寻找酒瓶。酒瓶子横躺在地上,仿佛一个中弹牺牲的美少年。他心中悲痛欲绝,好像是自己失手把这少年打死一样。他想弯腰把那肤色雪白、腰带鲜红的酒瓶捡起来——把那美丽的少年扶起来——却莫名其妙地跪在了地上。而那美少年却连打了几滚,在墙角那儿空灵剔透地站立起来,身体快速长大,长大到一米高便停止增长,他知道这是酒的精魂——茅台酒的精魂,站在墙角,对着侦查员微笑。他跳起来去捕捉他,脑袋却重重地撞在墙上。

在天旋地转的美妙感觉里,他感到一只冰凉的大手抓住了自己的头发。他猜到了手的主人。他随着头皮的痛楚站立起来,他感到自己的身体像一团凌乱地折叠在地上的猪大肠——冰凉滑腻满是皱褶发着腥臭气息令人恶心——一折一折地被抻直了,并且他知道只要老革命一松手,这堆猪大肠就会淋漓尽致地滑落在地。

那只大手转了一下,使他面对着老革命修长黝黑的脸庞,适才曾使他感动万分的慈祥微笑已被化石般的冷酷代替,在老革命的脸上,他感受到了阶级矛盾和阶级斗争的冷酷无情。你这个狗娘养的反革命,老子给你酒喝,你却顶老子的卵蛋! 你还不如一条狗,狗喝了我的酒还会对我摇摇尾巴呢! 老革命的唾沫星子喷进他的眼睛,辣得他眼球疼痛难忍,张嘴哭叫起来,与此同时,有两只肥厚的大爪子搭在了他的肩膀上。他的脖子被狗嘴顶住,狗嘴上的坚硬胡须扎着他的脖颈,使他不由自主地、像遇到危险的鳖一样把脖子搐进去,他感觉到狗嘴里喷出的热烘烘的气息,嗅到了狗嘴里的酸溜溜的腐臭味道,自己是一根弯弯曲曲的猪大肠的感觉突然重现,青白的恐怖袭上心头。狗吃猪大肠,哧溜哧溜响,像小孩吃粉丝一样。他恐怖地嚎叫起来,眼前随即一片漆黑。

不知过了多久,自以为被狗吓瞎了眼睛的侦查员眼前又出现了一线光明,那光明渐渐扩展着,宛若太阳从层云中往外挣扎,最后噼啪一声响,烈士陵园传达室的一切景物猛地扑进了他的双眼。他看到老革命正在灯下擦拭双筒猎枪,他擦得那样专注、认真、一丝不苟,宛若一个爹在为独生儿子洗澡。虎纹大狗安详地趴在灶火旁,长长的嘴巴搁在松木劈柴上,双眼盯着灶中香气扑鼻的、金黄色的火苗,显得格外深沉,像一个大学里的哲学教授。它在想什么呢?侦查员被狗深刻思考的姿态迷住了,狗痴痴地望着灶火,他痴痴地望着狗,渐渐地,狗脑中的辉煌画面——他终生没看见过的画面——在他的脑中缓缓地出现了,那么奇特那么动人心弦,伴随着流云般的音乐。他被深深地感动了,鼻子像被人重重地捣了一拳,又酸又麻,两行热泪,不知不觉地挂在了腮上。

"瞧你那点出息!"老革命看了他一眼,说,"我们播下虎狼种,收获了一群鼻涕虫。"

他抬起衣袖,擦干眼泪,委屈地说:

"老大爷,我栽在一个女人手里……"

老革命不满地斜他一眼,穿上棉大衣,拎起猎枪,招呼一声:"狗,咱们巡逻去,让这个窝囊废在这儿哭吧!"

大狗懒洋洋地爬起来,充满同情地盯着侦查员一眼,便尾随着老革命,出了传达室。装在门背后的铁丝弹簧把木板门响亮地弹回来,一股潮湿、寒冷的夜风扑进来,使他打了一个颤。他感到孤独和恐惧,喊一声:"等等我。"拉开门,追上去。

　　门口的电灯使他们身侧出现了模糊的暗影,冻雨依然下,也许是夜更深了的缘故,那细索之声显得愈加清晰、密集,宛如无数的小兽在那里爬行。老革命向着陵园的深处走,向着阴森森的黑暗走。狗紧跟着老革命,他紧跟着狗。起初还能借着门口那盏电灯的光芒看清狭窄的、鹅卵石铺成的道路两侧修剪成宝塔形状的柏树的大致轮廓,一会儿,沉重的黑暗便从四面八方包抄上来。他体会到了伸手不见五指的黑暗的滋味。黑暗愈深,冻雨敲打树枝的声音便愈响亮,乱糟糟的、紧密的声音让他感到心中烦乱而空虚,只是凭着声音和气味,他才感觉到老革命和大黄狗的存在。黑暗其实是一种具有强大压力的物质,能把人挤成薄饼。侦查员感到恐惧,他嗅到了隐藏在青松翠柏之间的烈士墓的气息。他感到那些树木都是一些不怀好意的黑色大汉,抱着膀子站着,嘴角挂着冷笑,心里转着坏念头,在它们身下,那些黄草枯立的坟头上,坐着一些毛茸茸的英灵。恐惧使他酒意全消,他下意识地抓住了腰间的手枪,抓枪时感到手上流出了冷汗,有什么东西怪怪地叫了一声,通过黑暗中的翅膀扇动声,他猜到叫者是一只鸟,什么鸟不知道,也许是猫头鹰吧? 老革命咳嗽了一声,狗叫了一声,这两声阳世间的声音给了侦查员很大的安慰,他也夸张地咳嗽了一声,连他自己也能听出,这声咳嗽带着浓厚的虚张声势的味道。老革命一定在暗中嘲笑我,他想,连这条跟思想家一样的走狗也会嘲笑我。他看到了狗眼放射出的碧绿光芒,如果不知道这是一条狗,一定会错认为这是一条狼。他无法自制地连连咳嗽起来,一道刺目的电光突然射在他的眼上。他捂住眼睛,刚要张嘴说几句反抗的话,电光突然转移了方向,定定地照在一座白石头凿成的墓碑上。墓碑上的阴刻大字看样子不久前重新油漆过,鲜红的颜色,令他触目惊心。碑上的大字是什么他没有看清,他被红色照黑了眼。像亮时一样突然地电光消逝,他眼前还有一些火星闪烁,脑子里却通红一片,像传达室里那个燃烧着松木劈柴的灶膛。他听到老革命在他面前沉重地呼吸着,冻雨落木的声音突然隐退,一阵剧烈的、山崩地裂般的声音在附近响起,震得他不由得跳了起来。他搞不清楚这是什么东西爆炸,他也没心思去考虑,关键的是,从电光照亮烈士墓碑那一刻,一股巨大的勇气突然灌注进他的身体,像病酒一样的嫉妒,像寡妇酒一样的邪恶软弱,像爱情酒一样的辗转反侧、牵肠挂肚,通通排出体外,变成酸臭的汗、腥臊的尿。而英猛的、像奔驰在哥萨克草原上烈马一样的伏特加(Vodka)变成了他,粗犷豪放、粗中有细、富有冒险精神、富有刺激性、像狂欢的西班牙斗牛士一样的格涅克(Cognac)变成了他。他吃一口红辣椒,咬一口青葱,啃一口紫皮蒜,嚼一块老干姜,吞一瓶胡椒粉,犹如烈火烹油、鲜花锦簇,昂扬着精神,如一撮插在鸡尾酒中的公鸡毛,提着如同全兴大曲一样造型优美的"六九"式公安手枪,用格拉帕(Grappa)那样的粗劣凶险的步态向前狂奔,似乎只是转眼间的工夫,侦查员便返回一尺餐厅,踢开了一扇洁白如玉的房门,举起手枪,对准女司机和坐在女司机膝上的一尺侏儒,"啪啪"两枪,打破了两颗头颅。这一系列动作像世界闻名的刀酒一样,酒体强劲有力,甘甜与酸爽共寓一味,落喉顺畅利落,宛若快刀斩乱麻。

二

一斗兄：

大函及大作《烹饪课》俱收悉。

关于去酒国采访的事，我已跟领导初步地提了一下。我们领导不太愿意让我去，因为我是军人，而且刚由上尉晋升为少校（减了两颗星加了一条杠，还不如三星一杠的神气，所以我并不得意），理应到连队去跟战士们同吃同住同操练，写出反映新时期军人风貌的小说或"报告文学"，到地方去采访写作，关系上不太顺溜，尽管酒国这几年轰轰烈烈，颇为引人注目。这事儿我不想罢休，我继续努力争取，冠冕堂皇的理由倒也多得很。

酒国的首届猿酒节，一定是很有意思的一次盛会，到时觥筹交错，酒气弥漫，诸多头重脚轻飘飘欲魔的酒徒队里，希望能出现我肥胖的身影。

我正在创作的长篇小说已到了最艰苦的阶段，那个鬼头鬼脑的高级侦查员处处跟我作对，我不知是让他开枪自杀好还是索性醉死好，在上一章里，我又让他喝醉了。因为创作的痛苦无法排解，我自己也喝醉了，没有飘飘成仙之愉悦，却饱览了地狱里的风景。风景那边最差。

大作《烹饪课》是用了一晚上的时间读完的（反复读了几遍）。对你的小说，我越来越不知道该说什么好。勉强地说几句，可能又是以前说过的那些话的重复，什么前后风格不一致了，什么随意性太强了，什么分寸感把握得不好了，等等等等，所以我想与其老生常谈一番，不如干脆闭嘴。但我还是遵嘱把小说专程送去了《国民文学》，周宝他们不在,我写了一个纸条,把稿子留在桌子上。能否发表,就看你的运气了。但根据我的经验,这篇小说多半难以发表,你我虽未谋面,但也是老朋友了,所以直言不讳。

我坚信你能写出既有较高的质量又能符合《国民文学》选稿标准的小说来,只不过是个时间的问题,早一点,或是晚一点。你千万不要灰心丧气。

前后算起来,你寄给我并由我代转的稿子有六篇(《一尺英豪》在我这儿)了,如我能去酒国,当去《国民文学》把稿子替你取回来,到时带给你,由邮局寄既不安全又麻烦,我每去邮局寄一次东西就紧张好几天,那些坐柜的先生女士们永远绷着一张抓特务、搜炸弹的脸,让你自己都感到装在纸袋里的仿佛是些反革命传单。

《酒国奇事录》找不到就算了,这几年这种稀奇古怪的书出了很多,多半是些胡编乱造的东西,没有什么价值。

    即颂

笔健!

莫　言

三

莫言老师:

    您好!

    知道您有希望来酒国,我欣喜若狂。学生我"盼星星盼月亮只盼着深山出太阳"一样盼望着您来酒国。我有几个同学在市委、市政府工作(不是一般的工作,都有不大不小的乌纱帽),如果需要市委市府的邀请信、证明信,我可请他们立即就办。中国领导最认公章,我想军队里的领导也不例外。

关于小说,确实让我灰心丧气。我甚至对周宝李小宝两位老师也有些意见,压着我那么多稿子,连封信都不给回,也太不尊重人了。当然,他们都很忙,如果给业余作者写信,什么事情也不要干了,这道理我明白,但心里总有些愤愤不平。不看僧面看佛面,弄好我也是您推荐的作者嘛!当然我知道这是不健康的、不利于文学创作的恶劣情绪,而且我也正在努力克服着这些情绪,我是"不到黄河心不死"、"不到长城非好汉",决心百折不挠地写下去。

为筹备猿酒节,我们学校上上下下忙成了一锅粥。系里分配给我一个任务,让我用库存的一部分病酒做酒基,勾兑出一种有风味的酒,在猿酒节期间卖出去。如果成功,我将得到一大笔奖金,这对于我来说很重要,当然我不能为了赚奖金就把小说扔了,我照样写,用十分之一的精力救治病酒,用十分之九的精力写小说。

寄上近作《采燕》,请老师批评。我自己对我前一段的创作进行了总结,我觉得我的小说之所以难以发表,可能与干预社会有关,于是在《采燕》里进行了矫正,这是一篇远离政治、远离首都的小说,如果再不能发表,就是"天绝我也"!

即颂
大安!

学生:李一斗

四

采　燕

　　我岳母为什么红颜不老、青春永驻，六十多岁的人了还有着少妇一样的高乳与丰臀？为什么腹部平坦、没有积淀脂肪，宛如弹性优良的钢板？为什么面如中秋之月、色如春晓之花，眼角上没有一丝丝皱纹，牙齿洁白晶莹连一颗动摇、破损的都没有？为什么皮肤光滑柔嫩如同羊脂美玉？为什么嘴唇鲜红、嘴巴里永远喷吐着烤肉香气，让人特别想吻它？为什么从来不生病，没有一点更年期反应？

　　作为女婿，我可能不应该这么放肆，但我是彻底的唯物主义者，而彻底的唯物主义者是无所畏惧的，所以该说的话还是要说。我想说我岳母尽管六十多岁了，但只要政策允许，本人愿意，她完全能够再为我生出一打小姨子或小舅子。我岳母为什么很少放屁，即使偶尔放一个也不臭不但不臭反而有糖炒栗子的味道？一般地说，美女的肚子里臭味浓郁，所以美女其实是一张画皮，但为什么我岳母不但外皮美丽而且内瓤儿也芳香可食呢？——这么多的问号像鱼钩一样挂住了我的皮肉使我像一条闯进了鱼钩阵的河豚鱼，使我痛苦万端，也一定令读者诸君厌烦，你们可能会说，李一斗这家伙，竟拍卖起丈母娘来了！亲爱的朋友们，不是我拍卖丈母娘，而是我研究丈母娘。随着人类社会的老龄化，让女人永葆青春十分重要，这研究大有利于人类，而且很可能创造出巨大的利润，所以我即便惹恼了丈母娘也在所不惜。

　　我初步认为，之所以我拥有这样一个美味可饮如同奥罗露索雪利酒(Oloroso Sherry)一样色泽美丽稳沉、香气浓郁扑鼻、酒体丰富圆润、口味甘甜柔绵、经久耐藏、越陈越香的丈母娘而不是拥有一个像村里人烧出的地瓜干子酒一样颜色混浊不清、气味辛辣酸涩、酒体干瘪单调、入口毒你半死的丈母娘,最重要的原因是我岳母诞生于一个采燕的世家。

按照现在流行的小说叙述方式我可以说我们的故事就要开始了。在正式进入这个属于我也属于你的故事前,请允许我首先对你们进行三分钟的专业知识培训,非如此你的阅读将遇到障碍。我计划写能够供你阅读一分半钟的字数,余下的一分半钟供你思考。去他妈的"狐狸一思索老虎便发笑"、"天要下冰雹,娘要找婆家",就让他们笑去吧,多笑死几亿也省了计划生育,那时候我岳母就可以充分利用她老当益壮的器官为我生小姨子或是小舅子了。好了!别啰嗦了!好了,不啰嗦了,我听到了你的怒吼,看到了你的不耐烦,像内蒙古生产的草原白酒一样,你简直还是一瓶子波浪翻卷的哈尔滨高粱糠白酒,酒度60°,劲头十足。

金丝燕(Collocalia restita),鸟纲,雨燕科。体长约十八厘米,上体羽毛黑或褐色,带蓝色光泽。下体灰白色。翼尖而长,足短,淡红色,四趾均前,群栖,食虫。在洞穴中造巢,雄燕喉部唾液腺分泌出唾液,凝固后便是燕窝。

金丝燕产于泰国、菲律宾、印尼、马来西亚等国,我国广东、福建沿海荒岛亦有出产。每年六月初,为金丝燕营巢孵化期。营巢前,雄燕与雌燕追逐飞翔交尾,交尾完毕,雄燕贴立石壁,像春蚕吐丝般来回摆动头颅,一道道透明的胶性唾液粘在石壁上,凝固后便是燕窝。据观察者报告,雄燕在吐涎成巢的过程中不眠不食,头颅连续摆动数万次一巢始成。艰难困苦,胜过呕心沥血。这第一个巢几乎不含杂质,全由燕唾凝成,故颜色洁白透明,质量优异,俗称"白燕"或"官燕"。此巢被人取走后,金丝燕会造出第二个窝,唾液不够,不得不从自身啄下绒毛掺和进去,由于用力吐唾液,连血都吐了出来,形成价值较低的"毛燕"或"血燕"。此巢被取走后,金丝燕还会造成第三个巢,所用材料主要是藻类,唾液很少,没有食用价值。

我第一次见到丈母娘时她正在用银针挑剔着一个用碱水发起来的燕窝里的杂质:血丝、绒毛和海草,现在我们可以知道,那是一只血燕。我丈母娘噘着嘴,像只发脾气的小小鸭嘴兽一样呱呱唧唧地说:瞧,瞧,这哪里是燕窝,整个一只乱毛窝,是喜鹊窝,老鸹窝——你就心平气和些吧,我的导师袁双鱼教授呷了一口他自己特别勾兑的混合酒——酒里有一股淡雅高贵的兰花气息——对他的老婆说,这年头,所有的东西都掺假,金丝燕也学精了,我看再下去一万年,只要人类还存在着,金丝燕就会用狗屎筑巢。她双手捧着那一大团发得颤颤巍巍的燕窝,怔怔地看着她的丈夫我未来的岳父。我实在想象不出这狗脑子一样的脏东西会变得比金子还珍贵,难道它真像你们说的那样玄?他冷冷地打量着她手里的东西。她说:你除了懂酒之外别的啥也不懂!她的脸皮有些泛红,扔下燕窝,快如小风般走到不知哪里去了。这是我第一次到我的老婆家做客。我老婆说她妈妈准备露一手。没想到她竟摔燕而去。我有些尴尬。老头子却说,不要紧的,她会回来的。她对燕窝的了解跟我对酒的了解一样,当今世界上数一数二。

果然不出我岳父所料,不一会工夫,我丈母娘便回来了,她挑尽了燕窝里的杂质,给我们煨了燕窝汤。我岳父和我老婆拒绝喝,我岳父说那汤里有一股鸡屎味,我老婆说有一股血腥味,充满了残忍性是一碗无情汤,表现了人为万恶之首的意思。我老婆有颗博大的爱心,正在申请加入设在波恩的世界人民保护动物协会。我岳母当时说，小李，不要理睬这些傻瓜，他们的博爱十分虚伪，孔夫子远庖厨，可一顿饭也离不开肉酱，食不厌精，脍不厌细，招徒入帐，还要十束干肉做学费。他们不喝我们喝，我岳母说，华人食燕窝已有千年历史，它是世界上最珍贵的补品，别看它模样难看，但营养极其丰富，小孩吃了有助生长发育，女人吃了能使青春常驻，老人吃了能够益寿延年，最近，香港中文大学何国力教授还发现燕窝里含有一种预防和治疗艾滋病的物质。她如果吃燕窝，我岳母指着我老婆说，也不会是目前这模样。我老婆愤愤地说：我宁愿这模样也不去吃那玩意儿。她瞪着眼问我：你说，好吃吗？我不敢得罪我老婆，也不愿得罪我丈母娘，我说：怎么说呢？怎么说呢？哈哈哈哈哈。我老婆说：你这个滑头。我丈母娘把一勺燕窝盛到我碗里，然后挑衅地看着她女儿。我老婆说：你们会做噩梦的。什么噩梦？我岳母问。我老婆说：成群的金丝燕在啄食你们的脑浆。我岳母说：小李，你只管喝，不要理这个疯丫头。她昨天还吃了一只大螃蟹，难道不怕螃蟹用钳子夹她的鼻子？她说：我小时候恨透采燕的人，进入城市后，我才发现那种痛恨是没有道理的。现在吃燕窝的人越来越多了，有钱的多了吆。但有钱并不一定能吃到一等的官燕，一等的好货，泰国进口的"暹罗贡燕"都被北京的大干部吃了，我们酒国这种小城市，只配吃这样的血燕。即便这样的血燕，每公斤也要八千元人民币，一般的人是吃不起的，我岳母严肃地、不无炫耀地对我说。尽管燕窝如此了不起，但我坦率地说，这玩意儿实在不好吃，还不如红烧猪肉过瘾。

我岳母孜孜不倦地对我进行燕窝教育，她讲完了燕窝的营养价值又讲燕窝的烹调方法，这些我不感兴趣。我感兴趣的是她对我讲述的采集燕窝的故事，她的家族的故事，她的故事。

我岳母诞生于一个采燕世家,她在我的老岳母肚子里时就听到
过金丝燕痛苦的啁啾,就得到过金丝燕的营养。我的老岳母是个馋
嘴的女人,怀上我岳母后变得更馋,她经常背着丈夫偷食燕窝,偷食
技巧很高,从没被她的丈夫发现。我岳母说她娘生就一副比钢铁还
要坚硬的牙齿,能把韧性极强的干燕窝咬烂。她从不偷食整个的燕
窝——整个的燕窝她丈夫有数——我岳母她娘总是很巧妙地从每只
燕窝底部用刮刀留下的切痕上往里啃进一寸,啃出的茬口比刀子切
的还整齐。我岳母说她的娘偷食的都是一等官燕。没经炮制的燕窝
营养价值更为丰富,我岳母说任何美味佳肴一经烹制,其营养都要被
大量破坏。我岳母说任何进步都建立在丧失一些东西的基础上,人
类发明了烹调,愉悦了口腔感官,但丧失了人的剽悍和勇猛,生活在
北极圈里的爱斯基摩人之所以有那么强悍的身体和抵御严寒的能
力,与他们生吃海豹肉有绝对的关系,一旦他们掌握了复杂精巧的中
国烹调术,他们就在那里待不下去了。我岳母她娘偷食了那么多生
燕窝,所以我岳母发育得极为健全,生下来时就头发乌黑,皮肤粉红,
哭声雄壮胜过男婴,嘴里还生了四颗牙齿。我岳母的爹是个迷信的
人,他听人说生下来长牙的婴孩是丧门星,就把我岳母给扔到乱草棵
子里去了。那时令是寒冬腊月,广东尽管没有严冬,但十二月的夜晚
也凉气砭骨,我岳母在野草丛中一夜,竟然甜睡不死,感动了她爹,又
把她给抱了回来。

我岳母的娘据我岳母说很漂亮,我岳母的爹据我岳母说八字浓
眉,深眼窝,塌鼻子,薄嘴唇,尖下巴上一撮山羊胡子。我岳母的爹整
日攀崖贴壁又瘦又老像一只丑陋的壁虎,我岳母的娘天天偷食燕窝
滋养得粉红雪白一掐冒白水儿像一枝六月的荷花。我岳母一岁时她
娘跟着一位燕窝商人跑到香港去了,我岳母跟着她爹长大。我岳母

说她娘私奔之后她爹每天煮一个燕窝给她吃,所以她是吃燕窝长大的孩子。我岳母说她怀我老婆时正是六十年代初最困难的时候,没吃过一口燕窝,所以生了个我老婆像个黑猴。如果她吃燕窝情形也会好转,但我老婆拒吃。其实我知道想吃也不行,我岳母在烹饪学院当特食中心主任没多久,不当主任时她要弄个燕窝也不容易。她做给我吃的这个劣质燕窝,也不是正路上来的。所以从这一点上我也知道我岳母十分喜欢我,胜过我老婆喜欢我。我跟我老婆结婚一半是因为她爹是我的恩师,我跟我老婆还没离婚的一个重要原因是因为我很喜欢我岳母。

我岳母喝着燕窝汤吃着小燕雏茁壮地成长,她四岁时的身高和智力就达到了正常发育的十岁孩童的水平。我岳母认为这绝对是金丝燕的功劳。我岳母说在某种意义上她是雄金丝燕用珍贵的唾液哺育大的,而她的娘因为惧怕她那四颗生来就有的牙齿而不给她哺乳。这算什么哺乳动物?我岳母恨恨不平地说。我岳母还由此发挥说人是哺乳动物中最残忍最无情的,只有人才拒绝为婴儿哺乳。

我岳母的老家住在东南沿海的一个海角上,天气晴朗的日子,她坐在海滩上,能够看到那一连串的钢青色的海岛的影子。那些岛上有着高大的岩洞,岩洞里出产燕窝。村里人多以捕鱼为生,只有我岳母的爹和我岳母的六个叔叔靠采燕窝为生。这是祖传的职业,极其危险但收益颇丰,一般人家想干也干不了。所以我在前边说我岳母出生在一个采燕世家。

我岳母说她的父亲和叔叔们都是精壮的人,身上没有脂肪,只有一束束血红蛋白含量极高的像麻绳拧成的肌肉。拥有这种肌肉的人自然身手矫健,胜过猿猴。她爹养着两只猿猴,她说那是她父亲们的老师。在不能采集燕窝的季节里,我岳母的父亲和叔叔们就坐吃着头年采燕的收入，为下一次采燕做各方面的准备。他们几乎每天都牵着猿猴上山，驱使它们攀壁缘木，并进行模仿。我岳母说马来半岛的采燕人有驯化猿猴采燕的，但不太成功，猴性善变，影响生产。我岳母说她爹六十多岁时还是身轻如燕，在光滑的青竹上攀缘，不弱健猴。总之，我岳母的家族由于遗传的原因和职业的训练，都善于攀壁上树。我岳母说体能最为出色的是她的小叔叔，他练就了一身壁虎功，能不凭借任何器械，赤手爬到几十米高的岩壁上去采燕。我岳母说她把别的叔叔的模样都淡忘了，但却牢牢记着这位小叔叔的模样。他遍体生着一层鱼鳞状的老皮，瘦干的脸上有两只深陷在眼眶里的、闪烁着忧悒光芒的蓝色大眼睛。

我岳母说她七岁那一年的夏天，第一次跟随父亲和叔叔们去海岛采燕。她家有一艘很大的双桅船，船是松木的，刷着厚厚的桐油，散发着森林的芳香。那天刮着东南风，海上的长浪追逐奔涌，滩涂上的白沙被太阳照得闪闪发亮。我岳母说她经常被那刺目的白光从梦中惊醒，于是，在酒国市的被窝里，她听到了南海的波涛，嗅到了海的味道。她的父亲叼着一支旱烟管，指挥着弟弟们往船上搬运粮草、淡水、青竹竿。末了，她的一个叔叔牵来一头角上缠着红绸的肥胖公水牛。那家伙双眼血红，嘴里吐着白沫，一副怒气冲冲的模样。渔村里的孩子们跑来看采燕船出发。孩子群里有好几位是我岳母的玩伴，海燕、潮生、海豹……有一个老女人站在村头一块岩石上喊叫着：海豹、海豹子，来家。一个小男孩极不情愿地离去了。临走时他对我岳母说：燕妮，你能帮我逮一只金丝燕吗？你给我一只活金丝燕，我给你一颗玻璃球。他亮了亮那颗攥在手里的玻璃球。我想不到我岳母竟有这样一个辉煌的乳名，燕妮！天老爷人家！竟跟马克思夫人一个名字。我岳母忧伤地说：那个海豹子，现在已是军分区司令了。我岳母的话里流露出了对我岳父的不满。我老婆说,军分区司令有什么了不起,我爸爸是大学教授,酿造专家,不比他个小小司令神气!我岳母看看我,委屈地说:她永远站在她爸爸的立场上与我作对。恋父情结,我说。我老婆狠狠地剜了我一眼。我岳母说采燕船出发那天,最热闹的场面是赶公牛上船。

她说牛是有灵性的,没阉过的公牛最有灵性,它知道让它上船意味着什么,所以它一靠近小码头就红了眼,喘着粗气,把一个犟头,拧来摆去,扯拽得我那位叔叔跟跟跄跄。我岳母说有一条狭窄的木板把木船和小码头的石阶连结在一起,木板悬空,倾斜,板下是浑浊的海水。公水牛的前蹄停在木板的一头,便再也不肯前进半步。那位叔叔用上吃奶的劲拉鼻绳,铁鼻环把水牛青色的鼻梁拉出去很长,牛的鼻梁随时都可能豁开,一定痛疼难捱,但它坚持着不上板,与死亡相比,鼻子不算什么。我岳母说她的几个叔叔一拥而上,想把水牛硬推到船上去,但任他们怎么推,也奈何不了它,反倒被它愤怒地一尥蹄子,打瘸了我岳母某一位叔叔的腿。

我岳母说她的小叔叔不但体能比他的哥哥们出色。智慧也是第一。他从他哥哥手中接过牛绳,拉着牛在海滩上散步。他和牛说着话。海滩上留下了他和牛的脚印。后来他脱下褂子蒙住了牛头,一个人把牛牵上了跳板。牛走在跳板上时,跳板弯成了一张弓。那畜牲其实也知道它走在一条险路上,因为它迈动四蹄时小心翼翼,好像马戏团里那些久经训练的走索山羊。牛上了船,人也上了船,跳板撤去,哗哗地挂满帆。小叔叔从牛脸上解下衣服。牛浑身发抖,四蹄跳动,发出一声凄凉的鸣叫。渐渐地,大陆消逝,海岛逼近,岛上云雾朦胧,宛若仙山琼阁。

我岳母说她父亲和叔叔们在岛的一角上锚住了船,小叔叔把牛弄下船。他们的脸色严肃而神圣。一踏上遍地荆榛的荒岛,那暴躁的公牛变得比绵羊还要温驯。牛眼里血红的颜色消失,湛蓝的与海洋一样的颜色与我岳母的小叔叔的眼睛一样的颜色出现。

我岳母说他们抵达荒岛时已是黄昏时分,海上红光闪闪,岛上群鸟翻飞,鸣声震耳。他们在岛上露宿,一夜无话。第二天凌晨,吃罢早饭,她的父亲说:干吧。神秘惊险的采燕工作就开始了。

这些岛上,有许多黑暗的洞穴。我岳母说在一个大洞穴的外边,她父亲摆起了香案,烧了一沓纸,磕了几个头,然后说一声:杀牲!他的六个兄弟便一拥而上,把那头公牛扑倒在地。奇怪的是那头膘肥体壮的公牛竟然没进行丝毫反抗,与其说它是被那六个男人按倒不如说它自己躺倒。它静静地卧着,健壮的脖子平铺在岩石上,那颗生着钢青色铁角的硕大头颅,笨拙地连结在脖子上,仿佛是生硬地焊接上的一样。它的姿势表明它心甘情愿地成为献给洞中神灵的牺牲。我岳母说她模模糊糊地感觉到,岩洞中的燕窝是洞中神灵的私有财产,而她父亲和叔叔们用这条肥胖的公牛和洞中神灵进行交换。洞中的神灵既然能吃公牛,一定是个极其凶恶的大怪物。我岳母说这联想使她产生了恐怖。按倒黄牛后,她的叔叔们闪到边上去。她看到父亲从腰里抽出一把雪亮的小斧头,双手攥着,向公牛走去。她的那颗心脏仿佛被一只大手紧紧地攥住了,每跳动一下都要停顿了再不跳动一样。她父亲嘴里念念有词,漆黑的眼睛里跳动着惊恐不定的光芒。她忽然产生了对父亲也对公牛的怜悯,她觉得面前这个瘦猴一样的男人和僵卧在岩石上的公牛一样可怜,杀者和被杀者都情不自愿,但迫于一种巨大的压力不得不这样做。我岳母看到那奇形怪状的巨大洞口,听到洞里那一阵阵的怪异声响,感受到洞口喷吐出的阴森空气,灵感发动,想到,她父亲和公牛共同惧怕的是岩洞中的神灵。她看到公牛紧紧地闭着眼,长长的睫毛被上下眼睑夹成一条线,一只碧绿的苍蝇在它的潮湿的眼角上挑挑拣拣地吃着什么,连我岳母都被这只讨厌的苍蝇搞得眼角发痒,但公牛却一动不动。我岳母的父亲走到牛的身旁,六神无主般地往四下里打量了一下。他想看什么呢?我岳母说,其实他什么也看不到,抬头张望恰恰暴露了他内心的极度空虚。他把小斧头放在左手里握着,往右手心里吐了一口唾沫,然后又把小斧头倒在右手里握着,往左手心里吐了一口唾沫,最后,他双手攥住斧把儿,挪动了一下双腿,似乎要站得更稳当一点。他呼了一口长气,憋住,脸色发青,双眼瞪圆,高高地把斧头举起来,猛地劈下去。我岳母听到斧头劈进牛颈时发出的那一声闷响。她父亲吐出了那口憋住的气,整个人都塌了架子似的软绵绵地站在那里,好久,才弯腰把夹在牛颈里的斧头拔出来。公牛沉闷地叫了一声做了几次试图抬头的努力,但它脖颈上的肌腱已被砍断,无法抬头了。随后,它的身体一个区域一个区域地轮番抖动起来,好像这抖动已不由它的大脑支配。我岳母的父亲又一次举起斧头,凶猛地砍着,扩大着牛颈上的伤口。他一边砍一边发出"嘿嘿"的声响,动作还算准确,每一斧下去,伤口便深下去一块。牛颈上终于喷出了激烈的黑血来,一股子热烘烘的血腥味道扑进了我岳母的鼻腔。她父亲的双手上沾满了鲜血,小斧头滑溜溜的感觉通过他不断地用野草擦手的动作表现出来。随着伤口的进一步扩大,鲜血溅满了我岳母她父亲的脸。牛的气管断了,一些很大的泡沫涌出来,泡沫涌出时发出"卟噜卟噜"的响声,我岳母捏着脖子转过了身。当她回转头时,看到她父亲已把牛头彻底地剁下来了。他扔掉斧头,就着那两只血手,抓住公牛头上那两根铁角,把它提起来,端到洞口前的香案上。令我岳母不解的是,这公牛临死前紧紧闭着眼,头被砍下来后,反倒睁圆了眼睛,那眼睛依然蓝得像海水一样,倒映出周围的人影。我岳母说她父亲安顿好牛头,退后一步,嘴里不知念叨了几句什么话,然后扑地跪倒,朝着洞口频频磕头。她的叔叔们也跪倒在岩石上,对着洞口磕头。

祭洞仪式完成后,我岳母她父亲和叔叔们带着家什进洞。她被留在洞外看守船只和器具。我岳母说他们进洞之后就像石头沉入大海一样无声无息。她一个人面对着大睁着双眼的牛头和咕咕冒血的牛身子感到十分恐惧。远望海天茫茫,大陆隐没在海水后边,岛上飞翔着许多不知名字的大鸟。有几匹肥大的老鼠从岩缝里钻出来,吱吱叫着,蹿到牛的尸体上去,我岳母试图轰开它们,它们却一蹦半米高向我岳母这个小姑娘发起了进攻,她清楚地感受到了老鼠爪子挠着她胸脯的滋味。我岳母嚎哭着跳到洞里去。

她哭叫找她的父亲和叔叔们,穿越了一段幽暗的洞。突然她的眼前一亮,七束耀眼的火把在她的头上出现了。我岳母说她父亲在采燕的淡季里用浸透松脂的树枝捆成了很多火把,那些火把长约一米,有一个细细的、可以用嘴叼住的把儿。我岳母说看到火把的亮光后她立即停止了哭嚎,一种神圣的庄严的气氛扼住了她的喉咙。她感到与父辈们正在进行的工作相比较,自己的那点小恐怖根本不值一提。

那是一个巨大的山洞,高约六十米,宽约八十米,我岳母用成人后的估测能力为她儿时的印象定了量。山洞究竟有多长我岳母说她估测不出。洞中有流水的潺潺声,有水滴落下的叮咚声,凉风习习。她仰脸看到那几支火把在半空中燃烧着,火光映照着她父亲的脸,她叔叔们的脸,尤其是她小叔叔的脸。那张迷人的脸在火苗的映照下具有了琥珀的颜色和琥珀的质地,感人至深,永远难忘,像克利科·蓬萨旦寡妇酿造的香槟酒一样,清馨润肺,缭绕不绝,压倒群芳,出类拔萃。他口叼着哔哔叭叭爆响着的火把，身体紧紧地贴在一道岩缝里，对着一个晶莹乳白的东西伸过刀去。那就是燕窝。

我岳母说其实她一进岩洞，最先让她心驰神往的不是那高悬头上的松脂火把，也不是被火把照耀的她小叔叔那张富有魅力的脸，而是那满洞飞舞的金丝燕。它们被火光惊扰，纷纷飞出巢穴又不想远离巢穴，洞中群燕翻飞，犹如山花烂漫，又似蝶群盘旋。燕声啾啾，千声万声，泣血啼血。我岳母说她听出了燕啼声中包含着的辛酸和愤怒。她的父亲从她的头上，驾着一根长长的青竹，悠到洞壁的一侧，那里有十几个刚刚凝固的燕窝。她的爹仰着脸，头上缠着一道白布，大张着两个黑洞洞的鼻孔，脸色像烤熟的乳猪一样。他伸出了那柄白色的刮刀，只一下，便把一只燕窝削下，伸手接住，装进了腰间的叉袋。几个黑色的小东西掉下来，落在我岳母的脚前，啪一声轻响，她低头摸去，摸起几块破碎的蛋壳，蛋黄和蛋清沾在壳上。我岳母说她心里很难过。她看到父亲只靠着几根孱弱的青竹，在几十米的高空冒险采燕，她的心中也很难过。燕子一团一簇地扑向她父亲的火把，仿佛要把那火把扑灭，保护自己的巢穴和后代。但火的威势在最后的时刻逼退了它们。它们的羽翼在即将接触到火苗时才疾速折回，蓝色的燕羽在火光中闪烁。我岳母说她父亲对群燕的骚扰置之不理，哪怕燕翅拍打着他的脑壳，他的眼睛依然盯着岩壁上的燕窝，并且用稳准狠的手法，把它们一个个削下来。

一支火把将尽时，我岳母说她父亲和叔叔们攀缘着倚在洞壁上的青竹溜下来。他们聚在一起，引燃新火把，倒出叉袋里的燕窝，堆在一块白布上。我岳母说按照往常规矩，她父亲只采一支火把的燕，剩下三支火把工夫，由他的弟弟们采，他在洞壁下看守着燕窝，防止恶鼠抢食，同时也休息那毕竟已经衰老的身体。我岳母说她出现在

他们面前,使他们又惊又喜。她父亲训斥她为什么私自进洞,她说一
个人在洞外害怕。我岳母说她一说出"害怕"二字,她的爹立刻脸色
大变,抬手扇了她一巴掌,说:闭嘴。她说她爹的手黏糊糊的,沾满
了燕窝的汁液。我岳母说后来她才知道,在洞里绝对不允许说出诸
如"跌落"、"滑倒"、"死亡"、"害怕"之类的字眼,否则将大不吉利。
她挨了巴掌,呜呜地哭了。她的小叔叔说:别哭,燕妮,待会我给你
逮只燕。

　　他们每人抽了一锅烟,用腰间的叉袋擦了擦身上的汗,便叼起火
把,向岩洞的深处走去。我岳母说她父亲说:既然你来了,看着货,我
再上去采一支火把。按规定,他们每天要采四支火把的时间。

　　我岳母说她的父亲叼着火把去了,她看到洞底有流水,水中有游
蛇,还有许多腐烂的竹竿与藤蔓,洞底的石头上,积着一层厚厚的燕
屎。她的目光追随着她的小叔叔,因为他说要给她捉只活燕。她看
到他沿着几根青竹,飞一样地爬到了十几米的高处,找一处缝隙站住
脚,再弯腰把脚下的竹子提上去,插住,又提上去一根竹,斜架在另一
根竹上,再提上去一根,架住。三根竹便架构成一座令人惊心动魄的
天桥。她的小叔叔踩着这摇摇欲坠的天桥,逼近了岩洞的穹隆,那里
有块垂下来的蘑菇状乳石,在那石上,有十几个特大的白燕窝。当别
处的金丝燕弃巢惊飞时,这里的燕子不惊不飞,它们也许知道它们的
巢建在了绝对安全的位置上。筑成的巢里,抻着两只机灵的燕头,还
有几只金丝燕,正倒悬在乳石上,频频摆动着头颅,扯着洁白透明的
丝线,编织着细腻优美的巢穴。它们也许不知道我岳母的小叔叔已
经手把着、脚蹬着冰凉滑溜的岩石,像只可怕的大壁虎,一点一点地
向它们靠拢。我岳母说金丝燕用八个朝前的爪子紧紧地把着岩石,
辛苦万端地咳唾筑巢。它的短短的嘴巴像只灵巧的梭子,在弧形的

平面上快疾地编织着。扯一阵亮丝后，它们就把身体紧缩起，翅膀抖，尾羽颤，把珍贵的唾液从喉咙里咳出来，含在嘴里，再扯亮丝。那些东西在空气中转瞬间便凝固成透明白玉。我岳母说金丝燕吐涎筑巢，是大自然中少有的奇观，达官贵人们不知金丝燕的辛苦，更不知采燕人的辛苦，所以他们也就感觉不到燕窝的珍贵。

我岳母的小叔叔几乎是倒挂在那石蘑菇的肥大部了，仅凭着两只脚，就把住了虽有沟坎但极其滑溜的乳石，这实在是不可思议。火把横向伸出，火苗在他头的外侧熊熊燃烧。他腰间装燕的叉袋垂挂下来，好像两面在雨中狼狈下垂的破旗。他自然不能开口说话，但他的处境已经说明他无法把采下的燕窝装入叉袋。我岳母说父亲已从岩壁上溜下来，举着火把，仰脸看着把性命悬挂在洞顶的小弟，并准备随时捡起他挥刀割下的燕窝。

我岳母说直到现在她再也没有看到那么大的燕窝。那是古老的燕窝。我岳母说燕类都有在旧巢上筑新巢的习性，只要不遭破坏，它们可以把一个巢造得像斗笠那么大。当然，没遭破坏的燕巢，都几乎是纯粹的燕唾凝成，不含杂质，质量优异。

他伸出了手，手里握着一把三棱的锋利刮刀。他的身体被可怕地拉长了，好像一条蛇。我岳母说她看到许多明亮的汗珠从她小叔叔的头发梢上滴下来。他的刀触到那个巨大燕窝的边缘了，触到了，触到了。他的身体又拉长了些，他的刮刀戳到燕窝的基部里去了，他来回抽动着刮刀，成群的汗珠从他头上滴下来。燕窝里的大燕子飞出来了，它们表现得特别英勇，不顾死活地用身体去碰撞他的脸，一次一次又一次。我岳母说燕窝在石上粘得非常牢固，尤其是多年的燕窝，几乎是长在石头上一样。所以她的小叔叔的工作异常艰苦，他必须置大燕子的疯狂冲撞于不顾，必须心不乱，手不软，咬紧牙，闭住眼,坚持住,把牙咬进唇里,尝到自己的血滋味。

我岳母说,天哪,好像过了几百年一样,那庞大的燕巢终于倾斜了,终于垂下来了,只要再来一下,它就会掉下来,像块巨大的白金子一样掉下来。

小叔叔,加把劲呀! 我岳母情不自禁地喊叫起来。随着她的一声叫喊,他的身体往前一跃,那只白色燕窝脱离了岩石,飘飘摇摇地,费了漫长的时间,落在了我岳母和她父亲的脚前面。与燕窝同时落下来的,还有她那个技艺非凡的小叔叔。我们在前边说过,他能从十几米的高处飘然落地而不损伤自己的身体,但这一次是太高了,而且姿势不对。他的脑浆溅到了那只燕窝上。那只自高空跌落的火把落地之后依然燃烧着,一直到洞底的浅浅流水把它浸灭为止。

我岳母说,她小叔叔摔死后五年,她的父亲也粉身碎骨在一个岩洞里,但采集燕窝的工作并不因为死人而停止。她不可能继承父业,也不愿意靠叔叔们养活,在一个炎热的夏日里,她背着那只沾着小叔叔脑浆的巨燕,踏上了漫漫征程。那年,我的岳母十四岁。

我岳母说,按照常理她绝对不会成为一个烹制燕窝的名厨,因为每当她用针挑剔燕窝里的杂质时,眼前便会再现那些惊心动魄的画面。她怀着无限的敬惜之情烹制每一个燕窝,正因为知道这物背后隐藏着的辛酸血泪——燕的和人的——所以她获得了关于燕窝的超凡经验。但她的心中毕竟还有些疙瘩,燕窝与人的脑浆的关系使她不舒服,自从酒国市独创了烹食肉孩的惊人业绩后,她心中那点芥蒂便烟消云散了。

我岳母忧心忡忡地说,进入九十年代后,中国大陆的燕窝需求量激增,但我国南方的采燕业已经濒临灭亡。采燕者把先进的液压升降设备和电气照明设备搬进洞穴，人们可以轻松自如地、毫无危险地，不但割取燕窝，而且捕杀燕子。中国其实已无燕可采。在这种情况下，为满足人们的需要，只好从东南亚各国大量进口，导致燕价暴涨，香港市场上每公斤燕窝已值二千五百美元，而且还有继续上涨之势。燕价飞涨又刺激了国外采燕者的疯狂，当年我父亲他们每年只采一次燕窝，而现在，泰国的采燕者每年采集四次。再过二十年，孩子们都不知燕窝为何物了。我岳母喝光了碗中的燕窝羹，说。

　　我说，其实，即使现在，吃过燕窝的中国孩子也不超过一千个。这玩意儿有没有对于广大的老百姓来说无关紧要，您何必操心呢？

第八章

一

一斗兄：

  大作与来信收悉。

  《采燕》读罢，浮想联翩。小时候听我爷爷说，有钱人家吃饭，那桌上摆着的都是一些驼蹄、熊掌、猴头、燕窝什么的。骆驼我是见过了，那肥大的驼蹄也许真好吃，但我无口福。我小时吃过一次二哥从生产队的死马腿上偷偷剁下来的马蹄子，自然没有名厨料理，由我母亲放在白水里加盐煮，吃肉没有多少，喝汤可以管饱。这顿马蹄汤给我留下了深刻印象，至今难以忘怀，过年回家时兄弟聚会，还经常提起，好像那鲜美的味道还在舌尖缭绕。那是一九六〇年，最困难的时候，所以才能留下如此深刻印象吧。熊掌嘛，前年一个企业家请我吃饭，最末一道菜端上来一盘黑不溜秋的东西，东道极郑重地说：这是熊掌，刚托人从黑龙江弄回来的。于是便极兴奋地夹了一筷子放到嘴里，细细地品咂，感觉到黏黏糊糊的，不香不臭，与猪蹄子上的筋皮没有什么差异，心里这么想，嘴里却连说好滋味。主人挑了一点尝了尝，说：发得不好！然后又批评厨师不会做。我实在不知何为"发"，但又不好意思问。后来在北京请教了一位在饭店工作过的朋友，才知道"发"是怎么回事。他还告诉我,我吃到的是干制了的熊掌,所以要发。而新鲜熊掌是不需要发的。但制作亦不易,他说如得到一个新鲜掌,即要掘地作坑,用大块石灰铺底,把熊掌放进去,上面再用石灰盖好,然后往石灰上浇温水,使灰发热泛开,即可把掌上的毛根除尽。他说吃熊掌要耐心,因为熊掌煨得愈烂愈好吃,所以晚上吃掌,清晨即应上锅炖起来。这也太麻烦了吧。另外我记得我爷爷说过,熊冬天不吃食,饿了即舔掌疗饥,所以熊掌是宝,这种说法我想大概没什么道理。至于猴头,原先我以为是猴子的头,后来才听说是一种树菌。这玩意儿我没吃过,但因胃病吃过不少"猴头菌片"。近日在火车上碰到一位制药厂的师傅,他说哪里去搞那么多猴头菌?弄点木耳、蘑菇的加进去就不错了。这使我吃了一惊,没想到药里也掺假,药里都敢掺假,还有什么是真的呢?最后,该说说这可怕的燕窝了,我没有见过,也没有吃过,以前读《红楼梦》,看到生肺病的林黛玉动不动就喝燕窝汤,所以知道是好东西,一般人吃不起。但我根本没想到这玩意儿那么贵,我们辛辛苦苦工作半辈子,所发工资加起来还买不了几斤燕窝。看了你的小说,我这辈子也不要吃燕窝了,贵是一个原因,另一个原因是太残忍了。我不是虚伪的"燕道主义"者,但一想到那唾血成窝的金丝燕,心里就不是滋味。我的水平跟你小说中的"我老婆"差不多。我怀疑燕窝不像"我岳母"说的那般玄乎,香港人喜食燕窝,但街上走着的人里,个头矮小尖嘴缩腮者居多,我们山东人吃地瓜单饼大葱,净长了些大个子,街上美女虽不成群却也随处可见,由此可见,那玩意儿的营养价值跟烤地瓜也差不到哪里去,花那么多钱吃那脏东西,实在是一种愚蠢的行为,何况还那般残酷地一次次毁坏了金丝燕的家,这已经不单是愚蠢的问题了。近年来——尤其是读了你的一批小说后,我发现咱们中国人在吃上真是挖空了心思,当然,有条件吃奇食异味的人,大多数不必掏自己的腰包,至于绝大多数老百姓,也不过是胡乱塞饱肚子罢了。这真是肉山酒海的时代,你小说中那些官僚们,比四川省大恶霸地主刘文彩那个专吃鸭脚蹼膜的小老婆神气多了。这种事大家都司空见惯,前几年还有人在报刊上写几篇不痛不痒的豆腐块文章或是画幅漫画讽刺一下,现在连这些也没有了。

话归正题,你的《采燕》我看还是政治意识太强,我想你应该把你那满腹激愤先排泄干净,然后把这篇小说重写一下。采集燕窝,这古老而又濒临灭绝的行业,充满了神秘与传奇色彩,会弄成一篇很好看的东西。强调一下:注意在神秘与传奇上下工夫。

我去酒国的事,领导已基本同意。但我必须把手头这部长篇的初稿拉出来才能成行。我牢记着你们首届猿酒节的日期,不会错过的。

稿子退给你,快邮专递,请查收。

即颂
笔健!

莫　言

二

莫言老师:

来信收到了,快邮专递过来的稿子也收到了。其实您完全不必多花这些钱,平寄挂号即可,晚几天没什么关系,因为我正在写一篇题名《酒仙》的小说,暂时不想改《采燕》。

老师围绕着我的《采燕》发了那么多的感慨,并且因此而忆起了童年吃清水煮马蹄的往事,所以,《采燕》即使永不发表,也立下了赫赫功绩——如果没有它,您怎么会给我写这么长的信呢?

正如您所说,燕窝的营养价值是被人们大大地夸张了的,我想,它不过是一种含有较高蛋白质的鸟类分泌物罢了,并没有那么神奇的功能,否则,那些日食燕窝三五个的人真要长生不死了。我只吃过一次燕窝,就像我在小说中写的那样。您来到酒国之后,我一定想办法搞点燕窝给你吃,当然,吃是次要的,增加一些这方面的经验是主要的。

关于我的满腹激愤,今后一定想法排泄,在这种状况下,谁也无力挽狂澜,而且认真检讨起来,社会变成这样子,每个人都有责任,我本人也借着工作之便,喝遍了全世界的名酒,那些酒并不比燕窝便宜多少,一般老百姓恐怕连见都没见过。如法国的吉夫海·香百丹(Gevrey-Chambertin)、拉罗马奶·孔蒂(La Romanee-Conti),德国的泪酒(Lay)、朗中酒(Doktor),意大利的巴巴莱斯库(Barbaresco)、耶稣泪(Lacrima Christi)、格拉帕(Grappa)等等,都是酒中珍宝,不折不扣的琼浆玉液。老师,您快来吧,学生别的不敢吹牛,捣弄点名酒给您喝是小意思。您不要不好意思,您喝我喝总比让那些贪官污吏喝了好。

反正您不久即来酒国,学生有满肚子的话,留到见面之后,你我兄弟对面举杯时再开怀畅谈吧。

寄上我的新作《猿酒》,请老师批评。本来还想拉长点,但这几天实在是精疲力尽,便草草结尾了。此稿看完,不需邮寄,等您来酒国时带给我即可。我休息一天,即动笔写另一个短篇,然后再改《采燕》。

即颂

文安

学生:李一斗

三

猿　酒

猿酒＝袁酒。酿造者是谁? 是我的岳父袁双鱼,酒国市酿造大学教授。如果说酒国市是镶嵌在我们伟大祖国版图上的一颗明珠,那么酿造大学就是我们酒国市的一颗明珠,而我岳父又是我们酿造大学的一颗明珠——最璀璨的、最耀眼的。能成为他老人家的学生,进一步成为他的女婿,是我终生的荣耀。我的好运气让不知多少人羡慕、嫉妒。在命题本文时,我曾颇费踌躇:是称谓"猿酒"呢还是称谓"袁酒"? 考虑再三,暂用"猿酒"。尽管这样显得有些野兽派。我岳父学识渊博,人格清高,为了寻找猿酒,他甘愿到白猿岭上去与猿猴为伍,风餐露宿,栉风沐雨,终于获得了成功。

为了能够让不喜饮酒的读者对我岳父的学识有个大概的了解,在此我不得不大段地抄录我岳父前几年给我们上共同课《酒类起源学》时发给我们的讲义。

　　那时我还是个懵头懵脑的青皮后生,从贫穷的农家踏入酒的神圣殿堂,对酒的了解极少。当我岳父拄着文明棍、穿着白西服,风度潇洒地走上讲台时,我心里想,酒,不就是点辣水吗?看这老头能讲出个啥道道。我岳父站在讲台上,未曾开言哈哈笑,笑着从怀里掏出一个小瓶子,拔开塞子,喝了一口,巴咂巴咂嘴,说:同学们,我喝的是什么?有人说:自来水。有人说:白开水。有人说:透明的液体。有人说:酒。我明知是酒——我嗅到了酒香——却低声道:尿。——好!我岳父用巴掌拍了一下讲台,说:说酒的同学站起来。一个扎着大辫子的女同学红着脸站起来,望了一眼我岳父,便低了头,玩弄着辫子梢——这是留辫子姑娘的习惯动作,从电影上学的——我岳父问:你怎么知道是酒呢?她用低得勉强可以听清的声音说:我闻到味道……你的嗅觉为什么这样灵敏?我岳父问。姑娘的脸更红了,不但红,还发着烧呢。为什么?我岳父问。她用更低的声音说:我……我这几天嗅觉好……我岳父拍拍额头,恍然大悟般地说:好了,明白了,你坐下吧。我岳父明白了什么?你知道吗?我也是后来才知道。他说有一些女孩子在例假期间嗅觉特灵敏,想象力也特别丰富。所以,许多人类历史上的重大发现,都与例假的周期紧密相连。说尿的那位同学站起来!我岳父严肃地说。我的双耳一阵轰鸣,眼前金星飞舞,仿佛当头挨了一棒。想不到这个老家伙耳朵这样好使。站起来,不要不好意思嘛!他说。我的窘态已经吸引了全班同学的目光,自然也吸引了正来例假的大辫子女同学的目光——她名叫金曼丽,典型的女特务名字,我跟她的戏另文专论,她后来也成为我岳父的研究生——毁了,这张比狗屎还臭的嘴巴又一次给我招来了祸殃。李一斗啊李一斗,临行前爹娘是怎么嘱咐你的?不是让你少说话多听话吗?你呀,用膏药也糊不住的个嘴。啄木鸟死在树洞里——吃亏就在嘴上——我狼狈不堪地站起来，不敢抬头。——你叫什么名字？——李一斗。——怪不得有如此丰富的想象力，原来是酒仙转世。他的话引起了哄堂大笑。他用双手压下了笑声，喝了一口酒，巴咂巴咂嘴，说，坐下吧，李一斗。坦率地说，我非常喜欢你，你是与众不同的。

我迷迷瞪瞪地坐下，看着我的岳父把酒瓶塞子塞好，用力晃了晃，举起来，对着门外射进来的明亮光线，欣赏着瓶中那些纷纷扬扬的泡沫，用优美的音调说：亲爱的同学们，这是一种神圣的液体，是人类生活中不可须臾缺少的液体，在改革开放的今天，它的作用越来越大，毫不夸张地说，没有它，振兴酒国就是一句空谈。酒，是阳光，是空气，是血液。酒，是音乐，是绘画，是芭蕾，是诗。酿酒的人，是集诸般艺术于一身的大师。希望你们当中能产生为国争光的酿造大师，到巴塞罗那万国博览会上去摘取金质奖章。前不久我听说，有人鄙薄我们的专业，认为酿酒没出息，同学们，我可以告诉你们，有朝一日地球毁灭了，酒精分子还会在宇宙中飞翔！

在我们热烈的掌声中，我岳父高举着他的酒瓶，满脸神圣庄严，像电影中常见到的英雄亮相。我感到了惭愧，不该把如此严肃的液体亵渎为尿，尽管它迟早要变成尿。

有关这神圣液体的起源，至今还是个谜。我岳父说，几千年的酒浆汇成了黄河，汇成了长江，但我们却找不到它的源头。我们只能猜想。我国的天文学家在分析宇宙光谱时发现外层空间存在着大量酒精分子，最近美国的女宇航员在航天飞机里突然嗅到了浓郁的酒香，并感到了阵阵快意，好像微醉一样。请问，那些酒精分子是哪里来的？女宇航员嗅到的酒香是哪里来的？是来自外星球，还是从我们酒国散发上去的？同学们，展开想象的翅膀吧！

我岳父说,我们的先人,把酒的发明归功神明,并且编织了许多美丽动人的故事。请看讲义——

古代埃及人认为酒是由奥西里斯(Osiris)首先发明的,因为他是死者的庇护神,酒可以用来祭祀先人,超度亡灵,给它们插上翅膀,让它们飞到极乐世界里去。我们活着的人,喝醉后也有飘飘欲飞的感觉,所以,酒的本质是翱翔的精神。古代美索不达米亚人把酿酒始祖的桂冠戴到诺亚(Noah)头上。他们说诺亚不仅在洪水之后重新创造了人类,而且还赐给人类美酒以躲避灾难。美索不达米亚人甚至还确定了诺亚酿造酒浆的地方——埃丽坊(Erinan)。

古代希腊人拥有自己的酒神,他的名字叫狄奥尼苏斯(Dionysus),是奥林匹克诸神中专与酒打交道的圣仙。他象征着狂欢,象征重重枷锁的纷纷落地,象征着自由精神的飞扬跋扈。

信奉精神至上的宗教对酒的起源另有见解。佛教和伊斯兰教对酒充满仇恨,他们宣称酒是万恶之源。基督教却认为酒是耶和华的血液,是耶和华救世精神的物质表现。喝了酒就能与上帝心心相印、息息相通。宗教把酒当成一种精神,这是一种相当高明的见解,尽管我们知道酒是一种物质,但我提醒你们,一个把酒仅仅看成物质的人,是难成艺术大师的。酒是精神,不少民族的语言中,还保留着这种痕迹,英语把烈酒写作 Spirits,法语把高度酒写成 Spiritueux,这些词都跟"精神"词根相同。

但我们毕竟是唯物主义者,强调酒是精神,仅仅是为了让我们的心灵展翅高飞,飞倦了,落下来,还是要从故纸堆里寻找酒的源头。这的确是一项妙趣横生的工作。印度最古老的宗教文献和文学作品集《吠陀》(Veda)中提到过一种名叫"沙摩"(Soma)的酒精饮料和另一种名叫"波摩"(Baoma)的祭祀酒品。希伯来人的《旧约全书》(The

Old Testament)中屡次提到"酸酒"和"甜酒"。我国古老的甲骨文有云:"其酒□于大甲□□于丁",意思是向死者大甲和丁供献祭酒。甲骨文中还有一个"鬯"字,汉班固在《白虎通义》中释之为:"鬯者,以百草之香,金郁合酿之成鬯。"鬯,美酒也。鬯同畅、痛快、尽情、无阻碍、不停滞、畅达、畅快、畅所欲言、畅通无阻、畅想、畅饮……酒就是这自由境界。在世界其他地区至今发现的有关酒的最早文字记载,当数在埃及发掘的史前古墓葬中找到的酒瓶塞子,那上边清晰地留下了拉玛西斯三世王苑酒坊的印记(Ramses Ⅲ,公元前 1198 年—公元前 1166 年)。

有关酒的年代较早的记事文字,还可举出一些。如中文中的"醴",是指一种甜酒;外文中"Bojah",古印度语指一种谷物原汁酒;"Bosa",埃塞俄比亚部族语指大麦酒;"Cervisia",古高卢语,"Pior",古德语,"eolo",斯堪地维亚古语,"Bere",盎格鲁—撒克逊古语,上述各种,都是这些民族古代啤酒的写法;奶酒,蒙古草原上的古代游牧民族称为"Koumiss",美索不达米亚人称为"Mazoun";蜜酒,古希腊人称为"Mclikaton",古罗马人称为"Aqua musla",塞尔特人称为"Chouchen"。古代斯堪的纳维亚人常用蜜酒庆贺婚礼,"蜜月"一词因而形成,沿用至今,通行世界。诸如此类的记载文字,在世界各古老民族的文化中比比皆是,不能一一例举。

大段地摘抄我岳父的讲义,一定让你们感到了极度的厌烦,对不起,我也烦得要命,但没有办法,请忍耐一会,马上就完,马上就完了。根据文字资料来确定酒的起源,只能推溯到公元前十世纪左右,这不能不使人感到遗憾。酒的起源应当早于人类的历史,这个推论是完全正确的。大量考古发现,为我们提供了足够的证据。龙山遗址中的三脚陶酒壶,大汶口造型优美的尊、斝,西班牙阿尔塔米拉洞窟中的祭神奠酒壁画,等等,都证明了酒的历史超过一万年。

同学们,我岳父说,酒是一种有机化合物,在大自然巧夺天工的造化下,可以自然生成。糖在酶的作用下变为酒精,再加上其他物质,便可化合成酒。自然界中有取之不尽、用之不竭的含糖物质,含糖量较多的植物果实很容易被酶素分解,如葡萄。假设有一堆葡萄被风、水、或是鸟兽带到低洼的地方,适当的水分和温度就能促使葡萄皮上的酶素活跃起来,将果汁变成甜美的酒浆。我国素有"猿猴造酒"之说,古书《蓬栊夜话》中写道:"黄山多猿猱,春夏采杂花果于石洼中,酝酿成酒,香气溢发,闻数百步。"《清稗类钞·粤西偶记》记载说:"粤西平乐等府,山中多猿,善采百花酿酒。樵子入山,得其巢穴者,其酒多至数石。饮之,香美异常,名曰猿酒。"猿猴尚能采撷杂果于石洼中,胡乱酝酿成酒,何况人类祖先。类似猿猴造酒的说法,其他国家也有。譬如法国酒界普遍认为鸟类衔集果实于窝巢中,种种意外使鸟没将果实吞食,久而久之,鸟巢便成了酿酒容器。人之学会造酒,应当是受到了飞禽走兽的启示。酒的自然生成与地球上出现含糖植物的时间应该基本同步,所以我们说,在没有人类之前,地球上就已经酒香洋溢。

那么,人又是何时开始酿酒?这首先取决于人类要在自然界中发现酒的存在。有不怕死的、或是渴极了的人喝了石洼中或鸟巢中的酒,尝到了这种神奇液体的味道,感受到了饮罢这种液体后的巨大愉悦,然后,成群结队的人去寻找石洼和鸟巢,找光饮光后,酿酒的动机便产生了。有了动机,紧随着就是模仿,人们模仿着猴子,把果实扔到石洼中,但并不是每次模仿都成功。有时,石洼中的果实成了果干;有时,石洼中的果实烂成了泥。很多次,人类停止了跟猿猴学习酿酒的活动,但那液体的巨力又吸引他们再次鼓起勇气实验,就这样,经验产生了,靠自然之力的果酒酿出来了,人们兴高采烈,在点着火的洞穴里赤身跳舞。人类学习酿造与学习种植、驯养野兽同时进行,等到粮食代替兽肉鱼肉成为主要食物时,用粮食酿酒的试验开始了。触发这试验动机的,可能是偶然性启发,也可能是上帝的启示。当第一滴由蒸气凝成的酒液在冷却器——甑上形成时,人类历史便掀起了壮丽的一页,辉煌的文明时代由此开始。

下课,我岳父说。

下课后,我岳父咕嘟嘟喝干了小瓶中的酒,巴咂巴咂嘴之后又巴咂巴咂嘴,然后把小瓶子装进怀里,夹起皮包,狠狠地、含义深长地盯了我一眼,便昂首挺胸、目不斜视地走出教室。

四年之后,我本科毕业,考取了我岳父的硕士研究生。我的硕士论文题目是:《拉美"魔幻现实主义"小说与酒品勾兑》。此文受到我岳父的高度赞赏,顺利通过答辩,并被推荐到《酿造大学学报》头条发表。随即,我岳父收我为他的博士研究生。我选定的研究方向是:酒品勾兑师的丰富情感在勾兑过程中的物理化学表现以及对酒品总体风格的影响。我岳父对我的研究方向极为赞赏,他认为我的选题角度新颖,非常有意义也非常有意思。他建议我在开始做论文前应泡一年图书馆,博览群书,积累材料,不要急于动笔。

遵从着我岳父的教导,我一头扎进酒国市图书馆。有一天,我发现了一本奇书《酒国奇事录》,上边有一篇文章,引起了我的兴趣。我把这篇文章推荐给我岳父看,没想到,他立即着了魔,上了白猿岭,与猿猴为伍去了。现把那篇奇文照抄如下,愿看就看,不愿看跳过去。

酒国孙翁,性喜饮,量颇巨,每饮必数斗。其家良田十顷,瓦屋数十间,皆随酒去。妻刘氏携子别嫁。翁浪迹街头,蓬首垢面,破衣褴衫,形同乞丐。见人沽酒,即跪前乞讨,磕头见血,状甚凄惨。忽一日,有童首白须老者,飘然而至,语翁云:"此去东南百里,有岭名白猿,岭上广有林木,林中猿猴,酿酒盈池,何不疾去畅饮,胜似在此乞饮耶?"翁闻言,稽首不言谢,如飞而去。三日后,抵岭下,仰见林木蕃茂,无径可通。即攀藤附葛而上。渐入林深处,见古木参天,遮阳蔽日,藤萝纠葛,鸟声如潮。一巨兽出,其大如牛,目光如电,吼声如雷,草木觳觫。翁大骇,急避,跌入深涧,悬于树梢,自思必死。忽闻涧中酒香扑鼻,精神大震,缘木下,循香去。灌木蓊郁,奇花异果,缀满枝头。有一白色小猿,撷一串紫色果,色如玛瑙,跳跃前去。翁尾之,忽眼前开朗,见一巨石,广数十尺,中有凹,深可盈丈。小猿掷果于凹中,迸然有声,如碎琉璃。酒香波涌。近前观之,凹中皆美酒也。群猿至,持团扇大叶,卷成碟状,掬而饮之。须臾,皆步态颠倒,龇牙弄眼,令人开颐。翁急至,群猿退丈余,啼声如怒。不顾,前仆,延颈入凹做鲸吸,良久方起。觉脏腑洞清,异香满口,飘飘如仙者也。遂学醉猿体态,跳踉叫嚣。群猿随之,相处甚善。此后流连石上,倦即眠,醒即饮,间或与猿嬉戏,乐不思归。村人皆谓翁死,口碑流传,幼稚皆知。数十年后,一樵子入山,见翁鹤发童颜,神清气爽,出自深林,疑为山神,惶然下拜。翁细察其容,曰:"子非名三仙者也?"曰:"然。"翁曰:"吾尔父也。"子少时即闻父为酒鬼,受人蛊惑,死于山中。今见,骇怪之。翁乃自述奇遇,又详言家中旧事,子方信,邀翁归里善养,翁笑曰:"汝家何有酒池供我鲸饮?"嘱儿稍候,攀藤逐木而去,矫若健猿。俄顷,携一大竹至,竹端堵以紫色花,馈子,曰:"竹中猿酒也,饮之,可益气养颜。"子携竹归,去封,倾入盆中,见色如蓝靛,浓香馥郁,人间罕匹。子纯孝,瓶装奉岳家公,公乃刘员外仆,转奉员外。员外见闻,大异,询来处,公即以婿言告。员外迭报抚台,抚台遣数十人入山寻找。数月,惟见山林莽莽,荆榛遍地,无获而归。

我读罢此文,如获至宝,忙去服务处复印,捧回岳家,献给岳父。那是三年前的一个傍晚,我岳父和我岳母正在饭桌上拌嘴。窗外正在下暴雨,电闪雷鸣。蓝色的闪电像一条条颤抖不止的长鞭,把窗玻璃抽打得哆嗦着贼亮。我摇着头,把头发上的水珠甩下去。暴雨中夹杂着冰雹,打得我鼻梁酸麻,眼泪汪汪。我岳母看看我,气哄哄地说:

"嫁出去的女儿泼出去的水,有什么问题你们自己解决,这里又不是民事法庭。"

我一听就知道她误会了,刚想解释,却被一个大喷嚏冲断。于是我在鼻梁的神经质抽搐中,听到了我岳母阴沉沉的嘟哝声:

"难道你也是个以酒为妻的男人?难道……"

当时,我并不理解我岳母的意思,现在我自然是明白了。当时我只看到她嘟哝着,脸色红得发紫,心中仿佛充满了深仇大恨。她好像对我说话,眼睛却死死地,像蛇眼一样僵硬、专注、凝固、冷却地盯着我的岳父。我从来没见过那样的目光,现在回想起来还心中发凉。

我岳父端坐在饭桌前,保持着教授风度,花白的头发在温暖的灯光里宛若蚕丝,而在窗外蓝色电光映耀下却像冷冷的、泛青的绿豆粉丝。他不理睬我的岳母,管自喝着酒,那是一瓶克利科·蓬萨旦寡妇香槟酒,酒液金黄,宛若洋妞光洁温暖的胸脯;细珠串腾,犹如洋妞喁喁的细语;果香优雅,悦人醒神,越嗅越长,真是美妙无比。看这样的酒,胜过看裸体的洋妞;嗅这样的酒,胜过和洋妞接吻;喝这样的酒……

他一手亲切地抚摸着光滑的碧玉般的酒瓶,一手亲昵地把玩一只高脚玻璃杯。他那些瘦长的手指,柔情缱绻地在玻璃杯上、在酒瓶上移动着。他把杯子举起来,与目平齐,让明亮的灯光照着颜色温柔的液体。他观赏着杯中物,目光有些急。他把杯子放在鼻下嗅,嗅一下,屏住呼吸,嘴巴幸福地咧开。他轻呷一口酒,绝对地轻呷,仅仅把舌尖和嘴唇沾湿而已,兴奋的光芒从他眼里泄出。他大口喝干杯中酒,一憋气,不呼吸,酒含在口腔中,暂时不咽,两个腮帮子鼓起来,显得脸圆了一些,但下巴似乎更尖了。我惊讶地发现他竟然没有一根胡须,连一根胡须茬儿都没有,这几乎不是一个男人的嘴巴和下巴。他让酒液在口腔中流动着,那感觉一定美妙无比。他的脸皮上出现了一团团红晕,好像没涂匀的胭脂。他把一口酒含在嘴里久久不吞咽的样子让我生理上起了反感,好像有水在耳朵里响。窗外一道闪电,让房间里绿了一大片,在绿色的颤抖中,他把酒咽下去。我看到酒液怎样通过他的喉咙。然后,他用舌头舔着唇,眼睛湿漉漉的,仿佛刚刚哭过。我在教室里看过他喝酒,那还算正常;在家里喝酒他过分地含情脉脉,显得很不正常。我岳父把玩酒杯、欣赏酒液的一系列动作让我莫名其妙地联想到搞同性恋的男人,尽管我没见过搞同性恋的男人,但我觉得同性恋者在一起时的动作、神情应该跟我岳父对待酒瓶、酒杯、酒液的态度一样。

"恶心!"我岳母把竹筷子重重地掼在桌上,没头没脑地骂一句,起身走进卧室,关上了房门,弄得我十分尴尬。当时我并不明白她究竟恶心什么,现在我自然知道她恶心什么了。

我岳父的好兴致被打断了。他站起,双手按着饭桌的边沿,怔怔地望着绿色的房门,好半天不动弹,脸上的表情却迅速地变幻着,有失望,有痛苦,还有愤怒。当失望的表情出现时,他长出了一口气,拧好酒瓶盖子,坐到墙边的沙发上,像一堆没有皮肉的骨头架子。我忽然觉得老头儿很可怜,想安慰他,却不知该怎样张嘴。我想起了包里的奇文复印件,也想起了此行的目的,慌忙摸出来递给他。我没养成称呼"爸爸"的习惯,一直坚持称呼"老师",对此我老婆很有意见,幸好他并不在意。他说还是叫老师自然些,舒服些,他甚至说闺女女婿称岳父为"爸爸"显得既虚伪又肉麻。我为他倒了一杯茶,水只有50度左右,茶叶都在水面上漂着。我知道他对茶叶没有兴趣,开不开都一样。他用手掌压了压茶杯盖子,算是对我的感激。然后,他有气无力地问我:

"又吵架了?嗨,吵吧,吵吧,一直就这样吵下去吧!"

从他的几句话里我听出了他对两代夫妻关系无可奈何的感慨,凄凉的气息笼罩着他家小小的客厅。我把复印件递给他,说:

"老师,今天我在图书馆发现了这篇文章,挺有意思,您看看。"

我看得出他对此毫无兴趣,他对我这个站在客厅里的闺女女婿也毫无兴趣。看样子他极希望我走开,让他一个人瘫软在沙发上,沉醉在蓬萨旦寡妇的绵长回味中。仅仅是出于礼貌,他才没有赶我走;也仅仅是出于礼貌,他才伸出一只软塌塌的、仿佛纵欲过度的手,接过了我递给他的纸。我提醒他:

"老师,这是一篇关于猿猴酿酒的文章,而且是我们酒国附近白猿岭的猿猴。"

他听了我的话,很不情愿地把纸举起来,目光懒洋洋地爬上去,像两只蠕动在柳枝上的老蝉。如果他一直这样我就失望透了。那说明我不了解他。我了解他,我知道这文章会让他感兴趣,会使他的心情感到愉快。讨他欢心并不是我有求于他,而是我越来越感到,这个老头儿内心深处隐藏着一个皮毛光滑、短吻大耳、鼻尖鲜红、四肢短促、非猫非狗、憨态可掬的小兽,而这只小兽,就像我的孪生兄弟一样吸引着我。这些感觉当然是荒诞无稽,莫名其妙。果然,他的双眼突然放出了光彩,软塌塌的身体也振作了起来,兴奋的心情通过他发红的耳朵、颤抖的手指表现出来,我仿佛看到那只小兽逃出了他的身体,在他头上三尺的虚空中,滑着一条条丝绸般的轨迹,跳跃,滑翔。我真是高兴,我真是愉悦,我真是欢乐,我真是欣喜。

他又匆匆看了一遍那几张纸,然后闭上眼睛,手指下意识地弹着纸张,纸张发出啪啪的脆响。他睁开眼说:

"我决定了!"

"您决定了什么?"

"你跟了我这么多年难道还猜不到我决定了什么?"

"学生才疏学浅,参悟不透老师的玄机。"

"陈词滥调!"他不悦地说,"我要到白猿岭上去,寻找猿酒。"

潜意识里有一阵兴奋不安的情绪在涌动,我感到期待许久的事情即将发生了。平静如死水的生活即将掀起波澜,一个趣味盎然的佐酒话题很快就要传遍酒国,并因此使酒国市、使酿造大学、使我本人笼罩在富有浪漫色彩的文学与俗文学相结合的气氛中。而这一切,源于我在市图书馆的偶然发现。我岳父即将去白猿岭上寻找猿酒,而紧随着上岭的,是一批又一批寻找我岳父的人。但我还是说:

"老师,您知道,这种文章多半是无聊文人的臆造,只能当成幻想小说看而不能认真。"

他已经从沙发上站起来,抖擞着精神,宛若一位即将奔赴沙场的战士。他说:

"我的决心已下,你不要啰嗦了。"

"老师,这么大的事,您应该和我岳母商量一下。"

他冷冷地看我一眼,说:

"她与我已没有任何关系。"

他摘下了手表和眼镜,就像走向床铺一样走向门口,毫不犹豫地拉开门，并且毫不犹豫地、重重地从外面带上了门。这层薄薄的板立即把他与我分割在两个世界里。在他开门的一瞬间奔涌进来的风声雨声闪电声、冰凉潮湿的雨夜气息伴随着关门声突然中止。我呆呆地站着，听到他的穿着拖鞋的脚与水泥楼梯上的沙土与废纸摩擦发出的嚓啦声渐渐减弱，直至消逝。我岳父的客厅因为走了他而变得空空荡荡，尽管我高大健壮地站在客厅中央，但我感到自己根本不是人，连一根水泥桩子都不如。事情发生得太突然便像幻觉，但这不是幻觉，他的手表、眼镜还余温未消地伏在茶几上，那两张我亲手递给他的复印纸还错杂着贴在沙发上，他亲昵过、抚摸过的酒瓶与酒杯还孤凄地站在饭桌上，日光灯的镇流器还在发着咝咝的鸣叫，壁上的老式挂钟还在"卡嗒卡嗒"地转动。而且我还听到，虽然隔着一道门，我岳母在她的房间里，一定是伏在床上，脸贴在小臂上，用鼻子和嘴巴，发出唏嘘唏嘘的、像农妇喝热粥一样的声音。

我思考许久，决定应该把这件事情告诉她。于是我先是试试探探地、后来便是果断地敲打起门板来。在我敲打门板声的间隙里，我听到她的唏嘘变成了响亮的抽泣，并且还有擤鼻孔的声音，她把擤出来的东西擦在了什么地方呢？这个毫无实际意义的念头固执地在我脑海里跳动着，像讨厌的苍蝇一样拂赶不去。我明白她已经清楚地了解了外面发生了什么事情，但我还是用极不自然的腔调说：

"……他走了……他说他到白猿岭上寻找猿酒了……"

她擤了一下鼻涕。鼻涕抹到什么地方去了呢？停止哭泣。通过窸窣的声响我仿佛看到她已经离开了床铺，站在那里，呆呆地望着门板，也许是望着墙壁，墙上悬挂着那幅我曾经欣赏过的她与他订婚时的照片。照片镶嵌在一架黑色的雕花木框里，宛若一幅供后人追忆的祖先遗照。在那幅照片留住的时光里，我岳父还是个潇洒的年轻人,翘起的嘴角表现出性格中的幽默与趣味,他的头发一分为二,中间那白线像一条锐利的刀疤,仿佛那头颅也曾被一劈两半过。他的脖子倾斜着,倾斜到我岳母头颅的上方。他的尖削的下巴距离她发丝平滑的头顶约有三厘米,这既象征着夫权又象征爱情。在必不可少的夫权和爱情的压迫下,她的脸是圆圆的,浓浓的眉毛,愣头愣脑的鼻子,结实的、朝气蓬勃的嘴巴。那时节我岳母颇像个男扮女装的俊俏小伙子,脸上还保留着不畏艰难、敢于攀登的采燕人后代的某些痕迹,与她目前的杨贵妃式的肉艳娇慵气派毫无继承性。她为什么会变成现在这样?他和她为什么会生出这样一个令中华民族脸上无光的丑女儿?母亲是牙雕,女儿是泥塑。我相信这个问题迟早会有答案的。那镜框那玻璃久不擦拭了,神出鬼没的蜘蛛在上边结了一些精巧的网络,网络上沾满白色的灰尘。我岳母凝目历史陈迹脑子里想什么?也许在追忆往昔的幸福岁月?但他们是否曾有过幸福岁月我可不知道。根据我的推论,一对能将夫妻关系保持数十年的人,一定是冷静的、能克制感情的人,这样的人终生体验的幸福顶多是一种类似黄昏的、缓慢的、暧昧的、苦涩的黏稠幸福,那幸福像酒梢子一样味淡色浊。而两个结婚三天便离婚的人,一定是两匹红鬃烈马,他们的感情像烈火一样熊熊燃烧,他们的感情能将他们周围的世界照得通亮,烤得流油。是正午的毒日头,是热带风暴,是凌利的剑,是猛烈的酒头,浓笔重彩,这样的婚姻是人类的精神财富,而前者却变成了黏稠的淤泥,既麻木了人类的灵悟,又延缓了历史发展的进程。所以我推翻我刚才的猜测:我岳母凝视历史照片时并不是在追忆她逝去的幸福岁月,而很可能在回忆我岳父几十年中让她恶心的一桩桩恶迹。事实马上就会证明我的猜测是准确的。

我又敲了一下门板,说:

"……您看怎么办好？是去追他回来，还是向学校领导报告？"

她沉默了一分钟，绝对地沉默，连呼吸都屏住了，这使我感到不安。突然，她发出了尖利的哭叫，她的嗓音像削尖的毛竹一样，与她的年龄、她的身份、她的一贯的雍容华贵的做派极不相称，产生了巨大的反差，这使我感到恐怖。我担心她会想不开像一只煮熟的天鹅一样，赤条条地悬挂在房间的某个钉子上，是那个悬挂相框的钉子上？是那个悬挂挂历的钉子上？是那个悬挂帽子的钉子上？两个太纤细，一个既纤细又矮，都无法承担我岳母风花雪月的肉体，因此我的恐怖纯属多余。但她这种崭露头角的啼哭的确令我胆寒。我想我只有依靠频频敲门的手段关闭她的喉咙。

我并没有单纯敲门，而是一边敲门一边说一些疏通开导的话，我岳母此时是一团纠葛不清的骆驼毛，我必须耐心地用节奏分明的敲门声和通经活络的五加皮酒一样的话语把她理顺。我当时说了些什么？大概说就是：岳父的夜奔白猿岭是他多年来的夙愿，他是个为了酒不惜身家性命的人。我还说他的出走与岳母无关。我还说他很可能找到猿酒，为人类做出巨大贡献，使丰富的酒文化更丰富，开创人类酿酒史的新纪元，为国家争光彩，为民族长志气，为酒国创利润。我还说"不入虎穴焉得虎子"，不上猴山何觅猿酒？而且我相信，不管我岳父此行能否找到猿酒，他最终都会回来，回到您的身边与您相伴白头到老。

我岳母尖叫着说：

"我不稀罕他回来！我讨厌他回来！我恶心他回来！他最好死在白猿岭上！他最好变成一只遍体生毛的猴子！"

她的话让我毛骨悚然，冷汗从我的所有的毛孔中沁出。在这之前，我只是隐隐约约地感觉到他们俩生活不和美，有一些鸡零狗碎的摩擦,但绝对想象不到我岳母对我岳父的仇恨超过了贫下中农对地主的仇恨,也超过了工人对资本家的仇恨。于是几十年培养起来的"阶级仇恨重于泰山"的信条顷刻间土崩瓦解。一个人恨另一个人竟能达到如此强烈的程度,这无疑是一种美,一种对于全人类的伟大贡献。它多么像一朵盛开在人类感情的沼泽地里的紫红色的、剧毒的罂粟花,只要你不想去动它,去吃它,它就是一种美的存在,具有善良友爱之花所无法比拟的魅力。

接下来我岳母开始倾诉我岳父的罪状,简直是字字血、声声泪。她说:

"他能算个人吗? 能算个男人吗? 几十年来,他把酒当成女人,他开了用美女喻美酒的恶例,于是饮酒便具有性交的含义,于是他把自己的全部性欲施加到酒上、酒瓶上、酒杯上……"

"李博士,其实我并不是你的岳母,我终生未生育——怎么可能生育呢——你的妻子,是我从垃圾箱里捡回来的弃婴。"

真相大白。我如释重负般地长舒了一口气。

"你是聪明绝顶的人,博士,眼里揉不进沙子去。她不是我的亲生女儿这一点你一定早有觉察。正因为如此,我想我可以跟你成为亲密朋友,对你倾诉衷肠。博士,我是女人,不是故宫大门外的石头狮子,不是房脊上的铁皮风信鸡,更不是雌雄同体的低级腔肠动物。女人的欲望我都有,可是我得不到……我的痛苦有谁知晓……"

我说:

"既然如此,你为什么不跟他离婚呢?"

"我懦弱,我怕人骂……"

我说:

"这很荒诞。"

"是荒诞,但荒诞的日子结束了。博士,对于我为什么不跟他离婚,我可以为你解释。因为,他曾专为我设计了一种名叫'西门庆'的烈性药酒,饮下这种酒,能够产生种种幻觉,有时,甚至比实际的性爱还美好……"

我听出了她的甜蜜的羞涩。

"但是,自从你出现在我的面前后,这种酒的效力却突然神秘地消失了……"

我再也不愿敲门了。

"有一个女人,像一只涂满各种香料的熊掌,在微火上炖了几十年,现在,她终于熟透了。她散发着扑鼻的香气,这香气你难道闻不到吗?我的博士……"

房门突然大开,焖熊掌的香气像浪潮一样奔涌出来,我紧紧地抓住门框,像溺水的人抓住船舷……

四

那个黑色的侏儒中了枪弹后,身体猛地往上一蹿,有腾空飞起之状,但灼热的弹头已迅速地击溃了他的中枢神经,使他依然活着的肢体陷入混乱。混乱的表现是:他并没有发挥出他体内潜藏着的神奇能量,像酒博士的小说《一尺英豪》中描写的那样,飞起来,贴到天花板上,像一只巨大的壁虎;相反的是,他的身体上蹿了几厘米后,便歪斜着从女司机的膝盖上滑落下来。丁钩儿看到他在地板上拼命地抻展着身体,股上的肌肉绷紧,好像一条条在寒风中发抖的高压电线。

血和脑浆从他的头上溅出来,肮脏地涂在打着蜡的柞木地板上。后来,他的一条腿像脖子上挨了刀的小公鸡,有力地伸缩着,他的身体在这股力量的驱动下,相当流畅地旋转起来。旋转了大约有十几圈的光景,他的腿不蹬了,紧随着出现的情况是:侏儒身体拘禁,颤抖得十分剧烈。起初是全身颤抖,抖出索索的声响,后来是局部地颤抖,他身上的肌肉群像看台上训练有素的足球迷制造的浪潮一样,从左脚尖抖至左腿肚再至左股左臀左腰左肩绕过肩头至右肩右腰右臀右股右小腿肚右脚,然后再反方向颤抖回去。好久,颤抖也停止了。丁钩儿听到侏儒排泄出一股气体,拘禁着的身体突然舒展开来。他死了,像一条盛产于热带沼泽中的黑鳄鱼。在观察侏儒的死亡过程时,他一刻也没停止观察女司机。就在侏儒从她光滑赤裸的膝盖上滑落下去那一瞬间,她仰面躺倒在那张钢丝弹簧床上。床上铺着洁白如雪的床单,凌乱地摆着一堆奇形怪状的枕头和靠垫。那里边填充着鸭绒,因为当她的头砸在一只四周镶着粉红色花边的大枕头上时,丁钩儿看到几根细小的鸭羽从枕头上轻飘飘地飞起来。她的双腿劈开耷拉在床下,身体仰着。这姿势让丁钩儿心中的沉渣快速泛起,他忆起了与女司机的狂欢——紧追着来的是刻骨铭心的嫉妒,他用牙齿狠狠地咬住嘴唇,但胸中的邪火还是化作一丝丝痛苦的如同中弹未死的猛兽一样的呻吟声从牙缝里钻出来。他一脚踢开了黑色侏儒的尸体,提着青烟袅袅的手枪,站到女司机身边。她肉体上的一切都唤起了他对她的恋爱和对她的仇恨,他希望她死了更希望她仅仅是吓晕了过去。他捧起了她的头颅,看到从微微张开的柔软而没有弹性的双唇间泄露出来的那些贝壳般的牙齿闪烁出来的微弱的光芒。深秋的罗山煤矿的那个早晨的情景蓦然出现在侦查员的眼前,那时候他感到她霸蛮地贴上来的嘴唇"凉飕飕的、软绵绵的,没有一点弹性,异常怪诞,如同一块败絮"……他看到在她的双眉之间,有一个黄豆粒般大小的黑色洞眼,洞眼周围分布着一些钢青色的细屑,他知道那是弹头的细屑。他的身体摇晃着,又一次感到有一股腥甜的液体从胃里爬上来。他跪在她双腿前,"哇"地喷出一口鲜血,使她的平坦的肚腹上增添了色彩,他惊恐万分地想:

"我把她打死了!"

他伸出食指,触摸了一下她双眉之间那个弹洞。他感到那儿的温度很高,弹洞的边缘上翘着一些刺儿,咝儿咝儿地磨着他食指上的皮肤。那感觉很熟悉。他努力回忆着,终于回忆起儿时用舌尖舔冒出一半的新牙的感觉。紧接着他又想起自己批评儿子舔牙齿的情景:那个圆圆脸,圆眼睛,无论穿着多么干净的衣服也显得邋邋遢遢的小男孩背着大书包,脖子上胡乱系着红领巾,手里持一根柳条儿,用舌尖舔着牙齿走到了他的面前。侦查员拍拍他的头顶,他挥起柳条抽着他的腿,不高兴地说:讨厌!拍我头顶干什么?难道你不知道,拍头顶会使人变傻吗?他歪着头,弯着眼睛,一副认真的模样。侦查员笑着说:傻小子!拍头顶不会使人变傻,但舔牙齿却会使牙齿长歪……一股强烈的思念之情使他心中热浪翻滚,他急忙把手指缩回来,泪水涌出的眼眶。他低声呼唤着儿子的乳名,攥着拳头,狠狠地擂着自己的额头,嘴里骂着:

"混蛋!丁钩儿你这个混蛋,你怎么能干出这样的事情!"

那个小男孩不满地盯了他一眼,转身走了。他那两条结实的小腿快速地移动着,转眼便消逝在穿梭般的车辆中。

他想,伤了两条人命,死罪是难以逃脱了,但临死之前要见见儿子。于是他想起省城,那里遥远得像天国一样。

他提着枪膛里只有一发子弹的手枪,跑出了一尺餐厅的大门。

大门两侧的侏儒姐妹扑上来拉住他的衣角。他甩开她们,不顾死活,横穿车辆如水的大街。他听到身体两侧响起了一片难听的、嘎嘎吱吱的紧急刹车声。似乎有一辆车撞在了他的屁股上,他借着这股力量蹿到了人行道上。他隐隐约约地听到一尺餐厅大门附近噪声连天,人们在喊叫。他沿着铺满枯叶的人行道疾跑,恍惚感到是清晨时分,雨后初晴的天上布满血红的云霞。一夜的冻雨使地面滑溜溜,低矮的树枝上沾着一层毛茸茸的冰霰,树木变得十分美丽。似乎只是一转眼的工夫,他便跑到那条熟悉的石头街道上。街道的排水沟里升腾着乳白色的蒸汽,有一些猪头肉、炸丸子、甲鱼盖、红烧虾、酱肘子之类的精美食品,漂浮在水面上。几个衣衫褴褛的老人用绑着网的长杆打捞那些食品。他们嘴上都油漉漉的,面孔都红润,显然从这些垃圾里汲取了足够的营养,他想。有几个骑自行车的人,突然把面孔歪曲得丑陋不堪,然后发出惊诧的叫声,狼狈不堪地、连人带车跌到道旁狭窄的水沟里去。他们的车子和身体破坏了水的宁静,把浓重的酒糟味道和动物尸体的恶臭搅动起来,熏得他直想呕吐。他贴着墙根跑,倾斜的路面使他摔了跤。他听到后面传来乱糟糟的喊抓声。他爬起来后回了一下头,看到有一群人在跳着脚喊叫,并没有人敢追上来。他的脚步慢了些,激烈的心跳使他胸腔剧痛。石墙那一边就是他熟悉的烈士陵园,那些宝塔状的常青树露出半截雪白的树冠,显得格外圣洁。

他跑着想,我为什么要跑呢? 天网恢恢,疏而不漏,我能跑到哪里去呢? 但双腿依然载着他跑。他看到了那棵巨大的银杏树,树下那个卖馄饨的老头像根棍子一样立在那儿,馄饨挑子冒着一团团的热气,老头儿的脸在热气中时隐时显,宛若一颗丑陋的月亮在薄云中穿行。他模模糊糊地想起那老头儿手掌里还攥着他一颗用来抵押馄饨馆的黄澄澄的手枪子弹。他想应该去把那颗子弹要回来,但馄饨的味道从胃里泛上来,而且是韭菜猪肉馅的馄饨,初冬的韭菜味道鲜美,价格昂贵,他拉着她的手在省城的农贸市场里买菜,郊区来的菜贩子蹲在摊子后边啃冷馍馍,牙齿上沾着韭菜。他看到老头儿把手掌摊开,向他展示着那颗漂亮的子弹,雾中的脸上有一种祈求的表情。他想弄清楚老头儿在祈求什么,狗的吠叫声打断了他的思绪。那条虎纹大狗像个影子一样,无声无息地出现在他的面前。它的吠叫声似乎在遥远的地方、在远方的野草梢头滚动,在近处却听不到半点响声,在近处他看到它奇怪地点着很沉重的脑袋,开合着大嘴,却发不出一点声音,于是就产生了一种梦一般的、鬼鬼祟祟的效果。虽是红日初升的凌晨,光线竟也使叶片已相当稀疏的银杏树投下了斑驳陆离的淡影,在黄狗的身上罩上一些依稀可辨的网络。从狗的眼神里他感到它并没有与他为仇的愤怒,它的吠叫,不是示威,而像一种友好的暗示或者催促。他胡乱跟卖馄饨的老汉叨咕了一句话,话一出口就被小风吹散了。所以当老汉大声问他说什么时他糊糊涂涂地说:

"我要去找儿子。"

他对黄狗点点头,远远地避着它,绕到银杏树后去。他看到那位看守烈士陵园的老人紧贴着树干站着,怀里抱着猎枪,枪口斜指着树冠。从老人投过来的眼神里他同样感到催促和暗示,他激动万分地对老人鞠躬,然后抽身向前方的一片楼房跑去,那里冷冷清清,没有一个人影。背后一声枪响,吓得他本能地扑倒在地,打了一个滚,将身体隐蔽在一丛枝叶凋零的蔷薇花后边。他随即又听到一声枪响,循声望去,一只黑色的大鸟像一块黑石头,从空中落下来。银杏树上的枝叶抖动,几片黄叶在橘红色的阳光中飘然而下,十分诗意,宛如深秋的音乐。看守陵园的老人紧贴银杏树干站着，一动不动。他看得到双筒猎枪里冒出的袅袅青烟。又看到虎纹大狗已从树的那边转过来，嘴里叼着被老人击落的黑色大鸟，跑到老人身边。狗放下鸟，蹲踞在老人身边，双眼被阳光映照成两个金色的光点。

他进入楼群前先穿越了一个萧条的街心公园，看到有几个老人在遛鸟，有几个青年人在跳绳。他把枪藏在腰里，装出无事人的样子，从他们身边穿过去。一进入楼群，他发现自己犯了一个严重的错误，这里竟隐藏着一个卖旧货的早市。有许多人，蹲在地上守着摊子。摊子上摆着古旧的钟表、"文革"中流行的毛泽东的像章和半身石膏塑像，还有老式的宛若一朵喇叭花的留声机，等等。但没有一个买东西的人，那些卖主们都目光炯炯地观察着稀疏的行人。他感到这是一个陷阱，一个口袋阵，那些卖东西的人，都是些便衣警察。丁钩儿凭着几十年的经验越看越觉得他们是便衣警察。他机警地退到一棵白杨树后，观察着动静。从一座楼房背后鬼鬼祟祟地转出了七八个青年，有男的有女的，从他们的眼神和体态上，丁钩儿断定这是一个从事某种非法活动的小团伙，而那个走在中间，穿一件长及膝盖的灰布大褂、头戴一顶红色小帽、脖子上挂着一串清朝铜钱的姑娘就是这个小团伙的头头。他突然看到了那个姑娘脖子上的几道皱纹，并嗅到了她嘴巴里的那股子外国烟草的辛辣味道。仿佛那姑娘就压在自己的身下一样。于是他开始端详她的脸，女司机的面目竟慢慢地从这位陌生姑娘的脸上显出来，像蝉的身体从那层薄薄的躯壳中脱出来一样。而且，她的两眉之间那圆圆的弹洞里渗出了一线玫瑰红的血。那线血垂直地流下去，从鼻梁正中，把嘴巴中分，再往下，流经肚脐，再往下，然后她的身体就霍然分开，一大堆脏腑咕嘟嘟冒出来。侦查员大叫了一声，转身就跑，可是怎么跑也跑不出旧货早市。

后来,他蹲在那个卖旧手枪的摊位前,装作买主,翻弄着那些红锈斑斑的破货。他感觉到那个分成两半的女人在自己背后正用一种绿色的纸带把身体缠起来,缠得非常快,起初还能看到有两只戴着米黄色塑胶手套的手在飞快地动作着,一会儿工夫,手就变成了两团黄黄的暗影,湮没在那些湿漉漉的、像鲜嫩的水草一样的碧绿纸带之中。那碧绿是一种超级的碧绿,碧绿出了蓬勃的生命力,于是那些纸带就自个儿飞舞起来,顷刻之间就缠紧了她的身体。他背后冰凉着,假装悠闲,抄起一支造型优美的左轮子手枪,使劲去转动那锈死了的转轮。用劲转,用劲转,怎么也转不动。他问摊主:有山西老陈醋没有?摊主说,没有山西老陈醋。他失望地叹了一口气。摊主说:你仿佛是个行家,其实是个外行。我这儿虽然没有山西老陈醋,但我有朝鲜白醋,这种醋除锈的功能胜过山西老陈醋一百倍。他看到摊主把一只又白又嫩的手伸进怀里,摸呀摸呀,好像在摸什么东西。他隐隐约约地看到了摊主粉红色的绣花乳罩里塞着两个瓶子,瓶子的玻璃是绿色的,但不是那种透明的绿,而是一种雾蒙蒙的绿,很多外国名酒的瓶子就是用这种玻璃制成的。这种雾蒙蒙的绿玻璃显得特别宝贵,明知是玻璃,但怎么看也不像玻璃,所以这种玻璃就贵重。他利用这个句式进一步往下推绎,得到了一个佳句:明知盘里是一个男婴,但怎么看也不像男婴,所以这男婴就贵重。反过来推绎又得到了另一个佳句:明知盘里不是一个男婴,但怎么看也是个男婴,所以这不是男婴的东西也珍贵。那只手终于从乳罩里拖出一个瓶子来,瓶子上印着一些曲里拐弯的字母,他一个也不认识,但他却虚荣地、拿腔拿调地说:是"威思给"还是"拔兰兑",好像他满肚子外文一样。那人说:这是你要的朝鲜白醋。他接过瓶子,抬头一看,摊主的模样很像送他中华烟的那位领导,细看又不太像。摊主对着他笑,龇出两颗亮晶晶的小虎牙,显得稚气十足。他拧开瓶盖,一股白色的泡沫从瓶口蹿出来,他说:这醋怎么像啤酒一样? 摊主说:难道这世界上就只有啤酒会冒泡吗? 他想了想,说:螃蟹不是啤酒,但螃蟹也会冒泡,所以,你是正确的,我是错误的。他把那些冒泡的液体倒在那支左轮手枪上。一股浓烈的酒气散发出来,那支枪淹没在一堆泡沫里,噼噼地响着,像一只青色的大螃蟹。他伸手进去,手指却像被蝎子蜇着一样刺痛起来。他大声质问摊主:你知不知道,贩卖枪支是犯法的行为? 摊主冷冷一笑,说,你以为我真是小贩吗? 他把手伸进胸,把那个乳罩揪出来,在空中一晃,乳罩的外皮脱落,一副亮晶晶的、美国造不锈钢弹簧手铐显出来。摊主立刻变成了浓眉大眼高鼻梁,焦黄的络腮胡子,一个标准的刑警队长的模样。刑警队长捉住了丁钩儿的手脖子,把手铐一挥,"卡嗒"一声就扣上了,刑警队长把自己和丁钩儿铐在一起,说:咱俩现在是一铐相连,谁也别想跑——除非你有九牛二虎之力,扛着我跑。丁钩儿情急力生,轻轻一捎,便把那个高大的刑警队长扛在肩上。他感到这个大家伙几乎没有重量,像纸扎成的一样。而这时,泡沫消失,那只左轮手枪红锈脱尽,显出银灰色的本色来。他毫不费力地弯腰捡起枪,手腕子感到了枪的分量,手掌也感受到了枪的温度。真是支好枪! 他听到刑警队长在自己肩头上赞叹着。他用力一甩,刑警队长便横飞出去,碰到一堵爬满藤蔓的墙上。那些藤蔓纠缠不清,有粗有细,好像墙上的花纹。有一些鲜艳的红叶缀在那些藤蔓上,十分美丽。他看到刑警队长缓缓地从墙上反弹回来,直挺挺地躺在自己面前,而那副手铐,竟像猴皮筋一样,依然连结着两个人的手腕。刑警队长说:这是美国手铐,你休想挣脱! 丁钩儿急火攻心,把左轮枪口抵在那抻拉得几乎透明的手铐上,开了一枪,子弹出膛的强大后座力把他的手臂弹起来,手枪几乎脱手飞走。低头看,手铐丝毫没受损伤。他又开了几枪,结果与开第一枪完全相同。刑警队长用那只没被铐住的手从口袋里摸出香烟、打火机,烟是美国造,打火机是日本产,都是一等货色。他说:你们酒国市的弟兄们消费水平蛮高嘛!刑警队长冷笑着说:这年头,撑死大胆的,饿死胆小的,钞票满天飞,就看你捞不捞。丁钩儿说:这么说你们酒国市烹食儿童也是真的了?刑警队长说:烹食儿童算什么大不了的事!丁钩儿问:你吃过吗?刑警队长说:难道你没吃过吗?丁钩儿说:我吃的是一个用各种材料做成的假孩子。刑警队长说:你怎么知道那不是个真的呢?检察院怎么派你这种笨蛋来!丁钩儿说:老弟,实不相瞒,这些天我被一个女人缠住了。刑警队长说:知道,你杀了她,犯了死罪。丁钩儿说:我知道,但我想先回省城看看儿子,然后就投案自首。刑警队长说:这是个理由,可怜天下父母心。好,我放你走!刑警队长说罢,探头张嘴,把手铐咬断。那枪打不断的东西,在他的嘴里,竟像煮烂的粉条一样。刑警队长说:老兄,市里已下了死命令,要活捉你,放走你,我也担着天大的干系,但我也是一个男孩的父亲,完全理解你的心情,所以放你一马。丁钩儿一躬到膝,说:兄弟,丁钩儿九泉之下也不敢忘记你的恩德。

侦查员抬腿就跑,他路过一个大门,看到院子里挤满豪华轿车,有一些衣冠灿烂的人正在上车。他感到情况不妙,慌忙拐进一条小巷。小巷里有一个修鞋的女孩坐在那里,目光呆呆地,好像在想什么心事。一家门口挂着彩色塑料条的小饭馆里,跳出了一个浓妆艳抹的女人,拦住他的去路,说:师傅,进去吃饭,进去喝酒,八折优惠。那女人说着就把身体贴上来,那张脸上洋溢着罕见的热情。丁钩儿说:不吃,不喝。女人拉着他的胳膊往里拽,说:不吃不喝,坐一会歇歇脚也好嘛。他发着横,把那女人甩了一趔趄。女人就势躺倒,哭喊着:

哥哥,快来,流氓打人啦。丁钩儿一个蹿跳,想越过那女人,但双脚却被女人抱住了。他的身体重重地压在女人身上。他爬起来,恶狠狠地踹了女人一脚。女人捂着肚子打了一个滚。这时候他看到一个五大三粗的男人左手握着一只酒瓶子,右手攥着一把切菜刀从小饭店里跳出来。他见势不好,拔腿就跑,自我感觉极好,宛若行云流水,跑得既轻松又优雅,没有心跳气促的感觉。跑了一阵子,他回头观看,看到那追赶的男子已停住脚,站在一根水泥线杆下,劈着腿小解。他这时感到了疲倦,心脏剧烈地跳动起来,身上也冒出了冷汗。双腿疲软,实在是走不动了。

倒霉透顶的侦查员嗅着味道靠近了一个摊煎饼的活动三轮车,一个小伙子在鏊子上摊饼,一个老太太站在旁边收钱,看样子像是母子俩。他感到饥饿,喉咙里伸小手,但无钱购买。有一辆草绿色的军用摩托车很冒失地蹿过来,一个急刹车,停在煎饼摊子旁边。侦查员吃了一惊,刚要逃窜,却听到坐在摩托车斗里那个上士喊:掌柜的,给摊两张煎饼! 侦查员松了一口气。

侦查员看到这两个战士一高一矮,高的浓眉大眼,矮的眉清目秀。他们围着摊子,跟摊饼的小伙子聊天,头上一句腔上一句,跟胡说八道差不多。煎饼摊好了,抹上红红的辣椒酱,冒着一缕缕热气。两个人捧着饼吃,饼热,不停地倒着手,嘴里唏啦唏啦,吃得很香也很艰苦。一会儿工夫,两个战士各吃了三张饼。矮个子战士从大衣口袋里摸出一瓶酒,递给高个子战士,说:喝口? 高个子战士笑嘻嘻地说:喝口就喝口。他看到高个子战士嘴含住那只玲珑可爱的瓶口,夸张地嘬了一口,然后咝咝地往嘴里吸气,吸气后,又把嘴巴嗒得很响。然后说:好酒,好酒。矮个子战士接过酒瓶,仰脖嘬了一口,迷离着眼睛,极端幸福的样子,一会儿,说:真好,这他奶奶的哪里是酒! 高个子战士伸手从摩托车斗里摸出两棵大葱,剥皮掐叶后,递给矮个子战士一棵,说:吃吧,正宗的山东大葱。矮个子说:我有辣椒。说着从大衣口袋里摸出几个鲜红的辣椒,不无炫耀地说:这是正宗的湖南辣椒,你要不要吃? 不吃辣椒不革命,不革命就是反革命。高个子战士说:吃大葱才是真革命呢! 说着,两个战士就动了怒,一个挥舞着大葱,一个挥舞着辣椒,渐渐地近了身,高个子把大葱往矮个子头上戳,矮个子把辣椒塞进了高个子嘴里。摊煎饼的小贩上来劝架,说同志同志别打了,我看你们俩都挺革命的。两个战士分开,都气鼓鼓的样子。那劝架的小伙子笑得腰都弯了。丁钩儿也觉得他们好笑,想着想着就嗤嗤地笑出声来。小伙子的娘过来说:你笑什么? 我看你不是个好人! 丁钩儿忙说,我是好人,绝对的好人! 好人还有你这样的笑法吗? 丁钩儿说:我怎么笑了? 老女人一晃手,仿佛从空中摘下了一面小小的圆镜,递给丁钩儿,说:你自己照照看吧! 丁钩儿接过镜子,一照,不由地大吃一惊,他看到自己的双眉之间竟然也有一个流着血的圆圆的弹孔。透过弹壳,他看到有一颗金灿灿的子弹,在大脑的沟回里移动着。他不由自主地惊叫起来,扔掉小圆镜,像扔掉一块烫手的铁。小镜子在地上滚动着,立着滚动,把一个亮亮的白点射到远处一堵褪了色的红墙上,那墙上涂着一些大字,细看竟是一条莫名其妙的标语:努力消灭酒与色! 忽然他又明白了这条标语的涵意,便走上去,用手指触摸那些字,那些字滚烫,也像烧红的铁。回头看,那两个战士不见了,卖煎饼的小伙子和他娘也不见了,只剩下那辆摩托车寂寞地立在那儿。他走过去,看到车斗里还有一瓶子酒,提起瓶子晃晃,见无数的小珍珠般的气泡在酒瓶中沸腾,酒液碧绿,像用绿豆烧成的。隔着瓶塞他就嗅到了浓郁的酒香。他迫不及待地拔开瓶塞,含住瓶口,感到光滑的瓶口凉森森地插入热烘烘的口腔,产生了极度的舒适。那些碧绿的酒液像润滑油一样,连绵不绝地灌注进去,使他的胃肠像怀抱鲜花的小学生一样欢呼起来,使他的精神像久旱逢喜雨的禾苗一样振作起来。不知不觉地就把一瓶酒喝尽了。他意犹未尽地看了看空瓶,然后扔掉瓶子,踩着摩托,抓住手把,跳上车座,他感到摩托车兴奋不安地颤抖着,像一匹打着响鼻、弹着蹄子、抖擞着鬃毛、渴望着奔驰的骏马。他一松车闸,摩托车颠颠簸簸地爬上大路,然后便吼叫着跑起来。他感到胯下的摩托具有高度的灵性,根本无须驾驶,他要做的事就是坐稳屁股,攥紧车把,以免从车上摔下来。于是摩托车的轰鸣就变成了马的嘶鸣,他的双腿亲切地感觉到了骏马温暖的腹部,他的鼻子也嗅到了醉人的马汗味道。一辆辆明晃晃的车辆被甩在后头,一辆辆迎面开来的车辆大睁着惊恐的眼睛,乱纷纷地躲闪到路的两边去,好像破冰船把冰块翻到两边去,好像汽艇把波浪翻到两边去。这感觉让他陶醉。有好几次,他分明感到必定要撞到那些车辆了,他甚至听到那些车辆发出了惊恐的哭叫声,但最终是化险为夷;在针一样细的间隙里,那些明晃晃的东西,总是像柔软的粉皮一样,闪到一边去,为他和他胯下的骏马让出了道路。眼前出现一条河,河上没有桥,河水在深涧里轰鸣,冰凉的泡沫飞溅起来。他一提车把,摩托就腾空而起,他感到身体变得像纸片一样轻,强劲的风把他的身体吹得弯曲起来,硕大的星斗光芒四射,挂在伸手可触摸的高度上。这不是上了天了吗?上了天不就成了仙了吗?他暗暗地思忖着,感到原先想的十分艰难的事情真要实现起来其实十分容易。后来,他看到有一个团团旋转的轮子从摩托车下甩出去,一会儿又是一个,一会儿又是一个。他惊恐地叫起来,叫声在林梢上起起伏伏前进,像风从林梢上掠过。然后他就落在地上,没有了轮子的摩托丑陋地悬在树杈上,一群松鼠跳上去,啃咬那些钢铁部件。他想不到松鼠的牙齿是怎般锋利和坚硬,啃咬钢铁,竟如啃咬腐朽的树干一样。他活动了一下腿脚,竟然灵活如初,一丝一毫也没有受伤。他站起来,有些迷惘地往四周观望,见树木参天,藤萝高挂,大朵的紫色花朵缀在藤上,像用紫色的皱纹纸扎成的假花。藤上还结着一串串的像葡萄一样的野果,颜色有紫红和碧绿两种,都极其鲜润,宛若美玉雕琢而成。那些果实呈半透明状,一看便知汁液丰富,是酿酒的上好材料。他模模糊糊地忆起,好像是女司机,或是另一个不知姓名的漂亮女人说过,有一个白头发的教授,正在山中与猴子们一起酿造全世界最美好的酒,那种酒的皮肤比好莱坞的女明星的皮肤还要光滑,那种酒的眼睛比天使的眼睛还要迷人,那种酒的双唇比性感女皇的涂了口红的嘴唇还要性感……那简直不是酒,而是上帝的杰作,是真正的神来之笔。他看到那些从树枝间射下来的明亮的光柱,白雾在光柱中缭绕,猴子在白雾中跳跃,有的龇牙扮怪相,有的给同伴理毛、捕捉寄生虫。一个身材高大的公猴子,眉毛都白了,所以也是个老猴子,摘下一片树叶,卷成筒状,放到嘴里吹着,吹出"瞿瞿"的哨声,猴子们立刻集合起来,滑稽地模仿着人类排队的样子,站成三排,还稍息立正往左往右看齐呢! 真好玩,侦查员想。他看到猴子们的腿都弯曲着,腰弓着,头颈前探,根本不符合步兵操典的要求,但他又想对猴子绝对不能苛求,人要走出仪仗队的水平,也要下半年的苦工夫,腿用绳子捆起来,腰用木板摽起来,夜里睡觉不许枕枕头。他想,不能苛求。他看到它们的尾巴挂在背后,像一根撑棍一样。许多果实累累的树木都用棍撑起来,以防止压断枝条。何况猴子,人老了也要拄拐棍,北京还有条前拐棍胡同呢,有前拐棍胡同就会有后拐棍胡同,胡同都要拄拐棍,前后都要拄,何况猴子,猴子只在背后拄,那些红艳艳的猴腚,上树时便暴露无遗。老猴子训话。猴子炸了营,攀着藤萝悠来荡去地摘那些紫红色和碧绿色的大葡萄,大葡萄,真大,粒儿都像乒乓球一样。他舔舔口唇,口腔里涌出很多苦涩的唾液。伸手去摘,却够不着,可望不可即。猴子们用头顶着野果,跑到一口井边,往井里扔,噗通噗通响。美女一样的酒香从井里涌上来,那味道像一团团黏稠的烟雾。他探头去井里,看到井底如一面铜镜,倒映出一轮金黄色的月亮。猴子们悬挂起来,一个连着一个,像故事里说的一模一样。绝美的景致,那些猴眉眼古怪,可爱得不得了。他想要是有架照相机拍下这动物奇观就好了。绝对能轰动摄影界,得国际性的大奖,奖金一百万美元,折合人民币八百万元,一辈子吃香的喝辣的都够了,儿子上大学娶媳妇的钱都有了。儿子的牙长出来了,很大的两颗门牙,中间还有一条缝,像个傻乎乎的丫头。突然,那些猴子一个接一个的掉进井里,砸破了水中月,金光四溅,嚓嚓有声,沾在井壁上,宛若黏稠的糖浆。井壁上生着青苔,还有两株金红色的灵芝草。飞来一只红头顶的白仙鹤,把灵芝叼走了一棵。那鹤伸着长腿,呼扇着翅膀,飞到天上的明月里去了。一定是献给嫦娥了。月球上有金黄色的松软沙土,上面有两行脚印,是美国宇航员留下的,能保留五十万年不消失。那两个宇航员活像两个幽灵。月球上的阳光照得人类睁不开眼睛。他站在月光下,果然满头银发,没有胡须,衣衫褴褛,脸上有很多伤口,他提着一个橡木桶,拿着一柄木头勺子,一勺勺舀桶里的酒,举得很高,慢慢地往下倒,连成一条半透明的蜜色的线,那些线在地面快速地凝成一种胶状物,像刚出锅的橡胶,一看就很好吃,他很想吃。他想问:你就是酒国酿造大学那位神经不正常的教授吗?他说我是站在明媚月光下的中国的李尔王,李尔王在暴风雨里咒天骂地,我在月光下赞美人类。古老的童话终究会变成现实,酒是人类最伟大的发现,没有酒,《圣经》是不会有的,埃及的金字塔也不会有,中国的万里长城也不会有,没有音乐,没有城堡,没有攻城的云梯,没有守城的檑木,没有核裂变,没有乌苏里江里的大马哈鱼,鱼类的回游和候鸟的迁徙也没有。人在母亲的子宫里就嗅得到酒的味道,鳄鱼的皮肤可以制成一等的酒囊。武侠小说对造酒的艺术家有深刻的启迪。屈原为什么发牢骚?他没有酒喝所以发牢骚。云南的贩毒、吸毒活动很猖獗,原因是没有好酒。曹操颁布禁酒令说是要节约粮食,这是聪明人办了糊涂事,酒怎么能禁?禁止酿酒饮酒就像要禁止人类性交和繁衍后代一样是不可能实行的。这种东西,是比地球引力还要难以摆脱的东西,如果苹果往空中飞酒也就禁止了。月球的环形山多么像一只只精美绝伦的酒杯呀,罗马的大斗兽场可以改建成一个发酵原料的大酒窖。酸梅酒,竹叶青,状元红,透瓶香,景阳春,康熙醉,杏花村,莲花白……这些酒总起来说还不错,但是比起我的猿酒,那简直是将地比天。有一个混蛋说酒里可以兑尿,这是有想象力的表现。日本盛行饮尿疗法,每天清晨喝一杯自己的尿,可以防治百病,李时珍说童便可以清心火,很有他的道理。真正的高阳酒徒喝酒何用佐肴?金刚钻之流吃男童佐酒是不会喝酒的表现……

第九章

一

莫言老师:

您好! 如果没记错的话, 我已经连续给您寄去过八篇作品, 但至今也没接到《国民文学》编辑老爷们一个字的回音, 如此冷淡一个文学青年, 我认为是不妥当的。他们既然开着那么个铺子, 就应该善待每一个投稿者, 俗话说得好, "三十年河东, 三十年河西", "天转地旋, 你上来我下去", "人无千日好, 花无百日红", "两座山碰面难, 两个人碰面易", 保不准哪一天, 周宝和李小宝这两个小子会撞到我的枪口上呢! 老师, 从今之后, 我决不再向《国民文学》这家被坏人把持的反动刊物投稿了, 咱们人穷志不穷, 天地广阔, 报刊如林, 何必在一棵树上吊死? 您说是不是老师?

我们的首届猿酒节筹备工作已基本就绪; 我也把救治那批库存病酒的勾兑方案弄了出来。样品送到市酒品鉴定小组, 几位专家刷牙漱口品评后, 一致认为此酒风味独特, 宛若一个弱不禁风、愁眉紧锁的美人。市酒品命名协会为此酒定名为"病西施", 我认为欠妥, "病"字不吉利, 势必会给消费者的心理上蒙上阴影, 影响销路, 我建议把"病西施"改为"西子矉"或"黛玉葬花", 病美人的意思都有了,但字面上要温柔多情、惹人怜爱许多。市酒品命名协会的人既嫉妒又保守，死抱着"病西施"不放，我在忍无可忍的情况下，提着酒找到了市长的秘书，敬以美酒，晓以大义，把秘书感动了，带着我去见了市长。市长听了我的陈述，杏眼圆睁，柳眉倒竖，一拍桌子站起来，又一拍桌子坐下去，拿起电话机，一阵乱戳，把市酒品命名协会的会长戳出来，一顿训斥，可谓义正辞严，理直气壮，犹如泰山压顶，汤浇蚁穴，火燎蜂房，蝎子窝里捅一棍，我虽然看不到，但也基本上等于看到了：市酒品命名协会的会长罗圈着腿蹲在了地上，头上沁出了一层黄豆大的汗珠。市长对我大加赞赏，说我为首届猿酒节也就是为酒国市立了一大功。市长随即温柔地问起了我的家庭情况工作情况以及业余爱好、拜师交友诸多方面的情况，我感到心里温暖如春，便把心里话一点不剩地倒了出来。市长对老师您的情况极为关切，并亲口告我让我代她邀请您来参加猿酒节，至于差旅费、食宿费问题，市长嗤之以鼻地说：把酒国市的酒瓶子里的残酒倒倒也够养活十个莫言。

莫老师，我已决定把这种新酒的命名权转让于您，是"西子颦"还是"黛玉葬花"由您定夺，当然老师如有更佳构思更佳。我们市长答应付给您一字千金的命名费。另外，还敢请您为此酒写一份广告文字，我们准备不惜一切代价将广告挤进中央电视台的黄金时段里去，向全国人民乃至全世界人民推荐"黛玉葬花"或是"西子颦"。因此，这广告词儿至关重要，既要幽默风趣又要形象生动，让人一看就如同见到了林黛玉妹妹或是西施姐姐，皱着双眉捧着心口扛着鹤嘴锄咕嘟着樱桃小嘴如弱柳扶风般飘飘袅袅而来，谁也不忍心不买它，尤其是那些患着相思症、失恋病、神经过敏而又具有一定的古典文学素养的青年男女更是不惜当掉裤子买它饮它欣赏它用它治疗自己的爱情病或是把它当成裹着糖衣的炮弹向自己的意中人发起精神性的物质进

攻或是物质性的精神刺激以期达到自己的目的。在您的那些缠绵悱
恻令人柔肠寸断的广告词的引导下,此酒病恹恹的味道便会变成病
态的因而也是迷人心魄的爱情的味道,麻醉众多喜好钻进小说的浪
漫意境里去充当一个人物的中国发育不良的小资产阶级青年男女的
苍白心灵,给他们理想、希望、力量,使他们不至于因情自尽。于是此
酒就会成为震惊世界的爱情酒,于是此酒所有的缺点就会变成显著
的特点而引人注目。老师,其实人类的许多口味是一种训练的结果。
某种东西,当众人都说好时,就没人敢说不好,大众的趣味具有高大
的威权,就像市委组织部长对一个基层干部的威权一样,说你好你就
好不好也好,说你不好就不好好也不好。另外,饮酒饮食都是一种食
痂成癖、喜新厌旧、喜欢冒险、寻求刺激的行为。许多所谓的美食都
是背叛传统、蔑视定法的结果。吃腻了雪白清香的豆腐就吃生满霉
斑的臭豆腐,吃够了肥美鲜嫩的猪肉便吃腐烂猪肉里孳生的蛆虫。
如此同理,饮腻了真正的琼浆玉液,便寻求苦辣酸涩的怪味刺激口腔
粘膜和舌头上的味蕾。所以,只要我们引导得法,就没有推销不出去
的酒液。希望老师能在写作长篇小说的间隙里,捉摸几句词儿,有我
们市长的大话压着阵脚,您必将得到丰厚的润笔,也许您辛苦半年写
出的长篇,还不如写一段广告词儿赚的钱多。

近日我还是很忙,我们市长在与我谈话时流露出一个伟大的构
想:她想由我牵头成立一个写作班子,起草一部《酒法》。《酒法》自然
是酒的根本大法,涉及到酒的方方面面。此事如能成功,不夸张地说,
必将开创一个关于酒的新纪元,光照千秋,泽被万代。这是一项历史性
的创作,我诚邀老师参加《酒法》起草小组,即使不能亲自捉笔,起码也
要当我们的首席顾问。如果此事果行,希望老师不要拒绝我。

这封信写得七嘴八舌,交头接耳,但基本上杂乱成章,原因自然还
在酒上,请老师见谅。随信寄上昨天夜里我在醉意朦胧中创作的一篇

新写实主义小说,欢迎老师批评指正。此小说往外推荐与否由老师定夺,学生创作它,是为了追求一个吉利的数字。我一向对"九"字敬之若神,这部题名《酒城》的小说是我的第九篇作品,但愿它像一颗新星,能够照亮我的黑暗的过去也能够照亮我面前的崎岖道路。

等您来,等您来,我的敬爱的老师,这里的山等您来,这里的水等您来,这里的小伙子等您来,这里的姑娘等您来,姑娘好像花儿一样,嘴巴里溢出天国音乐般的酒香……

敬颂
大安!

学生:李一斗

二

酒　城

无论从地球上哪个地方,您都可以坐飞机乘轮船骑骆驼骑毛驴甚至骑着一头老母猪到达我们酒城。条条大路通罗马,条条水沟流酒城,世界上美丽的地方很多,但美丽过我们酒城的地方却不多,说不多太含糊,干脆就说没有吧。咱酒城的人性子直,像榴弹炮筒子一样,榴弹炮筒子里还有几圈来复线,咱酒城人肚子里连来复线都没有,一根棍从嘴巴插进去从肛门冒出来,丝毫不拐弯,这就是咱酒城人的性格。说明白一点,酒城也就是咱酒国市的首府,万一我说漏了大家别误会。

离咱酒城一百里远,您就能嗅到酒香四溢,鼻子钝一点的,五十里也就嗅到了。不是我魔幻,而是我写实:波音飞机飞到咱酒城上空,总是不由自主地兜圈子翻筋斗,又天真又活泼,又浪漫又多情,醉意朦胧,耕云播雨,颠鸾倒凤,但安全是可以保障的,同志们先生们女士们朋友们不必提心吊胆,因为那时您在飞机上也是天真活泼像喝醉了酒的小狗一样。那滋味美妙奇特,劝诸位都往酒城飞一次,体验一下人间天上的美滋味。

咱酒城正中央,是市府市委所在地,市委院子里,塑着一个白色的大酒缸;市府的院子里,塑着一个黑色的大酒坛子。大家不要以为这里含有讽刺性,绝对没有。改革开放以来,为了尽快改善人民群众生活,各地的党委、政府都挖空了心思出主意想办法,将各地的实际情况与中央的精神相结合,创造出很多方式方法,靠山的吃山,有水的卖水,有风景的发展旅游,有烟的造烟……风起云涌十几年,涌现出了鬼城、烟都、爆竹市……咱酒国的特点是酒多、酒好,所以市委、市府狠抓了酒,创办了酿酒大学、筹建了酿酒博物馆、扩建了十二家老酒厂、新建了三家集中全球酿酒技术精华的大规模新酒厂。以酒为龙头,带动了特种服务业、饮食业、珍贵畜禽饲养……现在,酒国处处闻酒香,户户有佳酿;酒店数千家,日夜灯火通明,觥筹交错。酒国的美酒佳肴吸引了国内外大量游客、食客、酒徒,前来酒城观光喝酒吃好东西,当然,更重要的是招徕了大批酒商,使酒城的美酒和美名源源不断地流向了世界各地。美酒流出去,美元流进来。近年来,酒国市每年向国家交纳的税款已达×××亿元,贡献巨大,与此同时,酒国人民的生活水平也有了大幅度提高,早就"小康"了,现在正在奔向"中康",想着"大康",何谓"大康"?就是"共产主义"呀。话说到这里,诸位也就明白,市委市府院子里塑造的酒缸酒坛具有多么重要的意味。

读者诸君,几句闲篇扯过,文入正题:人入酒城,在诸位目赏酒国美酒之色、鼻嗅酒国美酒之香、舌品酒国美酒之味的同时,听我娓娓谈酒话,听身侧美女朗朗唱酒歌,尽情享受,不要客气,酒逢知己千杯少,话不投机只管说。您面前的架子上摆满酒国佳酿,架后的条桌上摆满各色佳肴,请君各尽所能,各取所需,喝是白喝,吃也是白吃,这次酒城新闻发布会,我是筹委会执行主任,原拟象征性地收取每位五角钱的伙食费,我们市长说那样做是当了婊子立牌坊的虚伪勾当,五角钱,连半根驴屌都买不到,收什么?再说,今天入座的,都是远道而来的贵宾,收你们钱,岂不让天下人笑掉门牙,那样牙科医院就要发大财了——顺便提一句,咱酒城牙科医院的科技攻关小组最新研制了一种永不磨损的补牙材料,诸位如有牙疾,请速去就医,一律免费。镶上这种牙,不怕冷,不怕热,不怕酸,不怕甜,咬得钢,嚼得铁,再没有什么顽固不化的食物能阻挡您的利齿了。这是插述,请听我说正题:咱酒城人酿酒,至少已有三千年历史,大量出土的文物,给我们提供了远古的信息。请大家看录像:这地方名叫月光堆,堆下静卧着古代遗址,挖出了三千多件文物,其中一半是酒器:这是觯,这是觚,这是罍,这是钵,这是盂,这是爵……应有尽有。专家考证,月光堆遗址,距今三千五百年,时当夏王朝晚期。在那遥远的年代里,这里已是觞爵交错,美酒飘香了。现在,酒界流行着一种十分恶劣的风气:纷纷拉大旗做虎皮,你说你的酒醉过大禹,我说我的酒醉过康熙;你的酒颠倒了杨贵妃,我的酒麻醉过汉武帝……如此等等,可谓谬种流传,害人不浅。咱们酒城,才是实事求是,以证据服人。朋友们,请看这块砖,这不是一块普通的砖,这是东汉画像砖,在咱酒城出土。砖上图是酿酒图。我们欣喜地看到,酒国当时的酿酒生产已经出现了生产流程中的分工和配合：画面上左手扶着酿缸上大圆锅的妇人，右手正在搅动着锅内的冷却水；缸右那位男子在烧火加温；酒槽左端那位男子在神情专注地观察接酒的过程；画面下方肩挑两桶的男人是糟房中负责供水的人员……这画面生动地向我们描绘了数千年前的酿酒生产流程，这流程，与我的老师莫言在他的著作《高粱酒》中描述的一模一样。请看第二块砖，这是"酒肆图"，铺面临街，酒坛子累累，柜台内立着酒店主人，左上方有两位客人正手舞足蹈朝酒店奔来。再看第三块砖，这是"宴饮图"，图中共有七人，中央三，左右二，座次井井有序。席前樽爵并列，碟碗横陈，众人捧盘举杯，互相推劝，场面与今天一样。我的啰嗦，到此为止，三块砖头，坚硬而沉重地证明了咱酒城是中华民族酒文化的源头，彻底击碎了围绕着酒史编造的谎言，砸碎了禹王瓶，碰破了霸王杯。杨贵妃是咱酒国嫁出的女儿，每次温泉水滑洗凝脂时都要在池子里倒上一桶咱酒国酿造的高粱酒，要不她的皮肤哪里会那般光滑，她的神态哪里会像一枝海棠春带雨？汉高祖是咱酒国人的儿子，刚出生时她娘没奶，他爹就往他的嘴里灌烧酒，喝烈酒长大的孩子与吃母乳长大的孩子如何能够相比？吹牛撒谎者之流，快把你们的酒倒到河里去吧，酒城的酒是历史的酒，酒城的酒里浸泡着汉文化的经典。

　　同志们，撒谎者们忘记了一个常识，蒸馏酒最早出现于汉代，禹王时代能有的只是发酵酒。汉代画像砖证明酿酒史的革命是在酒国爆发的。

　　朋友们，像日夜流淌的醴泉河一样，酒城美酒经历了漫长的岁月，进入了成熟时期。清朝初年，出现"福大堂"烧酒坊和现已难以查清何家所酿的"步步娇酒"。在这基础上，出现了"福娇堂"烧酒坊和酒城的第一名酒："云雨大曲"。

话说清朝顺治年间,一位袁姓的小客商,名已字三六。他先开店卖酒,后设坊酿酒。他善于吸取当时酒城各酒家的传统工艺,想创出个名牌,可惜因病早逝。一直到他的第三代孙,才实现了这一夙愿。袁姓三代孙,名叫袁九五,他承继了祖辈的酿酒经验,又凭着比祖辈更丰富的市场阅历,于乾隆年间选中了酒城东门外娘娘庙所在地女儿井街开创他的事业。

相传,娘娘庙地下有个海眼,挑动海眼,酒城将变成海洋。为了免除水灾,群众集资建庙,并塑了一个金身娘娘,镇压在海眼之上。娘娘庙香火鼎盛,尤其是每年的农历四月初八日,在这里赶庙会,烧香,热闹非凡,仕女如云,成群结队的小流氓也混在女人堆里,摸奶子,捏屁股,搞得人欢马叫。这里确实是酿酒沽卖的风水宝地。袁九五便在娘娘庙旁买地建号,号名"福娇堂",并在女儿井旁建烧酒坊。

女儿井距娘娘庙一里路,源出醴泉河,经沙石过滤后,清澈甘冽,被誉为酒城第一井。相传此井中曾淹死过一个绝代佳人。佳人死后化为云霓,笼罩井口,长年不散。袁姓三代孙没有忘记,女儿井曾为前朝名酒"步步娇"提供了优质水源。他是创造酒中精品的大家手笔,当然具有高人一筹的深远历史眼光。"福娇堂"选用女儿井水创造新酿,不仅因为"水是酒之血",而它曾酿出"步步娇",更由于"神系酒之魂",它本身就蕴含着丰富的历史文化内涵。

不平常的志向,不平常的技艺,不平常的清泉,当然带来了不平常的开端。"云雨大曲"刚一问世,即大获成功。"福娇堂"门庭若市,短衣帮、长衫客、老油条、小流氓络绎不绝。一位名叫李三斗的骚客写了两首诗赞美"云雨酒",诗曰:

娘娘庙里久藏春,井水留香化为云。

到底美人颜色好,造成佳酿迷煞人。

水为衣裳云做容,一丝不挂醉刘伶。
饮罢云雨何须梦,胜过巫山一段情。

诗写得固然有些流氓,但也确实道出了这云雨酒的妙处。

"福娇堂"号址设在娘娘庙前,前店后坊,产品可以直接同饮者见面。行人来逛娘娘庙,老远就能看到那金底黑字的巨大匾额。匾额上行草大字,写得潇洒而风流,是闻名全国的大书法家金毛龟先生的手笔。大门两侧是著名学者马裤呢女士所撰对联,联云:

入座眉凝两股痴情
出门手捧一颗爱心

店内陈设典雅俏丽,温柔可人。店堂正中,悬挂一幅彩墨中堂,绘者乃酒国丹青高手李梦娘女士,画的是贵妃醉酒,衣不遮体,丰肌闪烁,尤其是那两颗乳头,红得像两颗大樱桃。来此饮酒,真是一件赏心悦目的乐事。

店中的饮器比起酒城的一般酒店,别具特色。他们的酒壶都做成美女大腿的形状,其容量分为一两、三两、半斤,随酒客随意选用。持其腿,尝其味,别有一番滋味在心头。美哉,妙哉,美妙无比。

酒好店雅名声大,奇闻趣事层出不穷。

相传清朝光绪年间一个寒冷的冬夜,大雪纷飞,遍地皆白,"福娇堂"酒店的伙计要关门休息,昏暗中,见一个人提着灯笼,身上落着厚厚一层雪花撞入店堂,说家中娇客想饮云雨酒,特冒大雪来沽。无奈当天店里的酒早已售完,老板连连致歉,不料此客执意不回。老板为其诚心感动,让学徒去库房取酒,不料库门一开,酒香洋洋涌出,沽客急不可耐,挑着灯笼冲入酒库。学徒阻挡不迭,一时灯火摇动,燃着笼纸,并殃及酒库,酿成了一场大火灾。燃烧着的酒浆四处流淌,在吞没"福娇堂"库房和店堂之后,又像一条条蓝莹莹的火龙,流到对面的娘娘庙里,把庙堂烧成了一片废墟。诸君别忘记那天夜里大雪飘飘,地上积着琼屑碎玉,蓝色的火遍地流淌,映着天上地下的雪白,景色奇异瑰丽,难以形诸笔墨。大火之后,起火原因和火情被传得神奇绝妙,"福娇堂"的名声借着火势大振,重建之后,生意更加兴隆。这场大火,无疑为"福娇堂"做了一个大广告。

"云雨大曲"不仅醇甜净美,而且香艳无匹。一年暮春,烧坊的小伙计开篓舀酒,不慎倒笼流酒,浸至街坊,瞬息间浓香飘散,游街的青年男女,都眼泪汪汪,面颊酡红,活活地痴了。天上正巧有群鸟飞过,竟盘旋迷失方向,沉甸甸地跌在街上。沉鱼落雁。勾魂摄魄。千种柔情。万样风流。有诗曰:

一杯云雨穿喉过,万般风景现世来。
此酒只应天上有,人间哪得几次尝?

各位来宾,各位朋友,关于这"云雨酒"的好处,我已说了很多。需要补充的是:本人的岳父,现酒国酿造大学的袁双鱼教授,就是这酿出了云雨佳酿的袁九五先生的嫡传六世孙!袁教授执鞭酿造大学后,毫无保留地献出了家传绝技,在他的带领下,在市委、市府的关怀指导下,乘着改革开放的骏马,在短短十年里,我们酒国市在继承的基础上,又创造了十几种可与云雨佳酿相媲美甚至在某些方面更有特色的酒国美酒。譬如"绿蚁重叠",譬如"红鬃烈马",譬如"一见钟情",譬如"火烧云",譬如"西门庆",譬如"黛玉葬花"……更加令人振奋的是,我岳父袁教授只身上了白猿岭,蓬头垢面,鹤发童颜,与猿猴交友,向野兽学习,汲取了猴子的智慧,继承了祖宗的传统,借鉴了外来的经验,古为今用,洋为中用,猴为人用,终于试制成功了独步世界、一滴倾城的猿酒!

猿酒将在首届猿酒节隆重推出!

千两黄金易得,一滴猿酒难求!

朋友们,不要犹豫了,快来酒国市!

切莫错过哟!

三

一斗兄:

大作收到。

正好有一位在出版社工作的朋友来找我,就把《酒城》给他看。他看后拍案叫绝,说这是一桩好买卖。他说,如果你能将此文扩充到七八万字,再配上一些图画和照片,便可出一本书。他们出版社出书号,负责编辑事务,你们市出钱赞助并包销十万册。他说反正你们为首届猿酒节也要准备宣传材料发给各位来宾,何不搞这样一本图文并茂的书?到时来宾人手一册,酒国的历史、酒国的佳酿俱包罗在内,既方便,又好看,又有保存价值,又有广告效益。我认为他这个主意很妙,你可与你们市长商量一下。出此书大概要五万元,给出版社。区区五万元，对你们酒国来说，是小意思吧？此事结果如何，请尽快通知我。那位朋友很感兴趣，临行时我把你的地址给了他，也许他会直接跟你联系。

关于为您的酒命名，以及参加《酒法》起草小组诸事，既然有大利可图，我想我也不必虚伪，暂且就答应下来。我写完手头长篇的最后一部分，立即到酒国去，到时再详细商谈有关事宜。

即祝

笔健！

莫　言

四

……哇哇哇！一想到金刚钻和那些被吃掉后排泄到厕所里的男婴孩，丁钩儿心中残存的责任心和正义感便像灼灼的北斗星一样，照亮了在黑暗中四处流窜的意识。这时他感到耳轮上和鼻尖上刺痛难忍，仿佛有什么尖利的、浸着剧毒的东西把自己的耳朵和鼻子扎破了。他身不由己地折坐起来——天旋地转，头大如柳斗——费劲地睁开肿胀的眼皮，看到有三五个灰蒙蒙的大影子从自己身上跳走，落地时发出了肉乎乎的沉闷声响。同时他还听到了"吱吱"的尖叫声。是什么珍禽异兽在尖叫？侦查员想到松鸡和野兔，飞龙和鼯鼠，都是酒国盘中餐。他看到在面前的模糊背景上，有一片闪闪烁烁的碧绿的眼睛。他努力转动着沙涩的眼睛，促使泪腺分泌出一些液体滋润眼球。泪水盈盈,泪水里有一股劣酒的味道。他用手背揩揩眼,眼前的景物逐渐分明。他首先看到了一群约有七八只灰色的大家鼠愤怒地用漆黑得令人恶心的小眼睛看着自己,那些尖尖的嘴巴、耷起的胡须、肉塌塌的肚子、长而细的尾巴勾引得侦查员胃部痉挛,一张口喷出一股处于美酒佳肴和粪便之间的东西。他感到喉咙似被利刃划开,鼻子奇酸,一些呲出物堵塞了鼻孔。然后有一枝斜挂在墙上的乌亮的长苗子鸟枪扑进他的眼睛。形象生动的鸟枪把他从混沌状态中唤醒,于是他想起了很久前的仓皇逃窜,想起了幽灵般的非法卖馄饨的老汉和看守陵园的老革命以及那扎着红绸腰带跳舞的茅台酒的精灵和那匹威风凛凛的金毛大狗……意象丰富头绪繁杂犹如百花盛开。似梦非梦亦真亦幻。对肌肤丰润的女司机的思念又蓦然上了他的心头。一只大鼠跳上他的肩头,极其敏捷地在他的脖子上咬了一口,使他不得不排除杂念面对现实。他抖动身体,甩掉老鼠,嘴里发出下意识的尖叫,但他的尖叫被眼前的奇景给堵了回去。他大张着嘴,傻呆呆地,看着仰卧在火炕上、身体上活跃着十几匹大鼠的老革命。老革命的鼻子和耳朵已被饿鼠——也许它们并不饿——啃光,嘴唇吃光暴露出焦黄的牙床,那张曾经吐出过那么多连珠妙语的嘴巴变得十分难看,去掉了多余物的老革命的头颅显得狰狞可怖,而那些恶鼠们,正在抖擞精神,啃着老革命的双手,那两只使枪弄棒的大手白骨暴露,宛若剥光了皮的柳棍。侦查员对老革命充满好感,这个钢骨铮铮的老人在最困难的时候给了自己帮助。他拖着疲惫不堪的身体冲上去,驱赶老鼠。老鼠的眼睛竟然在遭到袭击时飞快地改变了颜色。由漆黑变粉红,由粉红变碧绿,吓得侦查员连连倒退,退到背靠墙壁无法再退,见鼠们龇牙咧嘴,吹胡子瞪眼,肩膀靠着肩膀,团结成一个集体,随时都会冲上来似的。墙上的鸟枪硌着侦查员的背,他急中生智，飞快转身摘下枪，端起来，食指寻找到扳机，摆开架势，如临劲敌般，侦查员大喊：

"不许动，动就打死你们！"

老鼠们你看看我，我看看你，手舞足蹈着，嘲弄侦查员。他怒火上冲，咬牙切齿，骂一声：

"狗日的老鼠！今日让你们知道老子的厉害！"

话出口，扳机倒，只听得轰隆一声响，仿佛起了一个炸雷。一溜火光过去，屋子里硝烟滚滚。硝烟散后，侦查员欣慰地看到，那些老鼠被他一枪打得七倒八歪，没死的只恨爷娘少生了四条腿，窜梁越檩，飞檐走壁，顷刻间跑得无影无踪。侦查员惊惶地看到，这一枪虽然打跑了老鼠，但也把老革命的脸打得千疮百孔，像筛子底儿一样。他抱着枪，倚着墙，双腿软，不知不觉臀着地，心里叫不迭的苦。他想到，老革命肯定是先逝世，然后被耗子们糟蹋了遗体，但谁也不会相信这事实，看到老革命那颗布满铁沙子的头脸，谁也会认为他是先中了枪弹而后又被老鼠们破坏了五官。丁钩儿丁钩儿，这一下你跳到长江里也洗不清了。长江比黄河还要浑。"圣人出，黄河清，千家万户放瓜灯，什么灯，冬瓜西瓜南瓜灯。什么灯，什么灯，黄瓜倭瓜脑袋瓜子灯。"一首儿时唱过的歌谣，清脆地、充满神秘意味地在精神崩溃的特别侦查员耳畔响起，声音由远而近，由模糊而清晰，由微弱而响亮，最后变成了辉煌的、行云流水般的童声大合唱。而站在几百个儿童构成的方阵前领唱的，竟然是久违了的儿子。儿子穿着雪白的衬衫、蔚蓝色短裤，犹如在蔚蓝天空上翱翔的一朵白云，犹如一只在蔚蓝大海上漂游的海鸥。两行热酒般的混浊液体从侦查员的双眼里流出，浸湿了面颊和口角。他站起来，对着儿子伸出了手，那个蔚蓝雪白的小家伙，却缓缓地远去了。塞满他的瞳孔的，是他与老鼠们一起制造的惨相,一桩必将震动酒国的虚假的、但却有嘴难辩的凶杀案。

在儿子的迷人面孔的引导下,侦查员走出烈士陵园的门房,看到那匹曾让自己毛骨悚然的、斑斓猛虎一样的大狗,伸着腿侧歪在一棵翠柏下,狗嘴里流着鲜血,看样子是中毒而死。侦查员丢魂落魄一样,弯着腰,从铁门上的狗洞里钻出去。坑洼不平的破旧沥青路上,远远近近没有一个人,只有一根孤独的水泥线杆,戳在路边,并把一条长长的影子,画在路上。血红的夕阳照着侦查员的脸,他怅怅地面对夕阳站着,想了好久,也不清楚想了些什么。

火车穿越酒国市发出的铿锵声,给了他一些行动的灵感。他沿着道路,模模糊糊地感到自己在往火车站的方向走去。但横在他面前的,却是一条在暮色苍茫中流金溢彩的河流。河上景色很美,有几条彩船,咿咿呀呀地朝落日的方向滑过去,船上坐着的男女们似乎都是情侣,只有情侣才搂着脖子目光痴迷无言无语。船尾站着一位穿着古老衣裙的矫健女子,探颈引臂,划动大橹,搅破一河金琉璃,也搅起满河的腐烂尸体的味道与热烘烘的酒糟味道。侦查员感到她的劳动带着很多的矫揉造作,仿佛她不是在船上摇橹而是在舞台上表演摇橹一样。一条船滑过去,又一条船滑过去,一条一条又一条。船上客都是那种痴迷迷的情侣模样,船尾女都是那种矫揉造作模样。侦查员感到,船上客和摇橹女都仿佛是从一家专门学校里严格训练出来的。后来,他不知不觉地跟着船的队伍,沿着河边铺了八角水泥板的路面往前走。深秋的河边杨柳叶片凋零,残存的枝条上的叶子都宛若金箔剪成的,美丽而贵重。跟着船行走的丁钩儿,心境逐渐平静,把人间的烦恼事一件件逐渐忘却。有人走向朝阳,他走向落日。

河流拐了弯,眼前出现了一片比较宽阔的水面。许多古旧的红楼里，已是一窗窗灯火。船一只只傍岸泊定。那些痴男恨女们，鱼贯上了岸，消逝在繁华的街市里。侦查员也进入街市，感觉到一种虚假的历史气氛。街上行人，都像鬼影子一样。这种飘忽不定的感觉使他身心轻松，他感到自己的脚步也飘起来。

后来他随着人流进入一座娘娘庙，见一些漂亮女人跪在粉面朱唇的金身娘娘膝下磕头。那些女人都把屁股坐在自己的脚后跟上。他入迷地观赏着那些尖尖的鞋后跟，看了好久，满脑子都是鞋后跟踩出来的坑坑洼洼。有一个剃着光头的小和尚，拿着一个弹弓，躲在一根柱子后，发射泥丸，打磕头女人的屁股，每打中一次，娘娘膝下就发出一声尖叫。尖叫过后，小和尚就双手合十，闭着眼念佛号。丁钩儿想不明白这小和尚是何心态，就上去，屈起中指，在那光头上敲了一下。小和尚一声尖叫，竟是女孩声嗓。数十人围上来，齐叱他耍流氓，调戏小尼姑，像鲁迅先生笔下的阿Q一样。一个警察卡住他的脖子，把他拎出庙门，往前一推，又在屁股上加一脚，丁钩儿一个狗抢屎，趴在庙前石阶上，碰破了嘴唇，动摇了门牙，流了一嘴腥血。

后来他上了一座拱桥，看到桥下水光闪烁，跳动着明明灭灭的灯火。水上漂着大船，船上笙歌齐鸣，恍若神仙夜游。

又后来他进了一座酒楼，见一桌周围，坐着十几位戴大檐帽的人在吃酒吃鱼。酒香扑鼻鱼香也扑鼻，勾得他馋涎欲滴。欲上前讨吃，又自惭形秽。后来他实在馋急，觑个空子，饿虎扑食般上去，捏住一瓶酒，抓起一条鱼，转身就跑。跑出好远，才听到后边一片喧哗声。

再后来他躲在一堵墙的阴影里，喝酒吃鱼，鱼只剩下刺，他把刺也嚼碎吞下，一瓶酒喝得底朝天。

更后来他漫游神逛，见水中繁星点点，一个大红月亮像一个金发婴儿跳出水面,水上乐声愈加响亮。循着乐声望去,见一艘巨大画舫,正从上游缓缓驶来。舱里灯火通明,一大群古装女子,在甲板上轻歌曼舞,鼓瑟吹笙。舱里十几位衣冠楚楚的男女,围定一张桌子,猜拳行令,大喝琼浆玉液,大嚼山珍美味。那些人吃相贪婪,男女都一样,时代不同了。张着血盆大口的女人吃个老母猪不抬头。丁钩儿看得眼都花了。画舫逼近,舫上人物,鼻眼可辨,口臭可闻。丁钩儿从中看到了许多熟悉的面孔,有金刚钻、女司机、余一尺、王局长、李书记……有一张脸甚至酷肖他自己。他的亲朋好友、情侣仇敌似乎都参加了这吃人的宴席。为什么说是吃人的宴席?因为那最后一盘菜依然是一位端坐在镀金的大盘子里、流着油喷着香、脸上挂着迷人微笑的丰满男孩。

"来呀,亲爱的丁钩儿,过来呀……"他听到调皮而俏丽的女司机柔情地喊叫着,还看到她高举着的、频频招展的白色小手。在她的身后,伟岸的金刚钻俯身对小巧的余一尺耳语,金刚钻脸上挂着轻蔑的微笑,余一尺脸上浮起会心的冷笑。

"我抗议——"丁钩儿喊叫着,抖擞起最后的精神,对着画舫扑去。但他却跌进了一个露天的大茅坑,那里边稀汤薄水地发酵着酒国人呕出来的酒肉和屙出来的肉酒,漂浮着一些鼓胀的避孕套等等一切可以想象的脏东西。那里是各种病毒、细菌、微生物生长的沃土,是苍蝇的天国,蛆虫的乐园。侦查员感到这里不应该是自己的归宿,在温暖的粥状物即将淹至他的嘴巴时,他抓紧时间喊叫着:"我抗议!我抗——",脏物毫不客气地封了他的嘴,地球引力不可抗议地吸他堕落,几秒钟后,理想、正义、尊严、荣誉、爱情等等诸多神圣的东西,伴随着饱受苦难的特级侦查员,沉入了茅坑的最底层……

第十章

一

一斗兄：

　　我已预订了九月二十七日去酒国的火车票。我查了一下列车时刻表，到达酒国的时间是二十九日凌晨二时半，时间很不好，但别无车次可乘，只好辛苦你了。

　　《猿酒》看了，感想颇多，见面后再详谈吧。

　　即颂

安好！

莫　言

二

　　躺在舒适的——比较硬座而言——硬卧中铺上，体态臃肿、头发稀疏、双眼细小、嘴巴倾斜的中年作家莫言却没有一点点睡意。列车进入夜行,车厢顶灯关闭,只有脚灯射出一些微弱的黄光。我知道我与这个莫言有着很多同一性,也有着很多矛盾。我像一只寄居蟹,而莫言是我寄居的外壳。莫言是我顶着遮挡风雨的一具斗笠,是我披着抵御寒风的一张狗皮,是我戴着欺骗良家妇女的一幅假面。有时我的确感到这莫言是我的一个大累赘,但我却很难抛弃它,就像寄居蟹难以抛弃甲壳一样。在黑暗中我可以暂时抛弃它。我看到它软绵绵地铺满了狭窄的中铺,肥大的头颅在低矮的枕头上不安地转动着,长期的写作生涯使它的颈椎增生了骨质,僵冷酸麻,转动困难,这个莫言实在让我感到厌恶。此刻它的脑子里正在转动着一些稀奇古怪的事情:猴子酿酒、捞月亮;侦查员与侏儒搏斗;金丝燕吐涎造巢;侏儒在美女肚皮上跳舞;酒博士与丈母娘偷情;女记者拍摄红烧婴儿;稿费、出国;骂人……一个人脑子里填充了这样一些乱糟糟的东西,真不晓得他会有什么乐趣。

"酒国到了,酒国到了,"一位身材瘦小的女乘务员摇摇晃晃地走过来,用巴掌拍打着票夹子,说,"酒国到了,没换票的快换票。"

我飞快地与莫言合为一体,莫言从中铺上坐起来也就等于我从中铺上坐起来。我感到肚腹胀满,脖子僵硬,呼吸不畅,满嘴恶臭。这个莫言的确是个令人难以下咽的脏东西。我看到他从那件穿了好多年的灰布夹克衫里掏出牌子,换了车票,然后笨拙地跳下中铺,用臭气熏天的脚寻找臭气熏天的鞋,他的脚像两只寻找甲壳的寄居蟹。他咳了两声,匆匆忙忙地把喝水的脏杯子用擦脸也擦脚的脏毛巾裹起来,塞进一个灰色的旅行包里去,然后,坐着发了几分钟的呆,目光在那位躺在下铺上鼾睡的制药厂女推销员的头发上定了定,便跟跟跄跄地朝车门走去。

我走下车,看到白色的秋雨在昏黄的灯光里飞舞。站台上空空荡荡,只有几个穿蓝大衣的男人在慢吞吞地走着。乘务员瑟缩着站在车厢门口,一句话也不说,仿佛一只只苦熬长夜的母鸡。列车上静悄悄的,好像没有人一样。车背后有响亮的水声,可能在加水。车头前灯光辉煌。有一个穿制服的人在车旁用一柄尖嘴锤子敲打车轮,像只懒洋洋的啄木鸟。列车湿漉漉的,吭吭哧哧地喘息着,通往远方、被灯光照得亮晶晶的钢轨也湿漉漉的。看来这场雨已下了很长时间,但我在车里竟然一点也不知道。

想不到酒国车站竟是如此清静,如此清静,有纷纷的秋雨,有明亮的、温暖的、金黄的灯光,有闪闪发亮的湿铁轨。有略带冷意的气候和清新的空气,有幽暗的穿越铁路的地下隧道。这是一个有一些侦探小说意境的小车站,我很喜欢……丁钩儿穿越铁路隧道时,鼻畔还缭绕着红烧婴儿的浓郁香气。那个遍体金黄的小家伙脸上流着暗红色的、有光泽的油,嘴角挂着两条神秘莫测的笑意……我目送着列车轰鸣远去,直到车尾的红色灯光在拐弯处消逝,直到非常遥远的暗夜里传来梦幻般的铿锵声,才提着行李走下隧道。隧道里有几盏度数不高的灯泡,脚下崎岖不平。我的旅行包下有小轮子,便放下拖着走,但格格隆隆的响声刺激得我的心脏很不舒服,便拎起来背着。隧道很长,我听到自己被放大的脚步声,心里感到虚虚的……丁钩儿在酒国的经历,必须与这铁路隧道联系在一起。这儿应该是一个秘密的肉孩交易场所,这里应该活动着醉鬼、妓女、叫花子,还有一些半疯的狗,他在这里获得了重要的线索……场景的独特性是小说成功的一个重要因素,高明的小说家总是让他的人物活动在不断变换的场景中,这既掩盖了小说家的贫乏,又调动了读者阅读的积极性。莫言想着,拐了一个弯,一个老头披着一条破毯子蜷缩在角落里,在他的身旁,躺着一只翠绿的酒瓶子。我感到很轻松,酒国的叫花子也有酒喝。酒博士李一斗写了那么多小说,都与酒有关系,他为什么不写一篇关于乞丐的小说呢? 一个酒丐,他不要钱也不要粮,专跟人要酒喝,喝醉了就唱歌跳舞,逍遥得跟神仙一样。李一斗,这个稀奇古怪的人,究竟是什么模样? 我不得不承认,他一篇接一篇的小说,彻底改变了我的小说模样,我的丁钩儿本来应该是个像神探亨特一样光彩照人的角色,但却变成一个彻头彻尾的酒鬼窝囊废。我已经无法把丁钩儿的故事写下去,因此,我来到酒国,寻找灵感,为我的特级侦查员寻找一个比掉进厕所里淹死好一点的结局。

莫言来到出站口,一眼就看到了李一斗。凭着一种下意识,他认为那个身材瘦长、三角脸的人就是酒博士兼业余小说家李一斗。他对着那两只有些凶光逼人的大眼睛走去。

他从出站口的铁栏杆上把一只瘦长的手伸过来,说:

"如果我没看错的话,您就是莫言老师。"

莫言握住那只冰凉的手,说:

"你辛苦了,李一斗!"

检票口的女值班员催促莫言出示车票,李一斗大声说:

"出示什么? 你知道他是谁? 他就是电影《红高粱》的作者莫言老师,是我们市委市政府请来的贵客!"

女值班员愣了愣,看了莫言一眼,没说什么。莫言有些窘,慌忙把车票摸出来。李一斗一把将他拖出铁栏杆,说:

"别理她!"

李一斗从莫言肩上夺过旅行包,抢到自己肩上。他的个头约有一米八十厘米,高出莫言一个头。但莫言引为自豪的是,李一斗起码比他轻五十斤。

李一斗热情地说:

"莫老师,接到您的信后,我立即向市委做了汇报,我们市委胡书记说,欢迎欢迎热烈欢迎。昨天夜里我就带着车来接过一次了。"

莫言道:

"我信上说二十九日凌晨到呀。"

李一斗道:

"我怕万一提前了,您一个人人生地疏,所以,宁愿接空,也不能让您空等。"

莫言笑笑,说:

"真辛苦你了。"

李一斗说:

"市里本来让金副部长接您,我说莫老师是自己人,不必客气,我来接就行了。"

我们朝广场上一辆豪华轿车走去。广场四周有很多枝形灯,很亮,轿车因雨湿显得格外豪华。李一斗说:

"余总经理在车上,这是他们酒店的车。"

"哪个余总经理?"

"就是余一尺呀!"

莫言心头一震,关于余一尺的许多描写源源不断在他脑海里闪过。这个原本与侦查员毫不相干的侏儒竟然死在了侦查员的梦中,事情发展到这步田地只能说是神使鬼差。他想,我的"丁钩儿侦查记"看来只能生炉子了。

李一斗说:

"余一尺总经理非要来,他说先睹为快。这个人极够哥们,老师您千万——您一定不会以貌取人——您敬他一尺,他敬您十丈。"

正说着,车门开,果然有一个身高不足一米——绝对超过一尺——的袖珍男人从轿车里跳出来。他腿脚矫健,衣冠楚楚,像个很有教养的小绅士。

"莫言,你这家伙,到底是来了!"他一出车门就用一种沙沙的、富有感染力的嗓音喊起来,喊着,跑过来,抓住莫言的手,使劲摇晃着,好像久别重逢的老朋友一样。

莫言握着那只躁动不安的小手,心里竟产生了一种内疚感,他想起了自己在小说里让丁钩儿打死他的情景。为什么非要他死呢?这么有趣的小人儿,像上足了发条的小机器人一样可爱,跟女司机做爱有什么不好?不应该让他死,应该让他成为丁钩儿的朋友,一起侦破食婴大案。

余一尺拉开车门,把莫言让进车。他坐在莫言身旁,用散发着酒香的嘴巴说:

"博士天天跟我念叨你,这家伙,把你当神一样崇拜。可是一见面,我发现你莫言其貌不扬,跟一个劣酒贩子差不多。"

莫言心中有些不快,便微讽道:

"所以我才有可能跟余总经理成为朋友。"

余一尺孩子般欢笑起来,笑罢,说:

"真棒,丑八怪与侏儒交朋友!开车!"

开车的女司机不是侏儒,她沉默不语。借着车站广场的昏黄的灯光,莫言看到了她清秀的面容和修长的脖颈,不由地暗暗吃惊:这个女司机,宛如他小说中那位把丁钩儿折磨得死去活来的女司机的孪生姐妹。

轿车前灯大亮,灵巧地驶出广场,一些青白的水从光亮里溅出去。车里洋溢着优雅的香气,有只毛茸茸的玩具老虎在轿车的仪表盘搁板上哆嗦着。音乐很梦幻,车在音乐里像水一样流动,街道平坦宽阔,连一只猫也没有。酒国很大,路两边的建筑很新潮,酒博士并没夸大酒国的繁华。

莫言跟随余一尺进入一尺酒店,李一斗背着旅行包跟在后边。酒店里的设施果然很不错,大厅的地面的确是用大理石铺设,打了很多蜡,闪闪发光。总服务台前坐着一位戴眼镜的姑娘,不是侏儒。

余一尺吩咐眼镜姑娘去开 310 房间的门。那姑娘拿着钥匙盘走到电梯前。她抢在几只手前揿了电钮,电梯门开,余一尺先跳进去,伸手把莫言拉进去,莫言装出一副很矜持的样子。李一斗进来,眼镜姑娘进来,关门。电梯上升,金属的贴面上映出了一张丑陋、疲惫的脸。莫言想不到自己的模样如此残酷。他发现,仅仅几年的工夫自己苍老了许多。他看到与自己的脸并列在一起的是那位眼镜姑娘睡眼惺忪的脸。莫言慌忙把目光移到那些显示楼层的数字上去。莫言在想……疲乏至极的侦查员在电梯里与情敌余一尺狭路相逢。仇人相见,两眼通红……我却突然看到了那眼镜姑娘领口处露出来的那一片白皙的皮肤,并沿着那片白皮肤展开了天马行空般的联想,于是,多年前的往事涌上心头。十四岁时,我偶然把手放在一个姑娘的胸脯上。那姑娘笑嘻嘻地说:哟,你也知道摸这东西了! 你想不想看看这东西是什么模样? 我说:想。她说:好。一阵彻骨的寒冷流遍我的全身,于是,那扇通向青春期的紫红色大门,随着那位姑娘解扣子的手,隆隆巨响着敞开了。我没来得及考虑利害,就冲进去了,那奔跑着牛羊、驯养着鸟雀的少年,便成为永难返回的历史……电梯无声无息地闪开。眼镜姑娘先走到 310 房间,开了门,站在门边,让我们进去。这是个豪华套间,莫言从没住过如此高级的房间,但他还是装出一副大咧咧模样,一屁股坐在沙发上。

"这是我们这儿最好的房间,你将就着住吧!"余一尺说。

莫言道：

"蛮好，我当过兵，什么地方都能住。"

李一斗说：

"本来市里要让你住市委招待所，但那里的高级房间都被前来参加首届猿酒节的外宾和港、澳、台胞住满了。"

莫言道：

"这里更好，我怕跟当官的打交道。"

李一斗说：

"我知道莫言老师是宁静淡泊的人。"

余一尺嘻嘻地笑着说：

"写《红高粱》的人能宁静淡泊？你小子才去了两天宣传部就成了马屁精。"

李一斗讪讪地说：

"余老总说话尖酸刻薄是酒国有名的，莫老师您别在意。"

莫言道：

"没事，我也是尖酸刻薄的人。"

李一斗说：

"还忘了告诉您了，莫老师，上个月我调到市委宣传部搞宣传报道了。"

莫言问：

"那你的博士论文呢？做完了？"

李一斗说：

"以后再说吧，我更适合干文字工作，新闻报道与文学创作离得更近一点。"

莫言道：

"也好。"

余一尺说:

"小马,快给莫言放热水,让他好好洗洗满身的酸臭气。"

那眼镜姑娘应一声,到卫生间去了。卫生间里随即传出哗哗的水声。

余一尺拉开酒柜,展现出几十瓶酒,问莫言:

"你喝什么?"

莫言道:

"算了,半夜三更的,不喝了。"

余一尺说:

"怎么能算了呢? 来到酒国,首要任务就是喝酒。"

莫言道:

"我想喝杯茶。"

余一尺说:

"酒国没有茶,以酒代茶。"

李一斗说:

"莫老师您就入乡随俗吧。"

莫言道:

"好吧。"

余一尺说:

"你自己过来选一种。"

莫言走过去,看着那些装潢精美的瓶子,有些眼花缭乱。

余一尺说:

"听说你是个一级酒徒?"

莫言说:

"其实我酒量有限,对酒也所知甚少。"

余一尺说:

"瞎谦虚什么!你写给李一斗的信我都看过了。"

莫言有些不满地看了一眼李一斗。李一斗忙说:

"余老总是咱的铁哥们,绝对没事。"

余一尺拿出一瓶"绿蚁重叠",说:

"刚下车,喝点味淡的吧。"

李一斗说:

"'绿蚁重叠'好,是我岳父设计勾兑的,用纯正绿豆蒸馏酒做酒基,加入了十几种芳香开窍的名贵药材,喝此酒就像听一位古典淑女演奏篌篌,意境幽远,发人思古之幽情。"

"行喽,"余一尺说,"别卖你的狗皮膏药了。"

李一斗说:

"之所以调我到宣传部,也是因为猿酒节的宣传需要,我毕竟是酒类学博士。"

余一尺嘲讽道:

"博士前。"

他从酒柜里拿出三只水晶玻璃杯,把"绿蚁重叠"倒进去。那酒在杯里绿得令人不安。

莫言临来酒国前,翻阅过一些酒类专著,知道了一些品酒的规矩。他接了杯,先把鼻子触到杯上嗅了嗅,然后挥手扇去沾染在鼻子上的酒气,又把杯子送到鼻下,深深地嗅着,然后屏住气息,闭着眼睛,装出一副深刻思索的模样。良久,他睁开眼,说:

"果然不错,古香古色,典雅庄重,果然不错。"

余一尺道:

"你小子,果真还有两下子。"

李一斗道:

"莫老师是天生的酒才。"

莫言得意地笑起来。

这时候,眼镜姑娘出来说:

"总经理,水放好了。"

余一尺用他手中的杯子碰了一下莫言手中的杯子,说:

"干了,你洗个澡,洗完休息一会,还可以睡两个小时,七点钟开早饭,我让她们来叫你。"

他喝干了杯中酒,戳戳李一斗的膝盖,说:

"博士,我们走。"

莫言说:

"你们也在这儿睡会儿吧,挤一挤。"

余一尺挤挤眼睛说:

"本店不允许男客共眠一室。"

李一斗还想啰嗦,余一尺推他一把,说:

"你给我走吧!"

这时,我把莫言这甲壳抛掉,打哈欠,吐痰,脱鞋脱袜子。响起轻轻的叩门声。我慌忙把脱了一半的裤子提起来,略整了一下衣衫,过去开了门。那个眼镜姑娘小马一闪身就进来了。

她满脸笑意,那股睡眼惺忪的劲儿没了。莫言心血潮动,一本正经地问:

"有事吗?"

小马说:

"总经理让我往浴盆里倒点'绿蚁重叠'。"

莫言说：

"往浴盆里倒酒？"

小马说：

"这是我们总经理的发明。他说用酒洗澡对健康有利,酒能消毒灭菌,舒筋活血。"

莫言说：

"不愧是酒国。"

小马拿起那瓶开了塞子的"绿蚁重叠",走到卫生间里去,莫言紧随着她进去。卫生间里还有一些蒸汽未散,飘飘袅袅的,很有情调。小马把那大半瓶酒倒在浴盆里,一股浓烈的酒味挥发出来,很刺激。

小马说：

"好了莫老师,您快洗吧。"

她笑着往外走,莫言恍惚感到小马的微笑含着绵绵的情意,感情冲动,几乎想伸胳膊搂住她,在那红扑扑的脸上亲一口。但他咬着牙克制住了冲动,放那小马出去。

莫言走出卫生间,站着发了一会怔,便开始脱衣服。房间里温暖如春。他脱光了,用手抚摩了凸出来的腰腹,在穿衣镜前看了看自己的样子,心里充满自卑。他庆幸自己适才没犯错误。

他跳进浴盆,忍受着热辣辣的水与酒的刺激,把身体慢慢地顺到水里去,只露着头颅,枕在浴盆圆润的边缘上。加了酒的浴水呈现出温柔的绿色。好像有无数根细针,轻轻地戳着皮肤,有微微的痛感,但异常舒服。他赞赏地骂起来："这鬼侏儒,真会享受!"几分钟后,痛感消失,周身的血以空前的速度循环着,他感到周身的关系都被理顺了。又待了几分钟,汗从头上冒出来。他的身体体会着大量泄汗的快感。他想:多年未出汗了,毛孔都堵塞了……应该让丁钩儿泡在倒了"绿蚁重叠"的澡盆里,然后再让一个女人进来,这是惊险小说中的常见细节……

洗完了澡,莫言披上了一件散发着香草味儿的浴衣,懒洋洋地坐在沙发上。他感到有点渴,便从酒柜里找了一瓶白葡萄酒,刚要开塞子,小马又进来了。这次她连门都没敲。莫言有点紧张,慌忙把浴衣带子扎好,把腿藏起来。其实说他紧张也未必准确,那种感觉好像是幸福。

小马帮他把酒瓶启开,给他往杯子里倒了酒,说:

"莫老师,余总经理让我来给您按摩。"

莫言的脸上渗出汗珠。他结结巴巴地说:

"天就要亮了,算了吧。"

小马说:

"这是我们余总经理的命令,您就别推辞了。"

莫言躺到床上,让小马按摩。他把精神集中在一副冰凉的手铐上,才避免了犯错误。

吃早饭时,余一尺嘻嘻地朝他笑,弄得他很不好意思。他想说什么,又觉着多余,反正一切尽在不言中了。

李一斗气喘吁吁地跑来了。莫言看到他眼圈发青,脸上挂灰,关切地问:

"你没回去睡会儿?"

李一斗说:

"省报的一篇稿子,急着要,回去赶了出来。"

莫言给他倒了一杯酒,递给他。

他喝了酒,说:

"莫老师,胡书记说,让您上午先参观一下市容,下午他设宴招
待您。"

莫言说:

"胡书记那么忙,就不必了吧?"

李一斗说:

"那怎么能行呢? 您是真正的贵客,我们酒国还要靠您这支大笔
杆子给好好扬扬名呢!"

莫言道:

"我算什么大笔杆子。"

余一尺说:

"莫言兄,吃饭吧!"

李一斗说:

"莫老师,吃饭。"

莫言把椅子往前拉拉,胳膊肘子拐在铺了雪白台布的餐桌上,灿
烂的阳光从高大敞亮的窗户射进来,小餐厅里处处辉煌。轻柔的爵
士乐在天花板上响,很远。那小号吹得动人。他想起了按摩过自己
的眼镜姑娘小马。

早餐有六个小菜,青翠的,鲜红的,个个可爱。还有牛奶、煎鸡
蛋、烤面包片、果酱、馒头、小米粥、咸鸭蛋、臭豆腐、芝麻小烧饼、小花
卷……样数多得数不清。中西合璧。

莫言说:

"一个馒头一碗粥足矣。"

余一尺道:

"吃吧,别客气,酒国吃不穷。"

李一斗说:

"莫老师喝什么酒？"

莫言说：

"清晨空着胃，不喝了。"

余一尺说：

"喝一杯，喝一杯，这是规矩。"

李一斗说：

"莫老师胃不太好，喝杯暖胃的姜酒吧。"

余一斗喊：

"小杨，来倒酒。"

一个女服务员应声而至，模样比小马还要清秀。莫言看得有些呆。余一尺戳他一下，说：

"莫兄，我一尺酒店的姑娘怎么样？"

莫言说：

"都是广寒宫里人。"

李一斗说：

"酒国不单出美酒，还出美女。西施和王昭君的娘都是酒国人。"

余一尺和莫言都笑了。

李一斗认真地说：

"别笑别笑，学生言之有据。"

余一尺道：

"别胡说了，要论瞎编乱造，莫言是你的祖师爷呢！"

李一斗也笑着说：

"学生班门弄斧。"

说笑之间就把早饭吃完了。小杨过来，递了一条喷过香水的热毛巾给莫言。莫言接了毛巾，擦罢手脸，感到一辈子没这么神清气爽过,摸一下腮,感到光滑滑的,很嫩。心里非常舒坦。

李一斗说:

"余老板,中午就看你的了!"

余一尺说:

"难道还要你嘱咐吗? 莫兄千里迢迢而来,洒家怎敢怠慢!"

李一斗说:

"莫老师,我叫了一辆车跟着,愿意走就走,不愿走就坐车。"

莫言说:

"让开车师傅忙去吧,咱们慢慢走着看吧。"

李一斗说:

"那也好。"

三

莫言与李一斗走在驴街上。

驴街上果然铺着古老的青石板,夜里的雨把石板冲刷得很干净,有一股清冷的腥气从石板缝里冒上来。莫言想起了李一斗的小说,便问:

"这街上果真有一匹神出鬼没的小黑驴?"

李一斗说:

"那是传说,其实谁也没见过。"

莫言道:

"这条街上徜徉着无数驴魂。"

李一斗说：

"这倒不假。这条街少说也有二百年了,杀过的驴无法计数。"

莫言问：

"现在每天能杀几头驴?"

李一斗说：

"少说也有二十头吧。"

莫言问：

"哪有这么多驴?"

李一斗说：

"支起杀驴铺,还愁没驴杀?"

莫言问：

"杀这么多驴,能卖掉吗?"

李一斗说：

"有时还不够卖哩。"

正说着,有一个农民模样的人牵着两头肥胖的黑驴迎面走来。

莫言走上去,问：

"老乡,卖驴?"

那牵驴人冷冷地瞅莫言一眼,一声不吭,拉着驴,虎虎地过去了。

李一斗说：

"要不要看杀驴?"

莫言说：

"看,当然要看。"

他们折回头,跟着牵驴人往前走。走到孙记驴肉铺前,牵驴人在

铺外大叫：

"掌柜的,来驴了。"

一个秃头的中年人从铺子里跑出来,说:

"老金,怎么才来?"

老金说:

"过渡口时耽误了。"

秃头打开铺子旁边一道栅栏门,说:

"牵进去吧!"

李一斗上前,说:

"老孙。"

秃头怔了怔,说:

"哎哟,兄弟,大清早出来遛弯儿?"

李一斗指指莫言,说:

"这是北京来的大作家,莫言莫老师,写电影《红高粱》的。"

莫言说:

"一斗,行啦。"

秃头看看莫言,说:

"红高粱? 知道知道,酿酒用的好材料嘛!"

李一斗说:

"莫老师想看看你如何杀驴。"

秃头为难地说:

"这……这……血沫横飞的,别把晦气弄了您身上……"

李一斗说:

"你别支吾了,莫老师是市委胡书记请来的客人,给咱酒国写文章的。"

秃头说:

"噢,是记者呀! 看吧看吧,给俺这小铺子扬扬名。"

莫言和李一斗随着驴走到后院。秃头围着两头黑驴转圈。两头驴好像怕他,转着圈躲避。

李一斗说:

"这家伙,是驴阎王。"

秃头说:

"老金,今日拉来的货色不怎么样啊!"

老金说:

"嫩口,黑皮,豆饼催的膘,你还要什么货?"

秃头说:

"怎么说呢? 这两头驴都喂了激素,肉味不行呐!"

老金说:

"我他妈的到哪儿去弄激素? 你说个痛快话,要不要? 不要我就拉走,满大街都是杀驴铺子呢!"

秃头说:

"老哥,别性急嘛! 多少年的老朋友啦,你就是牵来两匹纸糊的叫驴,我也得买下来烧给灶神爷。"

老金伸出手,说:

"给个价吧。"

秃头也伸出一只手。两只手握在一起,用袖管盖住。

莫言有些奇怪。李一斗小声说:

"这是规矩,买卖牲口,从来都是摸指头讲价钱。"

秃头和卖驴人的脸上都有丰富的表情,好像两个表演哑剧的演员。

莫言观察着他们的脸,感到很有趣。

秃头一抖胳膊大声说:

"就是这个数了,到了顶啦,一个子也不能加了!"

卖驴人也抖抖胳膊,说:

"这个数!"

秃头人挣出手,说:

"我说了,一个子也不加了,不卖你就牵走!"

卖驴人叹了一口气,大声说:

"孙秃子呀孙秃子,下了阴曹地府,让野驴啃死你个杂种!"

秃头反唇相讥:

"先啃死的是你这个驴贩子!"

卖驴人把驴缰绳解下来。买卖做成了。

秃头喊:"嫚她娘,给金大爷倒碗酒来。"

一个浑身油腻的中年妇女端着一大白碗酒出来,递给卖驴的老金。

老金接了酒碗,不喝,看着那女人,说:

"嫂子,今日可是两头黑叫驴,那两根花花驴屌够你咬会儿了。"

女人啐了他一口,说:

"有多少那玩意儿也轮不到我咬,你屋里那个人就好那一口呢!"

老金哈哈大笑着,咕嘟嘟把酒喝了。喝完酒,把碗递还妇人,将驴缰绳往腰里一缠,大声喊:

"秃子,过半晌我来取钱。"

秃头说:

"去忙你的吧,别忘了买根'钱肉'去孝敬崔寡妇。"

"人家早就有了主了,轮不到我老金孝敬了。"说着,大步走进店堂,从柜上穿过,走上驴街。

秃头紧手紧脚地拾掇家什,准备杀驴。他对李一斗说:

"兄弟,您和记者靠边站,别溅了身上污秽。"

莫言看到,那两头解了缰绳的毛驴竟老老实实地挤在墙角,不跑,不叫,只把身体颤抖。

李一斗说:

"无论多凶的驴,见了他就只剩下颤抖的份儿了。"

秃头提着一柄血迹斑斑的橡木槌走到驴腚后,抡起来,在驴蹄与驴腿的结合部敲了一下,那头驴便一屁股坐在地上。他挥动木槌,又在驴的额头上敲了一下,那头驴便彻底放平了,四条腿挺得笔直,像四根棍子一样。另一头驴依然不跑,只把一颗驴头死劲抵在墙上,仿佛要穿墙出去一样。

秃头拖过一只铁盆,放在倒地驴的颈下,然后持一把虎口长的小刀,挑断了驴颈上的血管子,紫红色的血喷到盆里……

看完了杀驴,莫言跟李一斗走上驴街。莫言说:

"够残酷的。"

李一斗说:

"比之过去,这已经是超级温柔了。"

莫言问:

"过去还能怎样?"

李一斗说:

"清末这驴街上有一家驴肉馆,烹炒的驴肉最香,他们的方法是:在地上挖一个长方形的坑,上边盖一块厚木板,木板的四角上各有一圆洞,把驴子的四条腿下到圆洞里,驴子就无法挣脱。然后用滚水浇驴,刮尽驴毛。食客们要吃驴身上哪块肉可随意选,选定后即下刀割取。有时把驴肉卖光了,驴还在苟延残喘。你说残酷不残酷?"

莫言咋舌道：

"是够残酷了。"

李一斗说：

"前不久薛记驴肉馆恢复了这种驴的酷刑,一时顾客盈门,市政府出面禁止了。"

莫言道：

"禁得好!"

李一斗说：

"其实,那样做,驴肉并不好吃。"

莫言道：

"你岳母说动物临死前的恐惧心情会影响肉的质量——这是你在小说里写过的。"

李一斗说：

"老师的记性真好!"

莫言说：

"我吃过'红烧活鱼',那鱼的身体热气腾腾浇着卤汁,嘴巴还在一张一合地动,好像说话一样。"

李一斗说：

"这种虐食的例子很多——我岳母是这方面的专家。"

莫言说：

"你的小说中的岳父母与实际生活中的岳父母有多大差别?"

李一斗红着脸说：

"天壤之别。"

莫言说：

"老弟胆子够大的,万一你的小说发表了,你夫人和你岳父母非把你红烧了不可!"

李一斗道:

"只要小说能发表,我甘愿被他们红烧,清蒸也行,油炸也行。"

莫言道:

"那不值的。"

李一斗说:

"值的。"

莫言道:

"今晚上我们好好谈谈吧,你能行,你的才华绝对超过我。"

李一斗说:

"老师过奖了。"

四

午宴在一尺酒店举行。

莫言坐贵宾席。市委胡书记坐东道席。陪宴者七八人,都是市里的重要干部。余一尺和李一斗也陪宴。余一尺经多见广,很潇洒,李一斗则手脚无所措,很不自然。

胡书记年纪约有三十五岁,国字脸,大眼睛,留背头,油光满面,仪表堂堂。言谈不俗,且透着一股威严。

酒过三巡,胡书记还有几桌客人要陪,起身离席。宣传部金副部长把盏劝酒。半个小时后,莫言就头晕眼花,嘴唇发了硬。

莫言说:

"金副部长……想不到您是个这么优秀的人……我还以为您真是个……吃小孩的恶魔呢……"

李一斗满面汗水,慌忙打断了这个话头,高声说:

"我们金部长吹拉弹唱样样通,尤其是那一口包公,铜声铜气,不让裴盛戎!"

莫言说:

"金部长,来一段……"

金副部长说:

"献丑了!"

他站起来,清清嗓子,石破天惊,起伏跌宕,把那一大段不畏强权、反腐倡廉的戏文唱下来,脸不红,气不喘,双手抱拳,说:

"见笑了!"

莫言高声喝彩。

金副部长说:

"请教莫老师,为什么要往酒里搀尿?"

莫言红着脸说:

"小说家言,何必认真?"

金副部长说:

"我敬三杯,请莫老师唱一段'妹妹大胆向前走'。"

莫言说:

"酒也不能喝了,歌也不会唱。"

金副部长说:

"男子汉大丈夫,对酒当歌,来来来,我先喝!"

金副部长把三个酒杯紧凑着放在面前,依次倒满,然后低头长吸,抬头时,用嘴巴把三个杯子叼起来,再把头往后仰,让杯子底朝天,最后,低头把杯子放下。

一位陪酒的干部说:

"好!'梅花三弄'!"

李一斗说:

"莫老师,这是金部长的绝活!"

莫言说:

"精彩!"

金副部长说:

"莫作家,请吧!"

三只杯子摆在莫言面前,倒满了酒。

莫言说:

"我可不会什么'梅花三弄'。"

金副部长宽容地说:

"一杯一杯喝也行,别难为莫老师。"

莫言喝干了三杯酒,头晕得很厉害。

众人催莫言唱歌。

莫言感到嘴极不方便,嘴唇和舌头互相牵扯。

金副部长说:

"莫作家,只要你唱一段,我喝个'潜水艇'给你看。"

莫言便鬼腔鬼调地唱起来:妹妹你大胆地往前走,往前走,莫回头哇……没唱完就把酒喷出来了。

众人一齐叫好。

金副部长说:

"好,我喝个'潜水艇'。"

他先倒了一大杯啤酒,又倒了一小杯白酒,然后把那杯白酒沉入啤酒杯中,最后,他端起啤酒杯,把啤酒和白酒全喝干。

这时,一个女人大声说笑着走进餐厅:

"哈哈,作家呢?让我敬他三碗!"

李一斗在莫言身旁低声说:

"王副市长,海量!"

莫言看到,那迎面走来的王副市长四方大脸,又白又嫩,双眼流波,宛若秋水,衣裙翩翩,恍若人物汉唐时。

莫言想站起来表示礼貌,却不由自主地钻到桌子底下去了。他在桌子底下听到王副市长响亮地说:

"怎么了大作家?躲起来了?躲起来也不行,把他拉出来,喝,不喝就捏着鼻子给我灌!"

两只强有力的胳膊把他从桌子底下拖出来,他看到王副市长用那只像粉藕一样的玉手,端起一个盛满酒浆的粗瓷大碗,递到他的面前,雄赳赳地说:

"干!"

莫言不由自主地张开了大嘴,让那仙人一样的王副市长把那一大碗酒灌下去,他听着酒水沿着自己的喉咙往下流淌时发出的声音,嗅着从王副市长胳膊上散出来的肉香,心中突然地充满了感激之情,眼泪止不住地流出来。

"作家,怎么啦?"王副市长用温柔的目光盯着他问。

他克制着冲动的心情,嗓子发着颤说:

"我好像在恋爱!"

1989 年 9 月——1992 年 2 月

创作于北京——高密

1999 年 11 月修改于北京

酒后絮语

——代后记

　　童年时,村头来了一位拉着骆驼的相面先生,许多人围观,我也挤进去看热闹。相面先生对众人说我:"这个小孩眉中藏痣,主定长大了能喝酒。"当时村人们都以糠菜果腹,酒是极端奢侈之物,我既然相上主定能喝酒,也许长大后必有酒喝,有酒喝生活必然不会错——于是众人便用异样的目光打量我,看我这未来的酒徒,记得我当时颇为得意。

　　七十年代初,生活略有好转,有一次父亲在家招待一位尊贵客人,剩了半瓶酒,放在后窗台上。我盯着那半瓶酒,突然想起了相面先生的预言,便取下酒瓶,拔开塞子,狠嘬了一口。口腔麻辣,眼睛流泪,是酒给我的第一次感觉。这也便是我饮酒生涯的开始。

　　从此后只要家里没有人我便偷喝瓶中酒,自然是日日见少,担心被发现皮肉受苦,灵机一动,去水缸里舀来水,倒入酒瓶中,恢复到原来的水平。发现了这方法后,就更加放肆地偷喝,反正水缸里有的是水。渐渐地感到瓶中酒味越来越寡淡,不敢再喝,心中日日忐忑。过了些日子,又有客人来,父亲用那半瓶酒待客,竟然没有尝出酒味淡薄,也许是尝出来没说。总算是把这半瓶酒解决了,去了我一块心病。

母亲是知道我的鬼把戏的,但她并没有在父亲面前揭露我。我从小嘴馋,肚子似乎永远空空荡荡。饿苦了,所以馋。家里有什么好吃的东西,无论藏在什么地方,都会被我找到。母亲对我的馋无可奈何,她曾用手指点着我的额头,痛苦万端地说:你怎么这样馋呢?为什么屡教不改呢?因为吃,你赚了多少厌弃?让我为你担了多少羞耻?你什么时候才能把这个馋毛病改掉呢?你现在不但偷吃,还偷喝,喝了你爹的酒,就往里加凉水,你以为我不知道吗?——在母亲的斥责声中,我感到无地自容。

那时候的酒是用红薯干做原料烧出来的。这种酒质量低劣,味道苦辣,稍微喝多一点就烧心、头痛、吐酸水;而用高粱烧出来的酒,无论喝多少也不会头痛。我的大爷爷是喝酒的专家,许多关于酒类的知识,我都是从他那里得知的。

这位大爷爷是个中医,父亲说他三十多岁时才立志学医,后来竟学成了。他虽然没学到扁鹊、张仲景那种程度,但在方圆百里地盘上,很有些名气,也算是一方名医。他一生服务乡里,有口皆碑。父亲经常用大爷爷老大立志、学有所成的榜样来鞭策激励我,并让我跟他去学习中医。父亲说,什么人的饭碗都可能打破,唯独医生的饭碗打不破,因为皇帝也要生病。父亲说,只要你能学成,那保准你一辈子吃香的喝辣的。

那时我因为组织"蒺藜造反小队"被赶出校门,干农活又不中用,便有许多时间泡在大爷爷家。名曰学医,实则是泡在那里看热闹,听四乡八屯前来求医的人说一些逸闻趣事。大爷爷是地主成分,只因为有医术,"土改"时才免于一死。解放后政府对他特别照顾,没强制他下田劳动,允许他在家里坐堂行医。他那时已经年近八十,但耳聪目明,头脑清楚。他是个很健谈的人,尤其是三盅酒落肚之后。我从他的嘴里听过很多故事。这是事实,并不因为马尔克斯有个善讲故事的外祖母我就造出一个善讲故事的大爷爷来类龙比凤。后来听上了年纪的村人私下里说,大爷爷年轻时是个花天酒地的人,干过不少闻名乡里的风流事。听到祖辈的秘史,感到很亲切,并没有影响我对他的尊敬,反而感到敬佩。大爷爷有一种怀旧情绪,薯干酒令他很不满意,高粱酒很难买到大概也买不起,所以他也只能喝着薯干酒怀念高粱酒。

大爷爷说那时候我们这个只有三十多户人家的小村子里有两家规模很大的酒坊。东北乡遍地高粱,酒坊里烧的自然是高粱酒。那两家酒坊都有自家的堂号,一曰"总记",一曰"聚元"。两家在"土改"时都被划为地主,他们的后辈都低头弯腰地承受了几十年祖辈遗给的苦难。"总记"的一个小儿子是解放初期的大学生,"反右"时被划为"右派","文革"期间被开除公职,赶回家乡劳改。他体力不济,干不了重活,只能与我们这些半大孩子混在一起。我常常看到他瞪着被薯干酒烧红的眼睛说一些疯话:酒啊,酒啊,亲娘比不上一瓶酒啊!"文革"结束后,他恢复了公职,离开家乡前,在大街上摆上一个缸,把周围三家供销社的酒全部买了,灌了满满一缸,然后爬到树上放鞭炮,号召全村人来喝酒,庆祝他平反,同时为自己招亲——立刻就有一个贫农的女儿上门来自荐——八十年代末,"总记"的几个后代扬言要恢复祖先的荣耀重建酒坊,说不但要造高粱酒,还要造葡萄酒。他们弄了一些据说是从意大利进口的葡萄种苗让乡亲们栽种,可惜这几个幻想家的热情在葡萄还没结果之前就冷却了。

那时候我们这个偏僻的小村庄里酒香洋溢,村子里上了年纪的男人,大都在酒坊里干过活儿。在酒坊里干活,酒是随便喝的,只要不耽误干活,掌柜的不会出言。我的一个表大伯说,那时酒坊伙计们的饭食很好,一天三顿白面,早晨四个小菜,每人一个咸鸭蛋,中午晚上有鱼有肉,酒管够。所以那时候的伙计,干活没有不卖力气的。这个表大伯腿瘸,就是在"总记"酒坊里干活累的。大爷爷那时候开着药铺,是村子里的头面人物,他自然不会到烧酒作坊里去卖大力,但他对酿酒的过程了如指掌。我写作《红高粱家族》时,从他们过去的生活中,获取了很多灵感。

大爷爷八十多岁时,每天还要喝两顿酒,午饭喝,晚饭喝,每次喝半斤。他年轻时能喝多少?谁也说不准。他对我讲过他自己的两次喝酒经历。一次是他出外为人诊病归来,在路上碰到一位朋友,朋友背着一坛酒,十二斤装,老秤。两人寒暄几句,坐下就喝。没有佐肴,正好路边有几棵野锥蒜,就掐着锥蒜叶儿当肴。搬着坛子,你咕嘟几口递给我,我咕嘟几口递给你,一会儿工夫,就把一坛酒咕嘟光了,那几棵野锥蒜还没吃完呢。然后抿嘴站起来,意犹未尽,拱手道别,各走各的,没事人一样。人均六斤白酒,老秤,竟然都没醉意,用现在的眼光看,简直就是海量了。而另一次,在邻村的一次酒宴上,他一眼看到对面而坐的竟是一位不共戴天的仇人,一杯酒饮罢,辞席而去,摇摇晃晃,感到烈火在脑子里燃烧,过了连结两村的小石桥,一头栽在村头的一个草垛边上,醉了整整一夜,醒来后看到一个车轮般大的红日冉冉升起,照耀着遍地霜雪。

后来我渐渐大了,必须下地干活换取自己的饭食,大爷爷家不能去泡了,学习中医的事也就罢休。父亲对我的不堪造就非常不满,但也无可奈何。因为食物不足,家庭里永远笼罩着阴沉的空气,所以我和哥哥姐姐们,除了吃饭、睡觉不得不回家外,其余的空闲时间几乎都泡在六叔家。六叔家当然也吃不饱穿不暖,但穷欢乐的气氛浓厚,村里那些颇有趣味的人,都是六叔家的常客,在那些漫漫的冬夜里,他们每晚必到。房子小,人挤,我的位置在墙角,与一株养在破水缸里瑟缩在墙角熬冬的夹竹桃紧挨着。屋子里永远不生火,脚冻得像猫咬着一样痛。一灯如豆,温暖地照耀着众人模模糊糊的脸。屋子里烟雾腾腾,这些乡村的口头小说家们你一段我一段地编织着奇闻怪事,有时也议论经济,有时也批评政治,最多的话题则是妖魔鬼怪和村中人的男女情事。有一夜晚,下着鹅毛大雪,众人照旧来了,不知是谁说:要是有壶酒就好了。没有酒,但每个人都在想象着雪夜饮酒的幸福情景。六叔灵机一动,拿出半瓶给猪打针消毒用的酒精(他是赤脚兽医)兑上一碗凉水,从咸菜缸里捞出一个白菜疙瘩当肴,便你一口我一口地喝起来。这件事在《酒国》里得到了表现,但喝瞎眼睛的事是没有的,大概我们摄入的甲醇量还没有达到伤害身体的程度。

到了八十年代,生活好转,喝酒已是常事。造酒是暴利行业,大大小小的酒厂如雨后春笋般冒出来,各种各样的酒造出来,散装的红薯干酒见不到了,所有的酒都是瓶装盒盛,而且包装越来越豪华。报章上不时揭露用工业酒精勾兑假酒喝坏了人的事件,读之令人心怵。假酒制造者遍布各地,手段卑劣,令人发指。大批的假酒制造者和销售者发了横财,被揭露者不过千万之一。即使被揭露了,也不过罚点款了事,这点罚金与他们牟取的暴利相比,根本不算什么。所以,更多的假酒制造者继续用他们的毒酒害人,许多地方的官员对形形色色的制假集团是姑息的甚至是庇护的,其背后的情景可以想象。其实何止是假酒呢?常有人戏言:除了假的是真假,其余的都是假的。

好在我们被蒙骗惯了，人命又不珍贵，所以买了假货也就摇摇头，连愤怒的兴趣都日益淡漠了。近日来，正在掀起一个揭露假货的运动，但愿运动过去，不要恢复如初，甚至变本加厉。我在北京，为防止上当，轻易不买个体户的东西。因为这些人的东西真货不多。而且这些人大都怀揣利刃，弄不好就要捅人。但从报纸上看到，连堂皇的国营商店里也充斥着假货，不用说，进货的人发了财。看起来，泛滥成灾的造假和销假并不是一个纯粹的经济现象，现象背后有深刻的背景，在腐败没得到有效遏制之前，假货永难灭绝。官员的腐败，是所有社会丑恶现象的根本原因。官员腐败问题得不到控制，制假卖假问题解决不了，社会风气堕落问题解决不了，环境污染问题解决不了。连那些濒临灭绝的珍稀动物，他们的天敌，也是腐败官员。

刺激了我的神经、触发了我的灵感，使我动笔写《酒国》的是一篇刊登在某家报刊的文章：《我曾是个陪酒员》。写这文章的是一位家庭出身不好，在念书时就被划为"右派"的人。他念的是中文，毕业后分到东北某矿山的子弟学校当教员，一直郁郁不得志，连个老婆也讨不到。有一次，开了工资之后，他买了八斤酒，想，索性醉死算了。他写了遗书，背着酒，进了山，找了片小树林，坐下，喝光了八斤酒，等死，但除了肚子发胀，别无不适之感。他这才明白自己是个永远喝不醉的人，于是放声大哭。学校的人发现了他的遗书，赶紧找到他，发现满地酒瓶，一人号啕。问他哭什么？他说原本想喝酒寻死，没想到毫无反应，这个月的工资也糟光了，因此悲从中来。众人哭笑不得。渐渐地他千杯不醉的声名传播了出去。有一天，矿山党委派员来考察他的酒量，他当着来人的面连灌三瓶烈性白酒，面不改色心不跳。于是他被调到矿山党委宣传部，具体工作是陪矿山的干部出席酒宴。

从此后他如鱼得水,无数的来宾倒在他的面前。他是中文科班出身,编几句敬酒词儿那是小菜一碟,人又机灵,常常妙语连珠惊四座,深得领导宠爱。他走到街上,许多人都投过来敬仰的目光。临近的几家大企业想用重金把他挖过去,矿山决不放他。自然,老婆也讨到了,而且是本地区有名的美女。酒中自有黄金屋,酒中自有千钟粟,酒中自有颜如玉。

文章是这位饮酒的天才调回南方故乡后写的,字里行间充满痛定思痛的味道。如果他还在东北矿山工作,大概他也不会写这文章。

《酒国》动笔于一九八九年九月,原想写部五万字左右的中篇,但一写起来就没了遮拦。原想远避政治,只写酒,写这奇妙的液体与人类生活的关系。写起来才知晓这是不可能的。当今社会,喝酒已变成斗争,酒场变成了交易场,许多事情决定于觥筹交错之时。由酒场深入进去,便可发现这社会的全部奥秘。于是《酒国》便有了讽刺政治的意味,批判的小小刺芒也露了出来。

即便根据官方统计的数字,我们每年消耗的酒量也是惊人的。虽然禁止公费吃喝的明令再三颁布,但收效甚微,而且每整顿一次,便有一次疯狂的反弹。各种各样的斗酒方式应运而生。我与许多小官吏是朋友,也跟着他们喝了很多不花钱的酒,这也是腐败行为,我知道。我深深体会到,赴这种比赛酒量的宴席绝不是一件乐事,只要你还讲信义、好冲动,必定要被放倒,只有那些冷面冷心冷静的人,才能不被灌醉。而喝醉后的难受滋味,比感冒了难熬许多。我醉酒一次,脑筋要麻木起码一星期。但一上酒席,三杯下肚,便忘了先前的痛苦,总是像英雄一样豪饮,像狗熊一样醉倒。那些小官吏们,其实也想回家与家人一起吃饭,有兴时自随自便啜两盅,但他们身不由己。一方面他们因用公费吃喝、酒海肉山地挥霍浪费而被百姓诅咒,一方面他们又深受酒宴之苦。这大概是中国的一个独特矛盾。我想中国能够杜绝公费吃喝哪怕一年,省下的钱能修一条三峡大坝;能够杜绝公费吃喝三年,足可以让那些尚未脱贫的农民脱贫。这又是白日梦。能把月亮炸掉怕也不能把公费的酒宴取消,而这种现象一日不得到控制,百姓的口诽腹谤便一日不能止。

《酒国》中写了几位小官吏,我对他们表示了充分的理解与宽容。因为我深知,假若把我放在他们的位置上,我会跟他们一样。我经常想,能不能像朱元璋那样,把贪官污吏剥皮揎草,挂在公堂上,以警后任? 我把这想法跟好友说,他们笑我幼稚。朱元璋剥皮揎草,也没制止王朝的腐败,我是太幼稚了。

当然,《酒国》首先是一部小说,最耗费我心力的并不是揭露和批判,而是为这小说寻找结构。目前这小说的结构,虽不能说是最好的,我自认为也是较好的了。语言也让我挖空心思。最好写的是酒后絮语,最难写的也是酒后絮语。如果读者能从这部书里读出一些不同于我过去作品之处,就使我欣然如醉了。

写到此处,这文章也该收尾了。但流连不忍离去,何故也? 因为遗憾太多,过去五千年的历史,从某种意义上说几同一部酒的历史,酒成就了多少好事,也坏了多少好事。古人沉醉着,度过了多少峥嵘岁月,写出了多少辉煌诗篇,而我醉着酒,只写出了这冷眼文章。我想今后一定会有关于酒的巨著产生,我这《酒国》,不过是一声长啸而已,当有高啸如风者在后。

附注——

"苏门啸",钱仲联注引《魏氏春秋》曰:"阮籍……尝游苏门山,有隐者莫知姓名,有竹实数斛,杵臼而已。籍闻而从之,论太古无为之道,论五帝三王之义,苏门先生修然曾不盼之。籍乃吟然长啸,韵响寥亮。苏门先生迴尔而笑。籍既降,先生喟然高啸,有如风音。"

长啸自谓不凡,更有高啸在后。

一九九二年五月

图书在版编目（CIP）数据

酒国/莫言著.—杭州:浙江文艺出版社,2017.1(2024.10 重印)
（莫言作品全编）
ISBN 978－7－5339－4668－5

Ⅰ.①酒… Ⅱ.①莫… Ⅲ.①长篇小说—中国—当代
Ⅳ.①I247.5

中国版本图书馆 CIP 数据核字(2016)第 267491 号

策划统筹　曹元勇
责任编辑　易肖奇
封面设计　周伟伟
插页设计　何　浩
责任印制　吴春娟

酒国

莫言　著

出版　**浙江文艺出版社**
地址　杭州市环城北路 177 号　　邮编　310003
网址　www.zjwycbs.cn
经销　浙江省新华书店集团有限公司
印刷　浙江新华数码印务有限公司
开本　650 毫米×970 毫米　1/16
字数　275 千字
印张　23.5
插页　4
版次　2017 年 1 月第 1 版　2024 年 10 月第 32 次印刷
书号　ISBN 978－7－5339－4668－5
定价　49.00 元